연마
수학

미적분

구성과 특징

연마
고등 수학의 특징

01 스스로 원리를 터득하는 개념 완성 시스템
- 풀이 과정을 채워 가면서 스스로 수학의 원리를 이해할 수 있습니다.
- 주제별, 유형별로 묻는 문제를 반복하여 풀면서 자연스럽게 개념을 완성할 수 있습니다.

02 계산 및 적용 능력을 키우는 기본기 확립 시스템
- 탄탄한 기본 연산력이 수학 실력 향상의 밑거름이 될 수 있습니다.
- 주제별, 유형별로 쉽고 재미있는 문제들을 통해 다양한 문제 접근 방법을 습득, 문제에 대한 적용 능력을 키웁니다.
- 기본기가 탄탄하게 강화되어 자신감을 가지게 됩니다.

03 문제 해결 능력을 높이는 체계적 실력 향상 시스템
- 단원별, 유형별 다양한 문제 접근 방법으로 문제 해결 능력을 향상시킵니다.
- 주제별, 유형별 다양한 집중 문제 풀이를 통해 체계적으로 실력이 업그레이드 됩니다.

연마 고등 수학의 구성

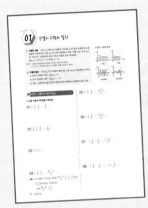

개념정리
핵심 내용정리는 단원에서 꼭 알아야 하는 기본적인 개념과 원리를 창(Window) 형태로 이미지화하여 제시함으로 이해하기 쉽고, 기억이 잘됩니다.

개념 적용/연산 반복 훈련
기본 원리를 적용하여 같은 유형의 문제를 반복적으로, 스몰스텝으로 단계화하여 풀게함으로써 실력을 키울 수 있습니다. 직접 풀이 과정을 쓰면서 개념을 익힐 수 있도록 하세요. 쉽고 재미있는 문제들을 통하여 수학에 대한 자신감을 가질 수 있습니다.

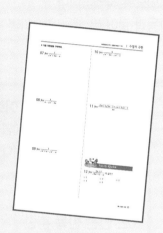

TIP / 문제 풀이에 필요한 도움말을 해당하는 문항의 하단에 제시하여 첨삭지도합니다.

학교시험 필수예제
연산 반복 훈련을 통해 터득한 개념과 원리를 확인합니다. 각 유형별로 배운 내용을 정리하고 스스로 문제를 해결함으로써 학교 시험에 대비할 수 있습니다.

대단원 기본 개념 CHECK
문장력 강화와 서술형 대비를 위해 문장 속 네모박스 채우기로 개념을 정리하며, 부분적으로 공부했던 내용들을 한데 모아 전체적으로 조감할 수 있게 하여 단원을 체계적, 종합적으로 마무리하게 합니다.

빠른정답 & 친절한 해설
가독성을 고려하여 빠른 정답을 새로 배치하여 빠르게 정답을 체크할 수 있도록 구성하였습니다.
또한 기본 문항들 중에서 자세한 해설이 필요한 문항들은 학생들 스스로 해설을 보고 문제를 해결할 수 있도록 친절하게 풀이하였습니다.

학습 방법

이 책은 수학의 가장 기본이 되는 연산 능력뿐 아니라 확실하게 개념을 잡을 수 있도록 하여 수학의 기본 실력이 향상되도록 하였습니다.
다음과 같이 본 책을 학습하면 효과를 극대화 할 수 있습니다.

01. 개념, 연산 원리 이해
글과 수식으로 표현된 개념을 창(Window)을 통해 시각적으로 표현하여 직관적으로 개념을 익히고, 구체적인 예시와 함께 연산 원리를 이해합니다.

02. 연산 반복 훈련
동일한 주제의 문제를 반복하여 손으로 풀어 봄으로써 풀이 방법을 익힙니다. 유형별로 문제를 제시하여 약한 유형이 무엇인지 파악할 수 있어 약한 부분에 대한 집중 학습을 합니다.

03. 학교시험 대비
연산 반복 훈련을 통해 개념과 원리를 터득하고, 학교시험 필수 예제 문항을 통해 실제 학교 시험 문제에 적용하여 풀어 봅니다. 또한 교과서 수준의 개념을 한눈에 확인할 수 있도록 빈칸 채우기 형식의 문제로 대단원 기본 개념 CHECK를 통해 전체적인 개념과 흐름을 확인합니다.

차례

리아스식 해안선의 길이
항공사진으로 해안선을 찍으면 고도를 낮출수록 해안선의 복잡한 모양이 더욱 드러나게 된다.

다리와 구름
유한 번의 조작으로 표현 가능한 다리와 유한 번의 조작으로 표현할 수 없는 구름

끊임없이 반복되는 프랙탈 구조
전체를 닮은 부분들이 무수히 반복되며 모양을 이루고 있음을 알 수 있다.

어떻게?
스페인보다 작은 포르투갈의
해안선의 길이가 길게 측정되었을까?

그 답은 바로
어떤 단위의 자를 사용하는가에 있다!

해안선의 길이를 측정하기 위하여 비행기를 타고 고도를 높여 올라가 보자. 점점 육지와 멀어지고 작아지며 전체 지구의 모양이 눈에 들어올 것이다. 적절한 높이에서 해안선 전체를 찍어 보자. 그리고 이를 적절한 척도를 이용해 총길이를 구해 보자. 이제 고도를 낮추어 가면 높은 고도에서 평탄한 곡선이었던 해안선들이 복잡해지면서 내해, 만, 곶, 방파제 등 다양한 해안선의 모양을 볼 수 있을 것이다. 다시 이제 땅으로 내려와 간격이 1m인 분할 컴퍼스로 측정한다고 해보자. 그러면 공중에서 볼 수 없었던 오르막과 내리막 그리고 또 다른 지형들 때문에 낮은 고도에서 찍어 측정한 해안선 길이보다 훨씬 더 긴 해안선 길이를 구하게 될 것이다. 컴퍼스의 길이를 점점 줄여서 측정하면 그 결과는 점점 커지게 될 것이다.

이와 같이 해안선 길이의 측정에서 측정척도의 길이를 줄여 가면 어떤 해안선 길이의 실제 값에 접근할 것이라고 생각할 수 있다. 그러나 실제로는 그러한 기대를 완전히 뒤엎는 측정 결과가 나타나게 되었다. 리차드슨은 측정의 단위(자의 길이)가 짧아지면 짧아질수록 해안선의 길이는 점점 길어진다는 것을 실제 측정을 통해 보여주었다.

이처럼 무한과 유한은 아주 다른 수학적 개념인데, 달랑베르는 이 두 개념을 극한의 개념으로 연결하여 설명하였고 코시와 바이어슈트라스에 의해 극한 이론이 발전하게 되었다.

I 수열의 극한

01 수열의 수렴과 발산

1. **수열의 수렴** : 수열 $\{a_n\}$에서 n이 한없이 커질 때, a_n의 값이 일정한 값 α에 한없이 가까워지면 수열 $\{a_n\}$은 α에 수렴한다고 한다. 이때, α를 수열 $\{a_n\}$의 극한 또는 극한값이라 하고 기호로 다음과 같이 나타낸다.

$$\lim_{n \to \infty} a_n = \alpha \text{ 또는 } n \to \infty \text{일 때, } a_n \to \alpha$$

|참고| 1. lim은 극한을 뜻하는 'limit'의 약자로 '리미트'라고 읽는다.
2. 기호 ∞는 무한대라고 읽고, 수가 한없이 커짐을 나타내는 기호이다.

2. **수열의 발산** : 수열 $\{a_n\}$이 수렴하지 않을 때, 수열 $\{a_n\}$은 발산한다고 한다.
   (1) 양의 무한대로 발산 : $\lim_{n \to \infty} a_n = \infty$
   (2) 음의 무한대로 발산 : $\lim_{n \to \infty} a_n = -\infty$
   (3) 진동 : 수렴하지도 않고 양의 무한대나 음의 무한대로도 발산하지 않는 경우

수열의 수렴과 발산

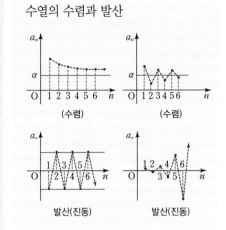

(수렴)　　　(수렴)

발산(진동)　　　발산(진동)

유형 001 수렴하는 수열의 극한값

※ 다음 수열의 극한값을 구하여라.

01 $1, \dfrac{1}{2}, \dfrac{1}{3}, \cdots, \dfrac{1}{n}, \cdots$

02 $\dfrac{1}{2}, \dfrac{1}{4}, \dfrac{1}{6}, \cdots, \dfrac{1}{2n}, \cdots$

03 $2, 2, 2, \cdots$

04 $1, \dfrac{3}{2}, \dfrac{5}{3}, \cdots, \dfrac{2n-1}{n}, \cdots$

해설| n이 한없이 커질 때, 일반항 $\dfrac{2n-1}{n} = \boxed{} - \dfrac{1}{n}$의 값

은 $\boxed{}$에 한없이 가까워진다.

$\therefore \lim_{n \to \infty} \dfrac{2n-1}{n} = \boxed{}$

05 $2, \dfrac{3}{2}, \dfrac{4}{3}, \cdots, \dfrac{n+1}{n}, \cdots$

06 $3, 2, \dfrac{5}{3}, \cdots, \dfrac{n+2}{n}, \cdots$

07 $-1, \dfrac{1}{4}, -\dfrac{1}{9}, \cdots, \dfrac{(-1)^n}{n^2}, \cdots$

08 $-1, \dfrac{1}{2}, -\dfrac{1}{4}, \cdots, (-1)^n \dfrac{1}{2^{n-1}}, \cdots$

유형 002 수열의 수렴, 발산 판별

※ 다음 수열의 수렴, 발산을 조사하고, 수렴하면 그 극한값을 구하여라.

09 $-3, \ -3, \ -3, \ \cdots, \ -3, \ \cdots$

10 $5, \ -5, \ 5, \ \cdots, \ (-1)^{n+1} \cdot 5, \ \cdots$

11 $\{3n-4\}$

해설 | 수열 $\{3n-4\}$는 -1, $\boxed{}$, $\boxed{}$, $\cdots$이므로 $\boxed{}$의 무한대로 $\boxed{}$한다.

즉, $\displaystyle\lim_{n\to\infty}(3n-4)=\boxed{}$

12 $\{-2n+3\}$

13 $\left\{2+\left(-\dfrac{1}{3}\right)^n\right\}$

14 $\{3+(-1)^n\}$

15 $\left\{\dfrac{7}{n^2}\right\}$

16 $\left\{\dfrac{n^2}{5n}\right\}$

17 $\left\{5+\left(-\dfrac{1}{2}\right)^n\right\}$

18 $\left\{\dfrac{(-1)^n}{n^2}\right\}$

19 $\{n^2-n\}$

20 $\left\{\dfrac{1}{2^n+(-1)^n}\right\}$

학교시험 필수예제

21 다음에서 수렴하는 수열을 모두 골라라.

┌ 보기 ├────────────────────┐
ㄱ. $\{1.03^n\}$　　　　　　ㄴ. $\{(-0.9)^n\}$

ㄷ. $\left\{\left(\dfrac{2}{5}\right)^n\right\}$　　　　ㄹ. $\{-n^2+3\}$
└──────────────────────────┘

02 수열의 극한에 대한 기본 성질

수렴하는 두 수열 $\{a_n\}$, $\{b_n\}$에 대하여 $\lim\limits_{n\to\infty} a_n=\alpha$, $\lim\limits_{n\to\infty} b_n=\beta$ (단, α, β는 실수)이면

(1) $\lim\limits_{n\to\infty} ca_n=c\lim\limits_{n\to\infty} a_n=c\alpha$ (단, c는 상수)

(2) $\lim\limits_{n\to\infty}(a_n+b_n)=\alpha+\beta$, $\lim\limits_{n\to\infty}(a_n-b_n)=\alpha-\beta$

(3) $\lim\limits_{n\to\infty} a_n b_n=\lim\limits_{n\to\infty} a_n \lim\limits_{n\to\infty} b_n=\alpha\beta$

(4) $\lim\limits_{n\to\infty}\dfrac{a_n}{b_n}=\dfrac{\lim\limits_{n\to\infty} a_n}{\lim\limits_{n\to\infty} b_n}=\dfrac{\alpha}{\beta}$ (단, $b_n\neq 0$, $\beta\neq 0$)

• 극한값의 기본 성질은 수열 $\{a_n\}$, $\{b_n\}$이 각각 "수렴"할 때에만 성립하고 "발산"할 때에는 성립하지는다.

유형 003 수렴하는 두 수열의 합, 차, 곱, 몫의 극한값

※ 수열 $\{a_n\}$, $\{b_n\}$이 수렴하고, $\lim\limits_{n\to\infty} a_n=3$, $\lim\limits_{n\to\infty} b_n=2$일 때, 다음 극한값을 구하여라.

01 $\lim\limits_{n\to\infty}(2a_n+b_n)$

02 $\lim\limits_{n\to\infty}(3b_n-a_n)$

03 $\lim\limits_{n\to\infty} a_n b_n$

04 $\lim\limits_{n\to\infty}\dfrac{2a_n}{3b_n}$

05 $\lim\limits_{n\to\infty}(a_n-2b_n)^2$

06 $\lim\limits_{n\to\infty}\dfrac{3a_n-b_n+5}{a_n b_n}$

학교시험 필수예제

07 $\lim\limits_{n\to\infty} a_n=2$, $\lim\limits_{n\to\infty} b_n=-3$일 때, 다음 극한값 중 가장 큰 것은?

① $\lim\limits_{n\to\infty}(a_n-2b_n)$ ② $\lim\limits_{n\to\infty}(2a_n+b_n)$

③ $\lim\limits_{n\to\infty} a_n b_n$ ④ $\lim\limits_{n\to\infty} 2(a_n-b_n)$

⑤ $\lim\limits_{n\to\infty}\dfrac{3a_n}{2b_n}$

※ 다음 극한값을 구하여라.

08 $\lim\limits_{n \to \infty} \left(3 + \dfrac{5}{n}\right)$

09 $\lim\limits_{n \to \infty} \left(5 - \dfrac{1}{n+2}\right)$

10 $\lim\limits_{n \to \infty} \left(\dfrac{3}{n} + \dfrac{2}{n^2}\right)$

11 $\lim\limits_{n \to \infty} \left(\dfrac{1}{n} - \dfrac{4}{n^2}\right)$

12 $\lim\limits_{n \to \infty} \left(1 + \dfrac{2}{n}\right)\left(3 - \dfrac{4}{n}\right)$

13 $\lim\limits_{n \to \infty} \left(2 - \dfrac{4}{n}\right)\left(3 + \dfrac{6}{n}\right)$

14 $\lim\limits_{n \to \infty} \dfrac{2 + \dfrac{3}{n}}{5 - \dfrac{4}{n}}$

15 $\lim\limits_{n \to \infty} \dfrac{1 + \dfrac{3}{n^2}}{4 - \dfrac{2}{n}}$

학교시험 **필수예제**

16 $\lim\limits_{n \to \infty} \left(\dfrac{2}{n} - \dfrac{4}{n^5}\right)$의 값은?

① 0   ② 1   ③ 2
④ 3   ⑤ 4

03 유리식의 극한

$\dfrac{\infty}{\infty}$꼴인 분수식의 극한은 분모의 최고차항으로 분자와 분모를 나눈 다음 극한의 기본 성질을 이용한다.

① (분자의 최고차수)=(분모의 최고차수) 인 경우
　⇨ 최고차항의 계수만 생각한다.

② (분자의 최고차수)<(분모의 최고차수) 인 경우
　⇨ 0에 수렴

③ (분자의 최고차수)>(분모의 최고차수) 인 경우
　⇨ 양의 무한대(∞) 또는 음의 무한대($-\infty$)

$$\cdot \lim_{n\to\infty}\frac{3n^2-3}{n^2-n}=\lim_{n\to\infty}\frac{3\left(1-\dfrac{1}{n^2}\right)}{1-\dfrac{1}{n}}$$

$$=\frac{\displaystyle\lim_{n\to\infty}3\left(1-\dfrac{1}{n^2}\right)}{\displaystyle\lim_{n\to\infty}\left(1-\dfrac{1}{n}\right)}$$

$$=3$$

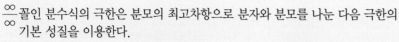

유형 004 유리식의 극한

※ 다음 극한값을 구하여라

01 $\displaystyle\lim_{n\to\infty}\frac{4n+1}{2n-3}$

02 $\displaystyle\lim_{n\to\infty}\frac{3n+2}{n^2+3n-1}$

03 $\displaystyle\lim_{n\to\infty}\frac{6n^2-2n+1}{2n^2+3}$

04 $\displaystyle\lim_{n\to\infty}\frac{n^3-4n+1}{4n^3-n}$

※ 다음 극한값을 구하여라.

05 $\displaystyle\lim_{n\to\infty}\frac{2n^2+3n-2}{(n-1)(n-2)}$

06 $\displaystyle\lim_{n\to\infty}\frac{n^2-n}{n(3n-1)}$

학교시험 필수예제

07 $\displaystyle\lim_{n\to\infty}\frac{(n+1)(3n-1)}{2n^2+1}$ 의 값은?

① $\dfrac{3}{2}$ 　　② 2 　　③ $\dfrac{5}{2}$

④ 3 　　⑤ $\dfrac{7}{2}$

※ **다음 극한값을 구하여라.**

08 $\displaystyle\lim_{n\to\infty}\frac{1+2+3+\cdots+n}{n^2-2n}$

09 $\displaystyle\lim_{n\to\infty}\frac{1^2+2^2+3^2+\cdots+n^2}{n^3}$

10 $\displaystyle\lim_{n\to\infty}\frac{(1+2+\cdots+n)^2}{(n+1)(1^2+2^2+\cdots+n^2)}$

11 $\displaystyle\lim_{n\to\infty}\frac{1+3+5+\cdots+(2n-1)}{4n^2+1}$

12 $\displaystyle\lim_{n\to\infty}\frac{1\cdot3+2\cdot4+\cdots+n(n+2)}{n^3}$

학교시험 필수예제

13 $\displaystyle\lim_{n\to\infty}\left\{\left(1+\frac{1}{2}\right)\left(1+\frac{1}{3}\right)\cdots\left(1+\frac{1}{n+1}\right)\right\}^2$

$\cdot\dfrac{1}{1+2+\cdots+n}$ 의 값은?

① $\dfrac{1}{3}$ ② $\dfrac{1}{2}$ ③ 1

④ 2 ⑤ ∞

Tip

$1+2+3+\cdots+n=\dfrac{n(n+1)}{2}$

$1^2+2^2+\cdots+n^2=\dfrac{n(n+1)(2n+1)}{6}$

04 무리식의 극한

무리식의 극한은 분자 또는 분모를 유리화한 다음 극한의 기본 성질을 이용한다.
① 분모에만 근호가 있으면 분모를 유리화한다.
② 분자에만 근호가 있으면 분자를 유리화한다.
③ 분모, 분자에 모두 근호가 있으면 분모, 분자를 각각 유리화한다.

|참고| ∞는 수가 아니므로 $\infty-\infty \neq 0$임에 주의한다. $\infty-\infty$꼴의 무리식의 극한은 오른쪽 예와 같이 분모를 1로 보고 분자를 유리화한다.

$$\begin{aligned}
&\cdot \lim_{n \to \infty}(\sqrt{4n^2+3n}-2n) \\
&=\lim_{n \to \infty}\frac{(4n^2+3n)-4n^2}{\sqrt{4n^2+3n}+2n} \\
&=\lim_{n \to \infty}\frac{3n}{\sqrt{4n^2+3n}+2n} \\
&=\lim_{n \to \infty}\frac{3}{\sqrt{4+\dfrac{3}{n}}+2}=\frac{3}{\sqrt{4}+2}=\frac{3}{4}
\end{aligned}$$

유형 005 무리식의 극한

※ 다음 극한값을 구하여라.

01 $\lim_{n \to \infty}(\sqrt{n^2+5n}-n)$

02 $\lim_{n \to \infty}(\sqrt{9n^2+6n}-3n)$

03 $\lim_{n \to \infty}(\sqrt{n^2+2n+3}-n)$

04 $\lim_{n \to \infty}(\sqrt{n^2+1}-\sqrt{n^2-5})$

05 $\lim_{n \to \infty}(\sqrt{n^2+3n}-\sqrt{n^2-n})$

학교시험 필수예제

06 $\lim_{n \to \infty}(\sqrt{4n^2+2n-3}-2n)$의 값은?

① $\dfrac{1}{3}$ ② $\dfrac{1}{2}$ ③ $\dfrac{2}{3}$

④ $\dfrac{3}{4}$ ⑤ 1

※ 다음 극한값을 구하여라.

07 $\displaystyle\lim_{n\to\infty}\dfrac{1}{\sqrt{n^2+4n}-n}$

08 $\displaystyle\lim_{n\to\infty}\dfrac{4}{n-\sqrt{n^2-3n}}$

09 $\displaystyle\lim_{n\to\infty}\dfrac{1}{\sqrt{n^2+n}-\sqrt{n^2-n}}$

10 $\displaystyle\lim_{n\to\infty}\dfrac{6}{\sqrt{n^2-3n}-\sqrt{n^2-1}}$

11 $\displaystyle\lim_{n\to\infty}\dfrac{\sqrt{5n+1}\sqrt{5n-1}+\sqrt{n+2}\sqrt{n-2}}{4n}$

학교시험 필수예제

12 $\displaystyle\lim_{n\to\infty}\dfrac{2n+1}{\sqrt{9n^2+1}-n}$ 의 값은?

① 1 ② 2 ③ 3
④ 4 ⑤ 5

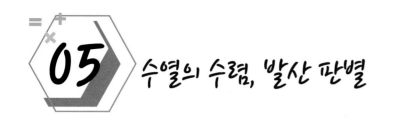

05 수열의 수렴, 발산 판별

1. $\dfrac{\infty}{\infty}$ **꼴의 수렴, 발산 판별** : $\dfrac{\infty}{\infty}$꼴의 분수식은 분모, 분자를 분모의 최고차항으로 나눈다.

2. $\infty-\infty$ **꼴의 수렴, 발산 판별** : 다항식은 최고차항으로 묶고, 무리식은 근호를 포함한 쪽을 유리화한다.

[분수식의 극한]
- (분자의 차수) > (분모의 차수)일 때
  ⇒ ∞ 또는 −∞로 발산
- (분자의 차수) = (분모의 차수)일 때
  ⇒ 최고차항의 계수의 비에 수렴
- (분자의 차수) < (분모의 차수)일 때
  ⇒ 0에 수렴

유형 006 수열의 수렴, 발산 판별

※ 다음 극한을 조사하여라.

01 $\displaystyle\lim_{n\to\infty}\dfrac{3n^2-2n}{2n+4}$

02 $\displaystyle\lim_{n\to\infty}\dfrac{1-4n-2n^3}{1+3n}$

03 $\displaystyle\lim_{n\to\infty}\dfrac{2n+1}{n^2-4}$

04 $\displaystyle\lim_{n\to\infty}\dfrac{n^2-5}{2n+3}$

05 $\displaystyle\lim_{n\to\infty}\dfrac{2n+1}{4n+3}$

06 $\displaystyle\lim_{n\to\infty}\dfrac{\sqrt{n}}{\sqrt{n+3}-\sqrt{n}}$

07 $\displaystyle\lim_{n\to\infty}\dfrac{\sqrt{9n+1}+\sqrt{4n-1}}{\sqrt{4n+1}+\sqrt{n-1}}$

08 $\displaystyle\lim_{n\to\infty}\dfrac{4n}{\sqrt{9n^2+1}-n}$

09 $\displaystyle\lim_{n\to\infty}(\sqrt{n+1}-n)$

10 $\displaystyle\lim_{n\to\infty}(\sqrt{n^2-2n}-\sqrt{n^2+2n})$

06 미정계수의 결정

$\dfrac{\infty}{\infty}$꼴의 극한값이 0이 아닌 수일 때

⇒ 분모, 분자의 차수가 같다.

⇒ 극한값은 최고차항의 계수의 비

$\left[\dfrac{\infty}{\infty}$꼴의 극한값$\right]$

(분자의 차수)=(분모의 차수)

⇒ 유한 확정값

(분자의 차수)<(분모의 차수) ⇒ 0

(분자의 차수)>(분모의 차수)

⇒ ∞ 또는 −∞

유형 007 미정계수의 결정

※ 다음을 만족하는 상수 a, b의 값을 구하여라.

01 $\displaystyle\lim_{n\to\infty}\dfrac{an^3+bn^2+1}{n^2+4n}=3$

해설 | $\displaystyle\lim_{n\to\infty}\dfrac{an^3+bn^2+1}{n^2+4n}$의 극한값이 유한 확정값이므로 분모, 분자의 차수가 같다. ∴ $a=\boxed{}$

$\displaystyle\lim_{n\to\infty}\dfrac{bn^2+1}{n^2+4n}=\lim_{n\to\infty}\dfrac{b+\dfrac{1}{n^2}}{1+\dfrac{4}{n}}$

$=\dfrac{b}{1}=\boxed{}$ ∴ $b=\boxed{}$

02 $\displaystyle\lim_{n\to\infty}\dfrac{an^2+bn+1}{5n-2}=4$

03 $\displaystyle\lim_{n\to\infty}\dfrac{bn+3}{an^2-7n+5}=2$

※ 다음을 만족하는 상수 k의 값을 구하여라.

04 $\displaystyle\lim_{n\to\infty}\dfrac{\sqrt{kn+1}}{n(\sqrt{n+1}-\sqrt{n-1})}=4$

05 $\displaystyle\lim_{n\to\infty}\dfrac{\sqrt{n+k}-\sqrt{n}}{\sqrt{n+2}-\sqrt{n}}=3$

 학교시험 필수예제

06 $\displaystyle\lim_{n\to\infty}n(\sqrt{n^2-an+1}-n)=b$가 성립할 때, 두 상수 a, b의 합 $a+b$의 값은?

① $\dfrac{1}{2}$ ② 1 ③ $\dfrac{3}{2}$

④ 2 ⑤ $\dfrac{5}{2}$

07 일반항 a_n을 포함한 식의 극한값

$\lim\limits_{n\to\infty}\dfrac{ra_n+s}{pa_n+q}=k$ (k는 실수)일 때, $\lim\limits_{n\to\infty}a_n$의 값은 다음 두 가지 방법으로 구할 수 있다.

[방법 1] 극한의 기본 성질에서 $\{a_n\}$의 극한값 구하기 : a가 유한 확정값을 가지면 $\lim\limits_{n\to\infty}a_n=a$로 놓고 수렴하는 수열의 합, 차, 곱, 몫의 극한값을 이용하여 구한다.

[방법 2] 치환으로 $\{a_n\}$의 극한값 구하기

① 주어진 수열을 $\lim\limits_{n\to\infty}\dfrac{ra_n+s}{pa_n+q}=b_n$으로 놓고, a_n을 b_n에 대한 식으로 나타낸다.

② $\lim\limits_{n\to\infty}b_n=a$임을 이용하여 $\lim\limits_{n\to\infty}a_n$의 값을 구한다.

• $\lim\limits_{n\to\infty}\dfrac{ra_n+s}{pa_n+q}=k$에서 k가 유한 확정값이면 ⇨ $\{a_n\}$의 극한값은 수렴하는 두 수열의 합, 차, 곱, 몫의 극한값을 이용하여 풀어도 되고, 치환을 이용하여 풀어도 같은 결과를 얻는다.

유형 008 극한의 기본 성질에서 $\{a_n\}$의 극한값 구하기

※ 다음에서 두 수열 $\{a_n\}$, $\{b_n\}$이 수렴하고 $\lim\limits_{n\to\infty}b_n=3$일 때, $\lim\limits_{n\to\infty}a_n$의 값을 구하여라.

01 $\lim\limits_{n\to\infty}(2a_n-5b_n)=-3$

02 $\lim\limits_{n\to\infty}\dfrac{2a_n+1}{b_n^{\,2}}=5$

※ 수열 $\{a_n\}$에 대하여 다음을 구하여라.

03 $\lim\limits_{n\to\infty}\dfrac{2a_n+4}{a_n-1}=4$일 때, $\lim\limits_{n\to\infty}a_n$의 값

04 $\lim\limits_{n\to\infty}\dfrac{2a_n+1}{a_n+4}=3$일 때, $\lim\limits_{n\to\infty}a_n$의 값

05 $\lim\limits_{n\to\infty}\dfrac{3a_n+5}{6-2a_n}=2$일 때, $\lim\limits_{n\to\infty}a_n$의 값

학교시험 필수예제

06 수렴하는 수열 $\{a_n\}$에 대하여 $\lim\limits_{n\to\infty}\dfrac{2a_n+6}{3a_n+1}=2$일 때, $\lim\limits_{n\to\infty}a_n$의 값은?

① 1   ② 2   ③ 3

④ 4   ⑤ 5

유형 009 치환으로 $\{a_n\}$의 극한값 구하기

※ 수열 $\{a_n\}$에 대하여 다음을 구하여라.

07 $\lim\limits_{n\to\infty}\dfrac{a_n+1}{2a_n+1}=1$일 때, $\lim\limits_{n\to\infty}a_n$의 값

해설| $\dfrac{a_n+1}{2a_n+1}=b_n$이라고 하면 $\lim\limits_{n\to\infty}b_n=1$

a_n을 b_n으로 나타내면 $a_n+1=b_n(2a_n+1)$에서

$(\boxed{}b_n-1)a_n=1-b_n$, $a_n=\dfrac{1-b_n}{\boxed{}b_n-1}$

$\therefore \lim\limits_{n\to\infty}a_n=\lim\limits_{n\to\infty}\dfrac{1-b_n}{\boxed{}b_n-1}=\dfrac{1-\lim\limits_{n\to\infty}b_n}{\boxed{}\lim\limits_{n\to\infty}b_n-1}$

$=\dfrac{1-\boxed{}}{2\times1-1}=\boxed{}$

다른 풀이| $\lim\limits_{n\to\infty}a_n=\alpha$로 놓으면 $\dfrac{\alpha+1}{2\alpha+1}=1$

$\alpha+1=2\alpha+1$ $\quad\therefore \alpha=\boxed{}$ $\quad\therefore \lim\limits_{n\to\infty}a_n=\boxed{}$

08 $\lim\limits_{n\to\infty}\dfrac{2a_n-1}{3a_n-2}=2$일 때, $\lim\limits_{n\to\infty}a_n$의 값

09 $\lim\limits_{n\to\infty}\dfrac{2a_n+1}{a_n+1}=3$일 때, $\lim\limits_{n\to\infty}a_n$의 값

10 $\lim\limits_{n\to\infty}(3n+1)a_n=3$일 때, $\lim\limits_{n\to\infty}(n-1)a_n$의 값

해설| $(3n+1)a_n=b_n$이라고 하면 $\lim\limits_{n\to\infty}b_n=3$

$a_n=\dfrac{b_n}{3n+1}$이므로

$\lim\limits_{n\to\infty}(n-1)a_n=\lim\limits_{n\to\infty}\left\{(n-1)\times\dfrac{b_n}{3n+1}\right\}$

$=\lim\limits_{n\to\infty}\dfrac{n-1}{3n+1}\times\lim\limits_{n\to\infty}b_n$

$=\dfrac{1}{\boxed{}}\times3=\boxed{}$

다른 풀이| $\lim\limits_{n\to\infty}(n-1)a_n=\lim\limits_{n\to\infty}\left\{\dfrac{n-1}{3n+1}\times(3n+1)a_n\right\}$

$=\lim\limits_{n\to\infty}\dfrac{n-1}{3n+1}\times\lim\limits_{n\to\infty}(3n+1)a_n$

$=\dfrac{1}{3}\times\boxed{}=\boxed{}$

11 $\lim\limits_{n\to\infty}(2n+1)a_n=8$일 때, $\lim\limits_{n\to\infty}na_n$의 값

학교시험 필수예제

12 수열 $\{a_n\}$에 대하여 $\lim\limits_{n\to\infty}(2n+1)a_n=6$일 때, $\lim\limits_{n\to\infty}na_n$의 값은?

① 0 　　　　② 2 　　　　③ 3

④ 6 　　　　⑤ 발산

08 수열의 극한값의 대소 관계

빠른정답 02쪽 / 친절한 해설 13쪽

두 수열 $\{a_n\}$, $\{b_n\}$이 수렴하고, $\lim\limits_{n \to \infty} a_n = \alpha$, $\lim\limits_{n \to \infty} b_n = \beta$ (α, β는 실수)일 때
⇒ 수열 $\{c_n\}$이 모든 자연수 n에 대하여 $a_n \leq c_n \leq b_n$이고 $\alpha = \beta$이면
　　$\lim\limits_{n \to \infty} c_n = \alpha$

|참고| 위의 성질은 부등호가 '$<$'일 때에도 성립한다. 즉, 모든 자연수 n에 대하여 $a_n < c_n < b_n$이고 $\alpha = \beta$
　　이면 $\lim\limits_{n \to \infty} c_n = \alpha$

• $a_n = \dfrac{1}{n}$, $b_n = \dfrac{2}{n}$인 경우와 같이 모든 자연수 n에 대하여 $a_n < b_n$이지만 $\lim\limits_{n \to \infty} a_n = \lim\limits_{n \to \infty} b_n$인 경우가 있다.

유형 010 수열의 극한값의 대소 관계

※ 다음을 구하여라.

01 $\dfrac{3n-1}{n} \leq a_n \leq \dfrac{3n+4}{n}$일 때, $\lim\limits_{n \to \infty} a_n$의 값

02 $\dfrac{4n-1}{n} < a_n < \dfrac{4n^2+3n+1}{n^2}$일 때, $\lim\limits_{n \to \infty} a_n$의 값

03 $\dfrac{5n-2}{n+1} < a_n < \dfrac{5n+1}{n-2}$일 때, $\lim\limits_{n \to \infty} (a_n+1)$의 값

04 $2n-1 < na_n < 2n+4$일 때, $\lim\limits_{n \to \infty} a_n$의 값

05 $5n^2-2n < n^2 a_n < 5n^2+2$일 때, $\lim\limits_{n \to \infty} a_n$의 값

06 $6n-1 < a_n < 6n+1$일 때, $\lim\limits_{n \to \infty} \dfrac{a_n}{n+2}$의 값

학교시험 필수예제

07 수열 $\{a_n\}$이 $3n^2+2n < a_n < 3n^2+3n$을 만족할 때, $\lim\limits_{n \to \infty} \dfrac{4a_n}{n^2+2n}$의 값은?

① 6　　　　② 8　　　　③ 10
④ 12　　　⑤ 14

09 등비수열의 극한

1. 등비수열 $\{r^n\}$의 극한
- $r>1$일 때, $\lim\limits_{n\to\infty}r^n=\infty$ (발산)
- $r=1$일 때, $\lim\limits_{n\to\infty}r^n=1$ (수렴)
- $-1<r<1$일 때, $\lim\limits_{n\to\infty}r^n=0$ (수렴)
- $r\leq-1$일 때, 수열 $\{r^n\}$은 진동한다. (발산)

2. 분모에 r^n꼴이 있는 분수식의 극한
① 분모 중 밑의 절댓값이 가장 큰 항으로 분모, 분자를 각각 나눈다.
② $-1<r<1$이면 $\lim\limits_{n\to\infty}r^n=0$임을 이용하여 주어진 수열의 극한값을 구한다.

[등비수열의 수렴 조건]
- 등비수열 $\{r^n\}$이 수렴하기 위한 조건 ⇨ $-1<r\leq1$
- 등비수열 $\{ar^{n-1}\}$이 수렴하기 위한 조건
  ⇨ $a=0$ 또는 $-1<r\leq1$

유형 011 등비수열의 극한

※ 다음 등비수열의 수렴, 발산을 조사하여라.

01 $3, \sqrt{3}, 1, \dfrac{\sqrt{3}}{3}, \dfrac{1}{3}, \cdots$

해설 | 공비는 $\dfrac{1}{\sqrt{\square}}$이고 $-1<\dfrac{1}{\sqrt{\square}}\leq1$이므로 $\boxed{}$한다.

02 $1, \dfrac{3}{2}, \dfrac{9}{4}, \dfrac{27}{8}, \dfrac{81}{16}, \cdots$

03 $5, 5, 5, \cdots$

04 $\{(-1.2)^n\}$

05 $\{2^n\}$

06 $\left\{\left(-\dfrac{1}{2}\right)^n\right\}$

07 $\left\{\left(-\dfrac{5}{3}\right)^n\right\}$

※ 다음 등비수열이 수렴하기 위한 x의 범위를 구하여라.

08 $\left\{\left(\dfrac{x}{2}\right)^n\right\}$

09 $\{(x+5)(x-3)^{n-1}\}$

학교시험 필수예제

10 수열 $\{x(x-1)^{n-1}\}$이 수렴하는 x의 값의 범위는 $\alpha\leq x\leq\beta$이다. 이때, $\alpha+\beta$의 값은?

① -2 ② -1 ③ 0
④ 1 ⑤ 2

※ 다음 수열의 수렴과 발산을 조사하고, 수렴하면 그 극한값을 구하여라.

11 $\left\{\dfrac{3^n-2^n}{3^n+2^n}\right\}$

해설ㅣ 분자, 분모를 3^n으로 나누면

$$\lim_{n\to\infty}\frac{3^n-2^n}{3^n+2^n}=\lim_{n\to\infty}\frac{1-\left(\dfrac{2}{3}\right)^n}{1+\left(\dfrac{2}{3}\right)^n}=\frac{1-\boxed{}}{1+\boxed{}}=\boxed{}$$

따라서 주어진 수열은 $\boxed{}$하고, 그 극한값은 $\boxed{}$이다.

12 $\left\{\dfrac{3^n-2^n}{4^n+3^n}\right\}$

13 $\left\{\dfrac{5^n-3^n}{5^{n+1}}\right\}$

14 $\left\{\dfrac{3^n-6\cdot4^n}{3^n+4^n}\right\}$

15 $\left\{\dfrac{3^n+5^n}{2^{n+1}}\right\}$

※ 다음 극한값을 구하여라.

16 $\displaystyle\lim_{n\to\infty}\dfrac{2\cdot3^{n+1}+5}{3^n}$

17 $\displaystyle\lim_{n\to\infty}\dfrac{5^{n+1}+1}{5^n+3^n}$

18 $\displaystyle\lim_{n\to\infty}\dfrac{3\cdot4^n-3^n}{4^n+3^n+2}$

학교시험 필수예제

19 $\displaystyle\lim_{n\to\infty}\dfrac{a\times6^{n+1}-5^n}{6^n+5^n}=4$일 때, 상수 a의 값은?

① $\dfrac{1}{3}$ ② $\dfrac{1}{2}$ ③ $\dfrac{2}{3}$

④ $\dfrac{4}{3}$ ⑤ $\dfrac{3}{2}$

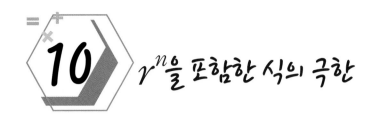

10 r^n을 포함한 식의 극한

r^n을 포함한 식의 극한은 $|r|>1$, $r=1$, $|r|<1$, $r=-1$의 네 가지로 경우로 나누어 생각한다.

(i) $|r|>1$일 때, $\lim\limits_{n\to\infty} r^n = \infty$

(ii) $r=1$일 때, $\lim\limits_{n\to\infty} r^n = 1$

(iii) $r=-1$일 때, $\lim\limits_{n\to\infty} r^n$은 진동(발산)

(iv) $|r|<1$일 때, $\lim\limits_{n\to\infty} r^n = 0$

r^n을 포함한 수열의 극한
⇨ r의 값의 범위를 나누어 구한다.

유형 O13 공비가 문자로 주어진 경우의 극한

※ 다음은 $a_n = \dfrac{r^n - r^{2n}}{1+r^{2n}}$ 의 극한값을 r의 범위에 따라 조사하는 과정이다. ☐ 안에 알맞은 것을 써넣어라.

01 $|r|<1$일 때

해설| $\lim\limits_{n\to\infty} r^n = 0$이므로

$$\lim_{n\to\infty} a_n = \lim_{n\to\infty} \frac{r^n - r^{2n}}{1+r^{2n}} = \boxed{}$$

02 $r=1$일 때

해설| $\lim\limits_{n\to\infty} r^n = 1$이므로

$$\lim_{n\to\infty} a_n = \lim_{n\to\infty} \frac{r^n - r^{2n}}{1+r^{2n}} = \boxed{}$$

03 $r=-1$일 때

해설| n이 짝수이면 $\lim\limits_{n\to\infty} a_n = \lim\limits_{n\to\infty} \dfrac{r^n - r^{2n}}{1+r^{2n}} = \boxed{}$

n이 홀수이면 $\lim\limits_{n\to\infty} a_n = \lim\limits_{n\to\infty} \dfrac{r^n - r^{2n}}{1+r^{2n}} = \boxed{}$

따라서 $r=-1$일 때, a_n은 $\boxed{}$한다.

04 $|r|>1$일 때

해설| $|r|>1$일 때 $\lim\limits_{n\to\infty} r^n = \infty$이므로 $\lim\limits_{n\to\infty} \dfrac{1}{r^n} = 0$

주어진 식의 분모, 분자를 r^{2n}으로 나누면

$$\lim_{n\to\infty} a_n = \lim_{n\to\infty} \frac{r^n - r^{2n}}{1+r^{2n}} = \lim_{n\to\infty} \frac{\dfrac{1}{r^n} - 1}{\dfrac{1}{r^{2n}} + 1} = \boxed{}$$

※ $r>0$일 때, 다음 수열의 극한값을 구하여라.

05 $\left\{ \dfrac{r^n}{1+r^n} \right\}$

06 $\left\{ \dfrac{r^{n+1} - 1}{r^n + 1} \right\}$

11 수열의 극한의 활용

① 그래프 위의 점의 좌표 또는 선분의 길이, 도형의 넓이 등을 n에 대한 식으로 나타낸다.
② ①에서 구한 식의 극한값을 구한다.

귀납적으로 정의된 수열의 극한
⇨ 먼저 일반항을 구한다.

유형 014 수열의 극한의 활용

01 자연수 n에 대하여 좌표평면 위의 점 $P_n(n, 2^n)$에서 x축, y축에 내린 수선의 발을 각각 Q_n, R_n이라 하자. 원점 O와 점 $A(0, 1)$에 대하여 사각형 AOQ_nP_n의 넓이를 S_n, 삼각형 AP_nR_n의 넓이를 T_n이라 할 때, $\lim\limits_{n \to \infty} \dfrac{T_n}{S_n}$의 값을 구하여라.

02 자연수 n에 대하여 두 점 P_{n-1}, P_n이 함수 $y=x^2$의 그래프 위의 점일 때, 점 P_{n+1}을 다음 규칙에 따라 정한다. $l_n=\overline{P_{n-1}P_n}$이라할 때, $\lim\limits_{n \to \infty} \dfrac{l_n}{n}$의 값을 구하여라.

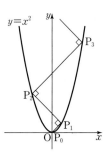

(가) 두 점 P_0, P_1의 좌표는 각각 $(0, 0)$, $(1, 1)$이다.
(나) 점 P_{n+1}은 점 P_n을 지나고 직선 $P_{n-1}P_n$에 수직인 직선과 함수 $y=x^2$의 그래프의 교점이다. (단, P_n과 P_{n+1}은 서로 다른 점이다.)

03 자연수 n에 대하여 곡선 $y=\dfrac{2n}{x}$과 직선 $y=-\dfrac{x}{n}+3$의 두 교점을 A_n, B_n이라고 한다. 선분 A_nB_n의 길이를 l_n이라 할 때, $\lim\limits_{n \to \infty}(l_{n+1}-l_n)$의 값을 구하여라.

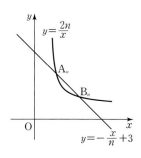

04 좌표평면에서 자연수 n에 대하여 두 직선 $y=\dfrac{1}{n}x$와 $x=n$이 만나는 점을 A_n, 직선 $x=n$과 x축이 만나는 점을 B_n이라 하자. 삼각형 A_nOB_n에 내접하는 원의 중심을 C_n이라 하고, 삼각형 A_nOC_n의 넓이를 S_n이라 하자. $\lim\limits_{n \to \infty} \dfrac{S_n}{n}$의 값을 구하여라.

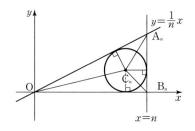

05 좌표평면 위의 두 점 A(2, 0), B(0, 1)에 대하여 선분 AB를 1 : n으로 내분하는 점을 P_n이라 하자. $\overline{OP_n}=k_n$, $\overline{AP_n}=l_n$ 이라 할 때, $\lim\limits_{n\to\infty}\dfrac{2n\cdot l_n}{k_n}$ 의 값을 구하여라.

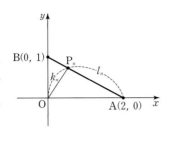

06 함수 $f(x)=\sqrt{x}$에 대하여 수열 $\{a_n\}$을 $a_1=\dfrac{1}{2}$, $a_{n+1}=f(a_n)$ ($n=1,\ 2,\ 3,\ \cdots$)으로 정의하자. 이때, 오른쪽 그래프를 이용하여 $\lim\limits_{n\to\infty}a_n$의 값을 구하여라.

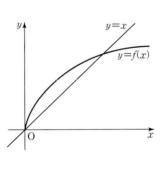

07 전자계산기의 근호 ($\sqrt{}$)키를 누르면 계산기는 표시창에 나타난 수의 양의 제곱근을 보여준다. 지금 표시창에 어떤 양수 a가 나타나 있을 때, 근호키를 계속하여 누르면 표시창에 나타나는 값은 어떤 값에 가까워지는지 구하여라.

08 한 자동차 업체에서는 매일 생산되는 200대의 수출용 자동차를 배에 선적하기 전에 임시주차장으로 주차시켜 놓는다고 한다. 그리고 전날까지 임시주차장에 있던 수출용 자동차 중에서 $\dfrac{2}{5}$가 선적이 된다고 한다. 이 자동차업체가 이와 같은 방법으로 자동차를 계속해서 생산하고 선적하여 수출해나간다고 할 때, 임시주차장의 자동차 수용은 최소한 몇 대 이상이 되어야 하는지 구하여라.

12 급수의 수렴과 발산

1. **급수** : 수열 $\{a_n\}$의 각 항 a_1, a_2, a_3, $\cdots$, a_n, $\cdots$을 차례로 덧셈 기호 $+$로 연결한 식을 급수라 하고, 기호 $\displaystyle\sum_{n=1}^{\infty} a_n$으로 나타낸다. 즉,

$$a_1 + a_2 + a_3 + \cdots + a_n + \cdots = \sum_{n=1}^{\infty} a_n$$

2. **부분합** : 급수 $\displaystyle\sum_{n=1}^{\infty} a_n$에서 첫째항부터 제$n$항까지의 합 S_n을 이 급수의 n항까지의 부분합이라고 한다. 즉, $S_n = a_1 + a_2 + a_3 + \cdots + a_n = \displaystyle\sum_{k=1}^{n} a_k$

3. 급수 $\displaystyle\sum_{n=1}^{\infty} a_n$의 부분합으로 이루어진 수열 $\{S_n\}$이 일정한 값 S에 수렴할 때, 즉 $\displaystyle\lim_{n\to\infty} S_n = S$일 때 급수 $\displaystyle\sum_{n=1}^{\infty} a_n$은 S에 수렴한다고 한다.

4. 급수 $\displaystyle\sum_{n=1}^{\infty} a_n$의 부분합으로 이루어진 수열 $\{S_n\}$이 발산할 때 급수 $\displaystyle\sum_{n=1}^{\infty} a_n$은 발산한다고 한다.

> 수열과 급수의 수렴, 발산
> - 수열의 수렴, 발산
> $\Rightarrow \displaystyle\lim_{n\to\infty} a_n$의 값을 조사
> - 급수의 수렴, 발산
> $\Rightarrow \displaystyle\lim_{n\to\infty} S_n$의 값을 조사

유형 015 급수의 부분합 구하기

※ 다음 급수의 수렴, 발산을 조사하고, 수렴하면 그 합을 구하여라.

01 $\displaystyle\sum_{n=1}^{\infty} \frac{1}{n(n+2)}$

해설 | 첫째항부터 제n항까지의 부분합을 S_n이라고 하면

$$S_n = \sum_{k=1}^{n} \frac{1}{k(k+2)} = \sum_{k=1}^{n} \frac{1}{2}\left(\frac{1}{k} - \frac{1}{k+2}\right)$$

$$= \left(1 - \frac{1}{3}\right) + \left(\frac{1}{2} - \frac{1}{4}\right) + \left(\frac{1}{3} - \frac{1}{5}\right) + \cdots$$

$$+ \left(\frac{1}{n-1} - \frac{1}{n+1}\right) + \left(\frac{1}{n} - \frac{1}{n+2}\right)$$

$$= \frac{1}{2}\left(1 + \boxed{} - \boxed{} - \frac{1}{n+2}\right)$$

이때, $\displaystyle\lim_{n\to\infty} S_n = \frac{1}{2}\left(1 + \boxed{}\right) = \boxed{}$이므로 주어진 급수는 수렴하고, 그 합은 $\boxed{}$이다.

02 $\displaystyle\sum_{n=1}^{\infty} \frac{1}{n(n+1)}$

03 $\displaystyle\sum_{n=1}^{\infty} \left(\frac{1}{\sqrt{n}} - \frac{1}{\sqrt{n+1}}\right)$

Tip
부분분수로 분해하는 방법 $\dfrac{1}{AB} = \dfrac{1}{B-A}\left(\dfrac{1}{A} - \dfrac{1}{B}\right)$

※ 다음 급수의 합을 구하여라.

04 $\dfrac{1}{2}+\dfrac{1}{4}+\dfrac{1}{8}+\cdots$

해설 | $\dfrac{1}{2}$, $\dfrac{1}{4}$, $\dfrac{1}{8}$, ⋯은 첫째항이 □, 공비가 □인 등비수열이고, 주어진 급수의 제n항까지의 부분합을 S_n이라고 하면

$$S_n=\dfrac{\dfrac{1}{2}\left\{1-\left(\dfrac{1}{2}\right)^n\right\}}{1-\dfrac{1}{2}}=1-\left(\dfrac{1}{2}\right)^n$$

$$\therefore \lim_{n\to\infty}S_n=\boxed{}$$

05 $1+\dfrac{1}{2}+\dfrac{1}{4}+\dfrac{1}{8}+\cdots$

06 $\dfrac{1}{3}+\dfrac{1}{9}+\dfrac{1}{27}+\cdots$

07 $1+\dfrac{1}{3}+\dfrac{1}{9}+\dfrac{1}{27}+\cdots$

08 $2+\dfrac{2}{5}+\dfrac{2}{25}+\dfrac{2}{125}+\cdots$

09 $3+\dfrac{3}{4}+\dfrac{3}{16}+\dfrac{3}{64}+\cdots$

13 급수와 수열의 극한 사이의 관계

1. 급수 $\sum\limits_{n=1}^{\infty} a_n$이 수렴하면 $\lim\limits_{n\to\infty} a_n = 0$이다.

2. $\lim\limits_{n\to\infty} a_n \neq 0$이면 급수 $\sum\limits_{n=1}^{\infty} a_n$은 발산한다.

[주의] 1의 역 '$\lim\limits_{n\to\infty} a_n = 0$이면 급수 $\sum\limits_{n=1}^{\infty} a_n$이 수렴한다.'는 일반적으로 성립하지 않는다.

|참고| 1과 2는 대우 관계이다.

1의 역이 성립하지 않는 예

$\lim\limits_{n\to\infty} \dfrac{1}{n} = 0$이지만 $\sum\limits_{n=1}^{\infty} \dfrac{1}{n}$은 발산한다.

$$\sum_{n=1}^{\infty} \frac{1}{n} = 1 + \frac{1}{2} + \frac{1}{3} + \frac{1}{4} + \frac{1}{5} + \frac{1}{6} + \cdots$$
$$> 1 + \frac{1}{2} + \left(\frac{1}{4} + \frac{1}{4}\right) + \left(\frac{1}{8} + \frac{1}{8} + \frac{1}{8} + \frac{1}{8}\right)$$
$$+ \cdots = \infty$$

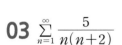 유형 016 급수의 수렴과 수열의 극한 사이의 관계

※ 다음 급수의 수렴과 발산을 조사하여라.

01 $\sum\limits_{n=1}^{\infty} \dfrac{n}{2n+1}$

해설| $a_n = \dfrac{n}{2n+1}$이라고 하면

$$\lim_{n\to\infty} a_n = \lim_{n\to\infty} \frac{n}{2n+1} = \frac{1}{2}$$

$\lim\limits_{n\to\infty} a_n \neq 0$이므로 주어진 급수는 $\boxed{}$한다.

02 $\sum\limits_{n=1}^{\infty} (-1)^n \dfrac{n}{n+2}$

03 $\sum\limits_{n=1}^{\infty} \dfrac{5}{n(n+2)}$

※ 다음 급수가 수렴할 때, $\lim\limits_{n\to\infty} a_n$의 값을 구하여라.

04 $(a_1-1)+(a_2-1)+(a_3-1)+\cdots+(a_n-1)+\cdots$

해설| $\sum\limits_{n=1}^{\infty}(a_n-1)$이 수렴하므로 $\lim\limits_{n\to\infty}(a_n-1) = \boxed{}$

∴ $\lim\limits_{n\to\infty} a_n = \boxed{}$

05 $(a_1+3)+(a_2+3)+\cdots+(a_n+3)+\cdots$

06 $\sum\limits_{n=1}^{\infty} (4a_n-3) = 5$

 학교시험 필수예제

07 $\sum\limits_{n=1}^{\infty} a_n = 3$일 때, $\lim\limits_{n\to\infty} \dfrac{2a_n-3}{a_n+1}$의 값은?

① -3 ② -2 ③ -1

④ 0 ⑤ 1

※ 수열 $\{a_n\}$과 $\{b_n\}$에 대하여 다음 값을 구하여라.

08 $(a_1+1)+\left(a_2+\dfrac{3}{2}\right)+\left(a_3+\dfrac{5}{3}\right)+\left(a_4+\dfrac{7}{4}\right)+\cdots$

이 수렴할 때, $\displaystyle\lim_{n\to\infty}a_n$의 값

해설 | $a_n+\dfrac{2n-1}{n}=b_n$이라고 하면

$\displaystyle\sum_{n=1}^{\infty}b_n$이 수렴하므로 $\displaystyle\lim_{n\to\infty}b_n=\boxed{}$이다.

$\therefore \displaystyle\lim_{n\to\infty}a_n=\lim_{n\to\infty}\left(b_n-\dfrac{2n-1}{n}\right)=\boxed{}$

09 $(a_1+1)+\left(\dfrac{a_2}{2}+1\right)+\left(\dfrac{a_3}{3}+1\right)+\cdots+\left(\dfrac{a_n}{n}+1\right)$

$+\cdots$이 수렴할 때, $\displaystyle\lim_{n\to\infty}\dfrac{4a_n+n}{3a_n-2n}$의 값

10 $\displaystyle\sum_{n=1}^{\infty}\left(\dfrac{a_n}{n}+2\right)=3$일 때, $\displaystyle\lim_{n\to\infty}\dfrac{n-3a_n}{n+a_n}$의 값

11 $\displaystyle\sum_{n=1}^{\infty}\dfrac{3-a_n}{2}=1$일 때, $\displaystyle\lim_{n\to\infty}\dfrac{4na_n+5}{n-3}$의 값

12 $\displaystyle\sum_{n=1}^{\infty}\dfrac{a_n}{3^n}=\dfrac{1}{2}$일 때, $\displaystyle\lim_{n\to\infty}\dfrac{a_n+3^{n+1}}{3^{n-1}+2^n}$의 값

학교시험 **필수예제**

13 두 수열 $\{a_n\}$과 $\{b_n\}$에 대하여 급수

$\displaystyle\sum_{n=1}^{\infty}\left(a_n-\dfrac{3n}{n+1}\right)$과 $\displaystyle\sum_{n=1}^{\infty}(a_n+b_n)$이 모두 수렴할 때,

$\displaystyle\lim_{n\to\infty}\dfrac{3-b_n}{a_n}$의 값은? (단, $a_n\neq0$)

① 1   ② 2   ③ 3
④ 4   ⑤ 5

14 등비급수의 수렴과 발산

1. **등비급수** : 첫째항이 $a(a \neq 0)$이고, 공비가 r인 등비수열 $\{ar^{n-1}\}$에서 얻은 급수

$$a+ar+ar^2+\cdots+ar^{n-1}+\cdots=\sum_{n=1}^{\infty} ar^{n-1}$$

을 첫째항이 a이고, 공비가 r인 등비급수라고 한다.

2. 등비수열 $\{ar^{n-1}\}$이 수렴하기 위한 조건은

$\Rightarrow a=0$ 또는 $-1<r\leq1$

3. 등비급수 $\sum\limits_{n=1}^{\infty} ar^{n-1}$이 수렴하기 위한 조건은

$\Rightarrow a=0$ 또는 $-1<r<1$

등비수열은 $r=1$일 때 수렴하지만 등비급수는 수렴하지 않는다.

즉, $\lim\limits_{n\to\infty} 1=1$,

$\sum\limits_{n=1}^{\infty} 1=1+1+1+\cdots=\infty$

유형 017 등비급수의 수렴과 발산

※ 다음 등비급수의 수렴, 발산을 조사하여라.

01 $1-\dfrac{1}{3}+\dfrac{1}{9}-\dfrac{1}{27}+\cdots$

해설| 공비는 $r=$ ▢ 이므로 $|r|<1$이다.

따라서 주어진 등비급수는 ▢ 한다.

02 $1-\sqrt{2}+2-2\sqrt{2}+\cdots$

03 $3+\dfrac{9}{4}+\dfrac{27}{16}+\dfrac{81}{64}+\cdots$

04 $1-3\sqrt{3}+27-81\sqrt{3}+\cdots$

05 $\sum\limits_{n=1}^{\infty}\left(\dfrac{1}{3}\right)^n$

06 $\sum\limits_{n=1}^{\infty}\left(\dfrac{7}{4}\right)^n$

유형 018 등비급수의 수렴 조건

※ 다음 등비급수가 수렴하도록 하는 실수 x의 값의 범위를 구하여라.

07 $x+x(x-2)+x(x-2)^2+x(x-2)^3+\cdots$

해설| (i) $x=0$이면 첫째항이 0이므로 ▢ 으로 수렴한다.

(ii) $x \neq 0$이면 주어진 등비급수는 첫째항이 x이고, 공비가 ▢ 이다. 따라서 등비급수가 수렴하려면

$-1<x-2<1$ $\therefore 1<x<$ ▢

따라서 구하는 x의 값의 범위는

$x=$ ▢ 또는 $1<x<$ ▢

08 $(1-x)+\dfrac{1-x}{x}+\dfrac{1-x}{x^2}+\dfrac{1-x}{x^3}+\cdots$

09 $\sum\limits_{n=1}^{\infty}(x-2)(-2x)^{n-1}$

Tip

등비급수 $\sum\limits_{n=1}^{\infty} ar^{n-1}$의 수렴 조건

$\Rightarrow a=0$ 또는 $|r|<1$

15 등비급수의 합

등비급수 $\sum_{n=1}^{\infty} ar^{n-1}=a+ar+ar^2+\cdots+ar^{n-1}+\cdots$ (단, $a\neq0$)은

① $|r|<1$일 때, 수렴하고, 그 합은 $\dfrac{a}{1-r}$이다.

② $|r|\geq1$일 때, 발산한다.

[등비급수의 합]

주어진 급수를 $\sum_{n=1}^{\infty} ar^{n-1}$꼴로 나타낸 다음 $-1<r<1$인 경우 그 합은 $\dfrac{a}{1-r}$임을 이용한다.

유형 019 등비급수의 합

※ 다음 등비급수의 수렴, 발산을 조사하고, 수렴하면 그 합을 구하여라.

01 $1+\dfrac{2}{3}+\dfrac{4}{9}+\dfrac{8}{27}+\dfrac{16}{81}+\cdots$

02 $1-\sqrt{5}+5-5\sqrt{5}+25-25\sqrt{5}+\cdots$

03 $\sum_{n=1}^{\infty}\left(\dfrac{3}{4}\right)^{n-1}$

04 $\sum_{n=1}^{\infty}(-2)^n\left(\dfrac{2}{3}\right)^n$

※ 다음 값을 구하여라.

05 $\sum_{n=1}^{\infty} 5\left(\dfrac{3}{4}\right)^{n-1}$

06 등비수열 $\{a_n\}$에 대하여 $a_1=3$, $a_2=1$일 때, $\sum_{n=1}^{\infty}(a_n)^2$의 값

학교시험 필수예제

07 공비가 $\dfrac{1}{5}$인 등비수열 $\{a_n\}$에 대하여 $\sum_{n=1}^{\infty} a_n=15$ 일 때, 첫째항 a_1의 값을 구하여라.

Tip

등비급수 $\sum_{n=1}^{\infty} ar^{n-1}$은 $|r|<1$일 때 수렴하고, 그 합은 $\dfrac{a}{1-r}$이다.

16 급수의 성질

두 급수 $\sum\limits_{n=1}^{\infty} a_n$, $\sum\limits_{n=1}^{\infty} b_n$이 수렴하면

(1) $\sum\limits_{n=1}^{\infty} ca_n = c\sum\limits_{n=1}^{\infty} a_n$ (단, c는 상수)

(2) $\sum\limits_{n=1}^{\infty} (a_n+b_n) = \sum\limits_{n=1}^{\infty} a_n + \sum\limits_{n=1}^{\infty} b_n$

(3) $\sum\limits_{n=1}^{\infty} (a_n-b_n) = \sum\limits_{n=1}^{\infty} a_n - \sum\limits_{n=1}^{\infty} b_n$

$\sum\limits_{n=1}^{\infty} a_n = 3$, $\sum\limits_{n=1}^{\infty} b_n = 1$일 때

$\sum\limits_{n=1}^{\infty} 2a_n = 2\sum\limits_{n=1}^{\infty} a_n = 2 \cdot 3 = 6$

$\sum\limits_{n=1}^{\infty} (a_n-b_n) = \sum\limits_{n=1}^{\infty} a_n - \sum\limits_{n=1}^{\infty} b_n$

$= 3 - 1 = 2$

유형 020 급수의 성질

※ 다음 급수의 합을 구하여라.

01 $\sum\limits_{n=1}^{\infty} \left(\dfrac{5}{4^n} + \dfrac{4}{5^n} \right)$

해설 | $\sum\limits_{n=1}^{\infty} \dfrac{5}{4^n}$는 첫째항이 $\dfrac{5}{4}$이고, 공비가 $\dfrac{1}{4}$인 등비급수이고, $\sum\limits_{n=1}^{\infty} \dfrac{4}{5^n}$는 첫째항이 $\boxed{}$, 공비가 $\boxed{}$인 등비급수이다.

$\therefore \sum\limits_{n=1}^{\infty} \left(\dfrac{5}{4^n} + \dfrac{4}{5^n} \right) = \sum\limits_{n=1}^{\infty} \dfrac{5}{4^n} + \sum\limits_{n=1}^{\infty} \dfrac{4}{5^n}$

$= \dfrac{\frac{5}{4}}{1-\frac{1}{4}} + \dfrac{\boxed{}}{1-\boxed{}}$

$= \dfrac{5}{3} + \boxed{} = \boxed{}$

02 $\sum\limits_{n=1}^{\infty} \left(\dfrac{1}{5^{n-1}} + \dfrac{5}{6^{n-1}} \right)$

03 $\sum\limits_{n=1}^{\infty} \dfrac{2^n+3^n}{4^n}$

04 $\sum\limits_{n=1}^{\infty} \dfrac{2^n+(-2)^n}{3^n}$

05 $\sum\limits_{n=1}^{\infty} \left(\dfrac{2^{n+1}}{3^n} + \dfrac{4}{2^n} \right)$

학교시험 필수예제

06 두 수열 $\{a_n\}$, $\{b_n\}$에 대하여 $\sum\limits_{n=1}^{\infty} a_n = 4$, $\sum\limits_{n=1}^{\infty} b_n = 10$일 때, $\sum\limits_{n=1}^{\infty} (a_n+5b_n)$의 값을 구하여라.

17 등비급수의 활용

등비급수의 활용 문제 풀이 순서

① 도형의 길이 또는 넓이가 줄어들거나 늘어나는 일정한 규칙을 찾는다.

② 위에서 구한 규칙이 등비급수이면 첫째항 a와 공비 r를 구한다.

③ $-1<r<1$일 때, 등비급수의 합이 $\dfrac{a}{1-r}$임을 이용한다.

반복되는 규칙을 발견하여 첫째항 a와 공비 r를 구하고, $|r|<1$인 경우 등비급수의 합의 공식 $S=\dfrac{a}{1-r}$임을 이용한다.

|참고| 등비급수의 활용 문제는 지문이 길지만 모든 지문을 다 자세히 읽고 풀기에는 시간이 부족하다. 지문은 그림의 내용을 부연 설명하고 있으므로 그림만 봐서 알 수 없는 부분에 대해서만 지문을 읽도록 한다.

유형 021 도형의 길이 문제

01 수직선 위에 길이가 1인 선분 A_1A_2를 $4:1$로 외분하는 점을 A_3, 선분 A_2A_3을 $4:1$로 외분하는 점을 A_4, 선분 A_3A_4를 $4:1$로 외분하는 점을 A_5라 한다. 이와 같은 방법으로 A_6, A_7, $\cdots$을 한없이 만들 때, $\displaystyle\sum_{n=1}^{\infty}\overline{A_nA_{n+1}}$의 값을 구하여라.

해설| 선분 $\overline{A_nA_{n+1}}$을 $4:1$로 외분하는 점은 A_{n+2}이고 점 A_n, A_{n+1}, A_{n+2} 사이의 길이의 비는

$$\overline{A_{n+1}A_{n+2}}=\frac{1}{3}\overline{A_nA_{n+1}}$$이므로

$$\overline{A_nA_{n+1}}=\overline{A_1A_2}\cdot\left(\frac{1}{3}\right)^{n-1}=\left(\frac{1}{3}\right)^{n-1}$$

$$\therefore \sum_{n=1}^{\infty}\overline{A_nA_{n+1}}=\sum_{n=1}^{\infty}\left(\frac{1}{3}\right)^{n-1}=\frac{1}{1-\dfrac{1}{3}}=\boxed{}$$

02 오른쪽 그림과 같이 빗변의 길이가 $\sqrt{2}$인 직각이등변삼각형 ABC에서 $\overline{AB}$, $\overline{AC}$의 중점을 각각 B_1, C_1이라 하고, 다시 삼각형 AB_1C_1에서 $\overline{AB_1}$, $\overline{AC_1}$의 중점을 각각 B_2, C_2라 한다. 이와 같이 계속하여 삼각형 AB_nC_n에서 $\overline{AB_n}$, $\overline{AC_n}$의 중점을 각각 B_{n+1}, C_{n+1}이라고 할 때, $\overline{B_1C_1}+\overline{B_2C_2}+\overline{B_3C_3}+\cdots$의 값을 구하여라.

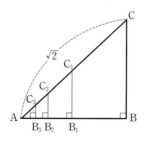

03 오른쪽 그림과 같이 한 변의 길이가 2인 직각이등변삼각형 ABC에 내접하는 정사각형 $AA_1B_1C_1$을 그리고, 직각이등변삼각형 A_1BB_1에 내접하는 정사각형 $A_1A_2B_2C_2$를 그린다. 이와 같은 과정을 반복하여 직각이등변삼각형에 내접하는 정사각형을 한없이 그려갈 때, $\overline{AB_1}+\overline{A_1B_2}+\overline{A_2B_3}+\cdots$의 값을 구하여라.

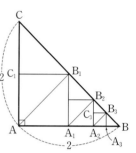

04 오른쪽 그림에서 $\triangle ABC$는 한 변의 길이가 1인 정삼각형이고, $\overline{AB}$, $\overline{AC}$의 중점을 각각 B_1, C_1이라고 하자. 또, $\overline{AB_1}$, $\overline{AC_1}$의 중점을 각각 B_2, C_2라고 하자. 이와 같은 과정을 한없이 반복할 때, $\overline{CB_1}+\overline{B_1C_1}+\overline{C_1B_2}+\overline{B_2C_2}+\overline{C_2B_3}+\cdots$의 값을 구하여라.

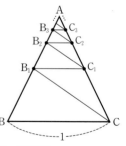

05 오른쪽 그림과 같이 반지름의 길이가 2인 사분원 OAB에 내접하는 정사각형 $OA_1C_1B_1$을 그리고, 사분원 OA_1B_1에 내접하는 정사각형 $OA_2C_2B_2$를 그린다. 이와 같은 과정을 반복하여 사분원에 내접하는

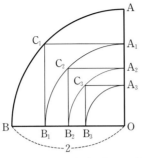

정사각형을 한없이 그려갈 때, 정사각형 $OA_nC_nB_n$의 넓이를 S_n이라고 하자. 이때, 급수 $\sum\limits_{n=1}^{\infty} S_n$의 합을 구하여라.

06 오른쪽 그림과 같이 한 변의 길이가 1인 정사각형의 각 변의 중점을 차례로 연결하여 정사각형을 만들고, 이 정사각형의 각 변의 중점을 연결하여 정사각형을 만드는 과정을 한없이 반복한다고 하자. 이때, 색칠한 부분의 넓이의 합을 구하여라.

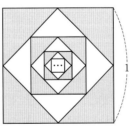

07 오른쪽 그림과 같이 지름의 길이가 6인 반원의 지름을 $1:2$로 내분하여 각각을 지름으로 하는 반원을 만들고 두 반

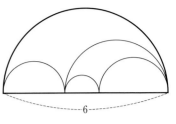

원의 넓이의 합을 S_1이라고 하자. 만들어진 두 반원 중 큰 반원으로 위의 과정을 반복하고, 그 두 반원의 넓이의 합을 S_2라고 하자. 이와 같은 과정을 반복하여 n번째 만들어진 두 반원의 넓이의 합을 S_n이라고 할 때, 급수 $\sum\limits_{n=1}^{\infty} S_n$의 합을 구하여라.

08 한 변의 길이가 3인 정삼각형 AB_1C_1이 있다. 오른쪽 그림과 같이 선분 AB_1과 선분 AC_1을 $2:1$로 내분하는 점을 각각 B_2, C_2라 하고, 선분 B_2C_2를 지름으로 하는 원의 호

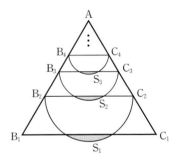

B_2C_2와 선분 B_1C_1로 둘러싸인 부분의 넓이를 S_1이라 하자. 정삼각형 AB_2C_2에서 선분 AB_2와 선분 AC_2를 $2:1$로 내분하는 점을 각각 B_3, C_3이라 하고, 선분 B_3C_3을 지름으로 하는 원의 호 B_3C_3과 선분 B_2C_2로 둘러싸인 부분의 넓이를 S_2라 하자. 이와 같은 과정을 계속하여 n번째 얻은 부분의 넓이를 S_n이라 할 때, 급수 $\sum\limits_{n=1}^{\infty} S$의 합을 구하여라.

유형 023 도형의 좌표 문제

09 오른쪽 그림과 같이 점 P가 원점 O를 출발하여 x축 또는 y축과 평행하게 $\overline{OP_1}=1$,

$$\overline{P_1P_2}=\frac{9}{10}\overline{OP_1},$$

$$\overline{P_2P_3}=\frac{9}{10}\overline{P_1P_2},\ \cdots$$를 만

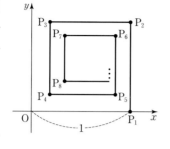

족시키는 점 P_1, P_2, P_3, P_4, $\cdots$를 거쳐 움직이고 있다. 이때, 점 P는 어떤 점에 한없이 가까워지는지 구하여라.

10 오른쪽 그림과 같이 점 P가 원점 O를 출발하여 x축 또는 y축과 평행하게 $\overline{OP_1}=1$,

$$\overline{P_1P_2}=\frac{7}{10}\overline{OP_1},$$

$$\overline{P_2P_3}=\frac{7}{10}\overline{P_1P_2},\ \cdots$$를 만

족시키는 점 P_1, P_2, P_3, P_4, $\cdots$를 거쳐 움직이고 있다. 이때, 점 P는 어떤 점에 한없이 가까워지는지 구하여라.

11 오른쪽 그림과 같이 원점 O에서 수평으로 1만큼 오른쪽으로 간 점을 P_1, P_1에서 수직으로 직선 거리 $\frac{2}{3}$만큼 위로 간 점을 P_2, P_2에서 수평으로 직선 거리 $\left(\frac{2}{3}\right)^2$만큼 왼쪽으로 간 점을 P_3이라고 한다. 이와

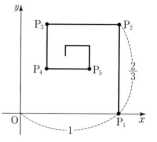

같이 계속할 때, P_1, P_2, P_3, $\cdots$은 어떤 점에 한없이 가까워지는지 구하여라.

12 오른쪽 그림과 같이 원점이 O인 좌표평면에서 x축 위에 $\overline{OA_1}=1$,

$$\overline{A_1A_2}=\frac{1}{2},$$

$$\overline{A_2A_3}=\left(\frac{1}{2}\right)^2,\ \cdots,$$

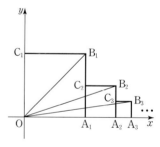

$\overline{A_nA_{n+1}}=\left(\frac{1}{2}\right)^n$을 만족하는 점 A_1, A_2, A_3, $\cdots$에 대하여 제 1사분면에 선분 OA_1, A_1A_2, A_2A_3, $\cdots$을 한 변으로 하는 정사각형 $OA_1B_1C_1$, $A_1A_2B_2C_2$, $A_2A_3B_3C_3$, $\cdots$을 계속하여 만든다. $\triangle OA_nB_n$의 넓이를 S_n이라고 할 때, 급수 $\sum\limits_{n=1}^{\infty}S_n$의 합을 구하여라.

13 어느 공장에서 만든 알루미늄 캔은 생산량의 75%가 수거되고 그중 80%가 재활용되며, 재활용된 알루미늄 캔의 75%가 수거되고 그중 80%가 다시 재활용된다고 한다. 이와 같은 재활용 과정이 반복된다고 할 때, 이 공장에서 처음 생산된 알루미늄 캔 1톤에 대하여 다음 물음에 답하여라.

(1) n번째 재활용되는 알루미늄 캔의 무게 a_n을 구하여라.

(2) $\sum\limits_{n=1}^{\infty} a_n$을 구하여라.

14 어느 공장에서 공정에 사용되는 물은 60%가 정수 처리되어 재활용된다고 한다. 12만 톤의 물을 이와 같은 비율로 계속 정수하여 사용한다면 최대 몇 만 톤까지 사용할 수 있는지 구하여라.

15 어떤 상품에는 쿠폰이 한 장씩 붙어 있다. 10장의 쿠폰으로 그 상품 한 개와 교환할 수 있고, 쿠폰으로 교환하는 상품에도 쿠폰이 한 장 붙어 있다. 이 상품의 가격을 10000원이라고 할 때, 상품 구입 후 처음으로 받게 되는 쿠폰 한 장의 가치를 금액으로 나타내어라. (단, 반올림하여 소수 둘째 자리까지 구한다.)

16 어느 음료 회사는 재활용을 위하여 사용한 음료수 캔을 수거하는데 출시된 제품의 80%가 수거된다고 한다. 이렇게 수거된 캔은 재처리 과정을 거쳐서 음료수 캔으로 다시 만들어지는데 수거된 알루미늄 캔의 90%가 재생산된다. 10000개의 캔으로 이와 같은 재처리 과정을 한없이 반복한다고 할 때, 재활용하여 만들어지는 캔의 최대 수는 약 몇 개인지 구하여라.

Ⅰ. 수열의 극한

1. 수열의 수렴과 발산

(1) 수열의 수렴 : 수열 $\{a_n\}$에서 n이 한없이 커질 때, a_n의 값이 일정한 값 α에 한없이 가까워지면 수열 $\{a_n\}$은 α에 ❶ 한다고 한다. 이때, α를 수열 $\{a_n\}$의 극한 또는 극한값이라 하고 기호로 다음과 같이 나타낸다.

$$\lim_{n \to \infty} a_n = \alpha \text{ 또는 } n \to \infty \text{일 때, } a_n \to \alpha$$

(2) 수열의 발산 : 수열 $\{a_n\}$이 수렴하지 않을 때, 수열 $\{a_n\}$은 ❷ 한다고 한다.

① 양의 무한대로 발산 : $\lim\limits_{n \to \infty} a_n = \infty$

② 음의 무한대로 발산 : $\lim\limits_{n \to \infty} a_n = -\infty$

③ ❸ : 수렴하지도 않고 양의 무한대나 음의 무한대로도 발산하지 않는 경우

2. 수열의 극한에 대한 기본 성질

수렴하는 두 수열 $\{a_n\}$, $\{b_n\}$에 대하여 $\lim\limits_{n \to \infty} a_n = \alpha$, $\lim\limits_{n \to \infty} b_n = \beta$ (단, α, β는 실수)이면

(1) $\lim\limits_{n \to \infty} ca_n = c\lim\limits_{n \to \infty} a_n = c\alpha$ (단, c는 상수)

(2) $\lim\limits_{n \to \infty} (a_n + b_n) = $ ❹ , $\lim\limits_{n \to \infty} (a_n - b_n) = \alpha - \beta$

(3) $\lim\limits_{n \to \infty} a_n b_n = \lim\limits_{n \to \infty} a_n \lim\limits_{n \to \infty} b_n = \alpha\beta$

(4) $\lim\limits_{n \to \infty} \dfrac{a_n}{b_n} = \dfrac{\lim\limits_{n \to \infty} a_n}{\lim\limits_{n \to \infty} b_n} = \dfrac{\alpha}{\beta}$ (단, $b_n \neq 0$, $\beta \neq 0$)

3. 유리식의 극한

$\dfrac{\infty}{\infty}$꼴인 분수식의 극한은 분모의 최고차항으로 분자와 분모를 나눈 다음 극한의 기본 성질을 이용한다.

① (분자의 최고차수) = (분모의 최고차수) 인 경우 ⇨ 최고차항의 계수만 생각한다.

② (분자의 최고차수) < (분모의 최고차수) 인 경우 ⇨ ❺ 에 수렴

③ (분자의 최고차수) > (분모의 최고차수) 인 경우 ⇨ 양의 무한대(∞) 또는 음의 무한대($-\infty$)

4. 무리식의 극한

무리식의 극한은 분자 또는 분모를 유리화한 다음 극한의 기본 성질을 이용한다.

① 분모에만 근호가 있으면 분모를 유리화한다.

② 분자에만 근호가 있으면 분자를 유리화한다.

③ 분모, 분자에 모두 근호가 있으면 분모, 분자를 각각 유리화한다.

개념 window

수열의 수렴과 발산

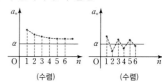

(수렴)　　(수렴)

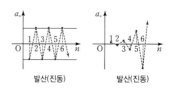

발산(진동)　　발산(진동)

■ 극한값의 기본 성질은 수열 $\{a_n\}$, $\{b_n\}$이 각각 "수렴"할 때에만 성립하고 "발산"할 때에는 성립하지 않는다.

---

❶ 수렴　❷ 발산　❸ 진동　❹ $\alpha + \beta$　❺ 0

5. 수열의 수렴, 발산 판별

(1) $\dfrac{\infty}{\infty}$ 꼴의 수렴, 발산 판별 : $\dfrac{\infty}{\infty}$ 꼴의 분수식은 분모, 분자를 ⑥ 의 최고차항으로 나눈다.

(2) $\infty - \infty$ 꼴의 수렴, 발산 판별 : 다항식은 최고차항으로 묶고, 무리식은 근호를 포함한쪽을 유리화한다.

6. 미정계수의 결정

$\dfrac{\infty}{\infty}$ 꼴의 극한값이 0이 아닌 수일 때

⇨ 분모, 분자의 차수가 ⑦ .

⇨ 극한값은 ⑧ 의 계수의 비

> **[$\dfrac{\infty}{\infty}$ 꼴의 극한값]**
> · (분자의 차수)＝(분모의 차수)
>   ⇨ 유한 확정값
> · (분자의 차수)＜(분모의 차수)
>   ⇨ 0
> · (분자의 차수)＞(분모의 차수)
>   ⇨ ∞ 또는 $-\infty$

7. 수열의 극한값의 대소 관계

두 수열 $\{a_n\}$, $\{b_n\}$이 수렴하고, $\lim\limits_{n\to\infty} a_n = \alpha$, $\lim\limits_{n\to\infty} b_n = \beta$ (α, β는 실수)일 때
⇨ 수열 $\{c_n\}$이 모든 자연수 n에 대하여 $a_n \leq c_n \leq b_n$이고 $\alpha = \beta$이면

$$\lim_{n\to\infty} c_n = \boxed{⑨}$$

8. 등비수열의 극한

(1) 등비수열 $\{r^n\}$의 극한
  · $r > 1$일 때, $\lim\limits_{n\to\infty} r^n = \infty$ (발산)
  · $r = 1$일 때, $\lim\limits_{n\to\infty} r^n = 1$ (수렴)
  · $-1 < r < 1$일 때, $\lim\limits_{n\to\infty} r^n = \boxed{⑩}$ (수렴)
  · $r \leq -1$일 때, 수열 $\{r^n\}$은 진동한다. (발산)

(2) 분모에 r^n꼴이 있는 분수식의 극한
  ① 분모 중 밑의 절댓값이 가장 큰 항으로 분모, 분자를 각각 나눈다.
  ② $-1 < r < 1$이면 $\lim\limits_{n\to\infty} r^n = 0$임을 이용하여 주어진 수열의 극한값을 구한다.

> **[등비수열의 수렴 조건]**
> · 등비수열 $\{r^n\}$이 수렴하기 위한 조건 ⇨ $-1 < r \leq 1$
> · 등비수열 $\{ar^{n-1}\}$이 수렴하기 위한 조건
>   ⇨ $a = 0$ 또는 $-1 < r \leq 1$

9. r^n을 포함한 식의 극한

r^n을 포함한 식의 극한은 $|r| > 1$, $r = 1$, $|r| < 1$, $r = -1$의 네 가지로 경우로 나누어 생각한다.

(i) $|r| > 1$일 때, $\lim\limits_{n\to\infty} r^n = \infty$

(ii) $r = 1$일 때, $\lim\limits_{n\to\infty} r^n = 1$

(iii) $r = -1$일 때, $\lim\limits_{n\to\infty} r^n$은 진동(발산)

(iv) $|r| < 1$일 때, $\lim\limits_{n\to\infty} r^n = 0$

⑥ 분모 ⑦ 같다 ⑧ 최고차항 ⑨ α ⑩ 0

10. 급수의 수렴과 발산

(1) 급수 $\sum\limits_{n=1}^{\infty} a_n$의 부분합으로 이루어진 수열 $\{S_n\}$이 일정한 값 S에 ⑪ [   ] 할 때, 즉 $\lim\limits_{n\to\infty} S_n = S$일 때 급수 $\sum\limits_{n=1}^{\infty} a_n$은 S에 수렴한다고 한다.

(2) 급수 $\sum\limits_{n=1}^{\infty} a_n$의 부분합으로 이루어진 수열 $\{S_n\}$이 발산할 때 급수 $\sum\limits_{n=1}^{\infty} a_n$은 발산한다고 한다.

11. 급수와 수열의 극한 사이의 관계

(1) 급수 $\sum\limits_{n=1}^{\infty} a_n$이 수렴하면 $\lim\limits_{n\to\infty} a_n =$ ⑫ [   ] 이다.

(2) $\lim\limits_{n\to\infty} a_n \ne 0$이면 급수 $\sum\limits_{n=1}^{\infty} a_n$은 ⑬ [   ] 한다.

[주의] 1의 역 '$\lim\limits_{n\to\infty} a_n = 0$이면 급수 $\sum\limits_{n=1}^{\infty} a_n$이 수렴한다.'는 일반적으로 성립하지 않는다.

12. 등비급수의 수렴과 발산

등비급수 $\sum\limits_{n=1}^{\infty} ar^{n-1} = a + ar + ar^2 + \cdots + ar^{n-1} + \cdots$ (단, $a \ne 0$)은

① $|r| < 1$일 때, 수렴하고, 그 합은 ⑭ [   ] 이다.

② $|r| \ge 1$일 때, 발산한다.

13. 급수의 성질

두 급수 $\sum\limits_{n=1}^{\infty} a_n$, $\sum\limits_{n=1}^{\infty} b_n$이 수렴하면

(1) $\sum\limits_{n=1}^{\infty} ca_n =$ ⑮ [   ] $\sum\limits_{n=1}^{\infty} a_n$ (단, c는 상수)

(2) $\sum\limits_{n=1}^{\infty} (a_n + b_n) = \sum\limits_{n=1}^{\infty} a_n + \sum\limits_{n=1}^{\infty} b_n$

(3) $\sum\limits_{n=1}^{\infty} (a_n - b_n) = \sum\limits_{n=1}^{\infty} a_n - \sum\limits_{n=1}^{\infty} b_n$

14. 등비급수의 활용

등비급수의 활용 문제 풀이 순서
① 도형의 길이 또는 넓이가 줄어들거나 늘어나는 일정한 규칙을 찾는다.
② 위에서 구한 규칙이 등비급수이면 첫째항 a와 공비 r를 구한다.
③ $-1 < r < 1$일 때, 등비급수의 합이 $\dfrac{a}{1-r}$임을 이용한다.

개념 window

■ [수열과 급수의 수렴, 발산]
• 수열의 수렴, 발산
 ⇒ $\lim\limits_{n\to\infty} a_n$의 값을 조사
• 급수의 수렴, 발산
 ⇒ $\lim\limits_{n\to\infty} S_n$의 값을 조사

■ 1의 역이 성립하지 않는 예
$\lim\limits_{n\to\infty} \dfrac{1}{n} = 0$이지만 $\sum\limits_{n=1}^{\infty} \dfrac{1}{n}$은 발산한다.

■ [등비급수의 합]
주어진 급수를 $\sum\limits_{n=1}^{\infty} ar^{n-1}$꼴로 나타낸 다음 $-1 < r < 1$인 경우 그 합은 $\dfrac{a}{1-r}$임을 이용한다

■ 반복되는 규칙을 발견하여 첫째항 a와 공비 r를 구하고, $|r| < 1$인 경우 등비급수의 합의 공식 $S = \dfrac{a}{1-r}$임을 이용한다.

---

⑪ 수렴 ⑫ 0 ⑬ 발산 ⑭ $\dfrac{a}{1-r}$ ⑮ c

천체의 운동
미분은 움직이는 대상의 상태를 파악할 때 유용하게 쓰인다. 뉴턴은 미적분을 이용해 케플러의 법칙을 증명하였다.

활주로의 길이
비행기의 위치를 미분해 얻은 속도와 가속도를 이용해 제동 거리를 측정하고, 비행장 건설시 활주로의 거리를 정한다.

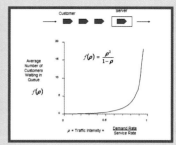

경제학
비용 함수를 미분하여 비용 상승이나 손실률 등 가치 평가에 이용한다.

어떻게?
애니메이션 '토이스토리' 제작에 수학자들을 뽑았을까?

그 답은 바로
수식화된 그림은 다양한 크기와 움직임을 표현할 수 있기 때문

전통적인 애니메이션 제작은 조금씩 다른 그림들을 그려 빠르게 재생하는 방식이었다. 그러나 토이스토리란 애니메이션 제작을 위해 만화작가가 아닌 수학자들을 대거 영입하였다. 수학자들은 작가들이 그린 그림을 미분 공식으로 수식화하였고, 수식화된 그림은 크기가 커지거나 동작이 달라져도 선이 어떻게 이어질지 예측할 수 있다. 따라서 한 장의 그림만으로 다양한 크기와 움직임을 표현할 수 있게 되었다.

II 미분법

학습목표

01 지수함수와 로그함수의 극한을 구할 수 있다.
02 지수함수와 로그함수를 미분할 수 있다.
03 삼각함수의 덧셈정리를 이해한다.
04 삼각함수의 극한을 구할 수 있다.
05 사인함수와 코사인함수를 미분할 수 있다.
06 함수의 몫을 미분할 수 있다.
07 합성함수를 미분할 수 있다.
08 매개변수로 나타낸 함수를 미분할 수 있다.
09 음함수와 역함수를 미분할 수 있다.
10 이계도함수를 구할 수 있다.
11 접선의 방정식을 구할 수 있다.
12 함수의 그래프의 개형을 그릴 수 있다.
13 방정식과 부등식에 대한 문제를 해결할 수 있다.
14 속도와 가속도에 대한 문제를 해결할 수 있다.

01 지수함수의 극한

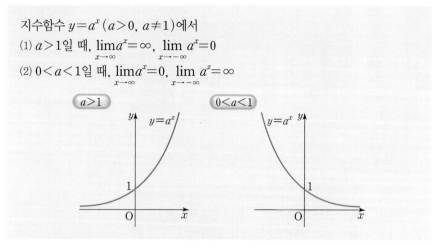

지수함수 $y=a^x$ $(a>0,\ a\neq1)$에서
(1) $a>1$일 때, $\lim\limits_{x\to\infty}a^x=\infty$, $\lim\limits_{x\to-\infty}a^x=0$
(2) $0<a<1$일 때, $\lim\limits_{x\to\infty}a^x=0$, $\lim\limits_{x\to-\infty}a^x=\infty$

지수함수 $y=a^x$ $(a>0,\ a\neq1)$의 그래프가 왼쪽 그림과 같으므로 임의의 실수 c에 대하여
$$\lim_{x\to c}a^x=a^c$$
이다.
따라서 지수함수 $y=a^x$은 모든 실수에서 연속이다.

유형 O25 지수함수의 극한

※ 다음 극한을 조사하여라.

01 $\lim\limits_{x\to\infty}3^x$

02 $\lim\limits_{x\to-\infty}5^x$

03 $\lim\limits_{x\to\infty}\left(\dfrac{1}{2}\right)^x$

※ 다음 물음에 답하여라.

04 다음은 $\lim\limits_{x\to\infty}\dfrac{4^x-2^x}{4^x+2^x}$ 의 값을 구하는 과정이다.
(가), (나), (다), (라)에 알맞은 값을 구하여라.

$0<a<1$일 때, $\lim\limits_{x\to\infty}a^x=0$이므로 분모, 분자를 각각 $\boxed{(가)}$으로 나누어 구한다. 즉,

$$\lim_{x\to\infty}\dfrac{4^x-2^x}{4^x+2^x}=\lim_{x\to\infty}\dfrac{1-\boxed{(나)}^x}{1+\boxed{(나)}^x}=\dfrac{1-\boxed{(다)}}{1+\boxed{(다)}}=\boxed{(라)}$$

(가) _____ (나) _____ (다) _____ (라) _____

※ 다음 극한값을 구하여라.

05 $\lim\limits_{x\to-\infty}\dfrac{3^x+1}{3^x-1}$

06 $\lim\limits_{x\to\infty}\dfrac{5^{x+1}-2^x}{5^x+3^x}$

학교시험 필수예제

07 $\lim\limits_{x\to\infty}\dfrac{a\cdot4^x+3^x}{4^{x+1}-2^x}=8$을 만족하는 상수 a의 값을 구하여라.

02 로그함수의 극한

로그함수 $y=\log_a x$ $(a>0,\ a\neq 1)$에서
(1) $a>1$일 때, $\displaystyle\lim_{x\to 0+}\log_a x=-\infty$, $\displaystyle\lim_{x\to\infty}\log_a x=\infty$
(2) $0<a<1$일 때, $\displaystyle\lim_{x\to 0+}\log_a x=\infty$, $\displaystyle\lim_{x\to\infty}\log_a x=-\infty$

로그함수 $y=\log_a x$ $(a>0,$ $a\neq 1)$의 그래프가 왼쪽 그림과 같으므로 임의의 양의 실수 c에 대하여
$$\lim_{x\to c}\log_a x=\log_a c$$
이다.
따라서 로그함수 $y=\log_a x$는 모든 양의 실수에서 연속이다.

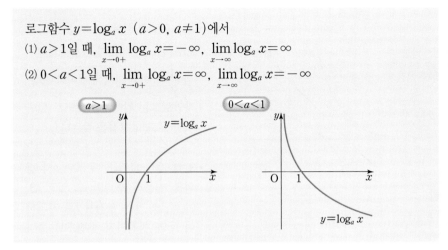

유형 O26 로그함수의 극한

※ 다음 극한을 조사하여라.

01 $\displaystyle\lim_{x\to\infty}\log_2 x$

02 $\displaystyle\lim_{x\to 0+}\log_3 x$

03 $\displaystyle\lim_{x\to\infty}\log_{\frac{1}{5}} x$

※ 다음 극한값을 구하여라.

04 $\displaystyle\lim_{x\to\infty}\log_5\frac{x^2+1}{x^2-1}$

해설ㅣ $\displaystyle\lim_{x\to\infty}\log_5\frac{x^2+1}{x^2-1}=\log_5\left(\lim_{x\to\infty}\frac{\boxed{}+\dfrac{1}{x^2}}{\boxed{}-\dfrac{1}{x^2}}\right)$

$=\log_5\boxed{}=\boxed{}$

05 $\displaystyle\lim_{x\to\infty}\log_2\frac{4x+1}{x+2}$

06 $\displaystyle\lim_{x\to\infty}\{\log_2(12x+3)-\log_2 3x\}$

07 $\displaystyle\lim_{x\to\infty}\{\log_2(4x+1)-\log_2(x-1)\}$

08 $\displaystyle\lim_{x\to 2}\{\log_3(5x+2)-\log_3(x+2)\}$

학교시험 필수예제

09 $\displaystyle\lim_{x\to -2}\log_3\frac{x+1}{x^3-1}=k$에서 실수 k의 값을 구하여라.

03 무리수 e와 자연로그

1. 무리수 e의 정의

$$e=\lim_{x\to0}(1+x)^{\frac{1}{x}}=\lim_{x\to\infty}\left(1+\frac{1}{x}\right)^{x}$$
$$(e=2.71828\cdots)$$

2. 자연로그

(1) 무리수 e를 밑으로 하는 로그 $\log_e x$를 자연로그라 하며 $\ln x$로 나타낸다.

(2) 지수함수 $y=e^x$와 로그함수 $y=\ln x$는 서로 역함수 관계에 있다.

3. e를 이용한 지수함수와 로그함수의 극한

(1) 밑을 e로 하는 경우 : ① $\displaystyle\lim_{x\to0}\frac{\ln(1+x)}{x}=1$ ② $\displaystyle\lim_{x\to0}\frac{e^x-1}{x}=1$

(2) 밑이 e가 아닌 경우 : ① $\displaystyle\lim_{x\to0}\frac{\log_a(1+x)}{x}=\frac{1}{\ln a}$ ② $\displaystyle\lim_{x\to0}\frac{a^x-1}{x}=\ln a$

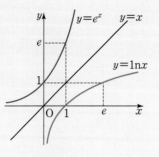

- $(1+0)^{\infty}$의 꼴에서 $\displaystyle\lim_{x\to0}(1+x)^{\frac{1}{x}}=e$가 성립하려면 x와 $\frac{1}{x}$이 역수 관계에 있어야 한다.

- 자연로그는 밑이 e인 로그로 일반적인 로그의 성질을 갖는다.

- **3.** (1) ①, (2) ①은 무리수 e의 정의를 이용해 증명할 수 있고, **3.** (1) ②, (2) ②는 분자를 t로 치환하여 ①과 마찬가지 방법으로 증명할 수 있다.

유형 027 무리수 e의 정의

※ 다음 극한값을 구하여라.

01 $\displaystyle\lim_{x\to0}(1+x)^{\frac{6}{x}}$

해설 | $\displaystyle\lim_{x\to0}(1+x)^{\frac{6}{x}}=\lim_{x\to0}\left\{(1+x)^{\frac{1}{x}}\right\}^{\square}=e^{\square}$

02 $\displaystyle\lim_{x\to0}(1+3x)^{\frac{1}{x}}$

03 $\displaystyle\lim_{x\to0}(1+3x)^{\frac{2}{x}}$

04 $\displaystyle\lim_{x\to0}(1-4x)^{\frac{1}{x}}$

05 $\displaystyle\lim_{x\to0}(1-4x)^{-\frac{1}{2x}}$

06 $\displaystyle\lim_{x\to0}(1-x)^{\frac{1}{2x}}$

07 $\displaystyle\lim_{x\to\infty}\left(1+\frac{1}{x}\right)^{3x}$

08 $\displaystyle\lim_{x\to\infty}\left(1+\frac{1}{2x}\right)^{-x}$

※ 다음 극한값을 구하여라.

09 $\lim\limits_{x \to 0} \left(1 + \dfrac{x}{2}\right)^{-\frac{3}{x}}$

10 $\lim\limits_{x \to \infty} \left(\dfrac{x+1}{x}\right)^{2x}$

11 $\lim\limits_{x \to -\infty} \left(1 - \dfrac{2}{x}\right)^{2x}$

12 $\lim\limits_{x \to \infty} \left(\dfrac{x+1}{x-1}\right)^{x-1}$

학교시험 필수예제

13 $\lim\limits_{x \to \infty} \left\{\dfrac{1}{2}\left(1 + \dfrac{1}{n}\right)\left(1 + \dfrac{1}{n+1}\right)\left(1 + \dfrac{1}{n+2}\right)\right.$

$\left. \cdots\left(1 + \dfrac{1}{2n}\right)\right\}^{n}$ 의 값을 구하여라.

유형 **O28** 자연로그

※ 다음 값을 구하여라.

14 $\ln e^3$

15 $\ln \dfrac{1}{\sqrt{e}}$

16 $\ln \dfrac{1}{e^3} + 5$

17 $e^{\frac{1}{2}\ln 4}$

18 $e^{\ln \sqrt{8}}$

※ 다음 극한값을 구하여라.

19 $\lim_{x \to 0}\dfrac{\ln(1+2x)}{x}$

해설ㅣ $\lim_{x \to 0}\dfrac{\ln(1+2x)}{x}=\boxed{}\lim_{x \to 0}\dfrac{\ln(1+2x)}{2x}$

$\qquad\qquad\qquad = \boxed{}\lim_{x \to 0}\ln(1+2x)^{\frac{1}{2x}}$

$\qquad\qquad\qquad = \boxed{}\ln e$

$\qquad\qquad\qquad = \boxed{}$

20 $\lim_{x \to 0}\dfrac{\ln(1+2x)}{4x}$

21 $\lim_{x \to 0}\dfrac{\ln(1+5x)}{x}$

22 $\lim_{x \to 0}\dfrac{\ln(1+2x)}{\ln(1+4x)}$

23 $\lim_{x \to 0}x\{\ln(x+1)-\ln x\}$

※ 다음 극한값을 구하여라.

24 $\lim_{x \to 0}\dfrac{e^{2x}-1}{x}$

해설ㅣ $\lim_{x \to 0}\dfrac{e^{2x}-1}{x}=\boxed{}\lim_{x \to 0}\dfrac{e^{2x}-1}{2x}$

$\qquad\qquad\quad = \boxed{}\cdot 1 = \boxed{}$

25 $\lim_{x \to 0}\dfrac{e^{3x}-e^x}{x}$

26 $\lim_{x \to 1}\dfrac{x^2-e^{x-1}}{x-1}$

27 $\lim_{x \to 0}\dfrac{e^{4x}-2e^{2x}+1}{x\ln(x+1)}$

학교시험 필수예제

28 $\lim_{x \to 0}\dfrac{\ln(2x+1)}{1-e^{4x}}$ 의 값을 구하여라.

유형 031 $\lim\limits_{x \to 0} \dfrac{\log_a (1+x)}{x} = \dfrac{1}{\ln a}$ 꼴의 극한

※ 다음 극한값을 구하여라.

29 $\lim\limits_{x \to 0} \dfrac{\log_3 (1+2x)}{4x}$

해설ㅣ $\lim\limits_{x \to 0} \dfrac{\log_3 (1+2x)}{4x} = \lim\limits_{x \to 0} \dfrac{\log_3 (1+2x)}{2x} \cdot \boxed{}$

$= \boxed{} \cdot \dfrac{1}{\ln 3} = \boxed{}$

30 $\lim\limits_{x \to 0} \dfrac{\log_3 (4+x) - \log_3 4}{x}$

31 $\lim\limits_{x \to 0} \dfrac{\log_5 (5+x) - 1}{x}$

32 $\lim\limits_{x \to 1} \dfrac{\log_2 x}{1-x}$

33 $\lim\limits_{x \to 4} \dfrac{\log_4 (x-3)}{x-4}$

유형 032 $\lim\limits_{x \to 0} \dfrac{a^x - 1}{x} = \ln a$ 꼴의 극한

※ 다음 극한값을 구하여라.

34 $\lim\limits_{x \to 0} \dfrac{4^x - 1}{3x}$

해설ㅣ $\lim\limits_{x \to 0} \dfrac{4^x - 1}{3x} = \lim\limits_{x \to 0} \dfrac{4^x - 1}{x} \cdot \boxed{}$

$= \boxed{} \cdot \ln 4 = \boxed{}$

35 $\lim\limits_{x \to 0} \dfrac{8^x - 3^x}{x}$

36 $\lim\limits_{x \to 0} \dfrac{x}{7^x - 1}$

37 $\lim\limits_{x \to 1} \dfrac{6^{x-1} - 1}{x^3 - 1}$

학교시험 필수예제

38 $\lim\limits_{x \to 0} \dfrac{\{\log_2 (1+2x)\}(4^x - 1)}{x^2}$ 의 값을 구하여라.

※ 다음 물음에 답하여라.

39 $\lim\limits_{x \to 0} \dfrac{e^{ax}+b}{x} = 8$을 만족하는 두 상수 a, b에 대하여 $a+b$의 값을 구하여라.

40 $\lim\limits_{x \to 0} \dfrac{\ln(1+ax)}{x^2+2x} = b$를 만족시키는 두 상수 a, b에 대하여 $\dfrac{a}{b}$의 값을 구하여라. (단, $a \neq 0$, $b \neq 0$)

41 $\lim\limits_{x \to \infty} \left(\dfrac{x+a}{x-a} \right)^x = e^{20}$을 만족시키는 상수 a의 값을 구하여라.

42 $\lim\limits_{x \to 0} \dfrac{e^{ax+b}-1}{\ln(1+cx)} = 4$를 만족하는 세 상수 a, b, c에 대하여 $\dfrac{a+b}{c}$의 값을 구하여라. (단, $c \neq 0$)

유형 034 지수함수와 로그함수의 극한의 활용

※ 다음 물음에 답하여라.

43 곡선 $y=\dfrac{e^x-1}{2}$ 위를 움직이는 점 A와 y축 위의 점 B$(0,\ 1)$이 있다. 점 A의 y좌표를 a라 하고 삼각형 OAB의 넓이를 $S(a)$라 할 때, $\displaystyle\lim_{a\to 0+}\dfrac{S(a)}{a}$의 값을 구하여라.

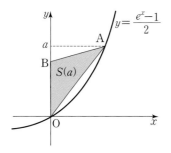

44 곡선 $y=\ln x$ 위를 움직이는 점 P$(a,\ \ln a)$와 세 점 A$(1,\ 1)$, B$(1,\ 0)$, C$(e,\ 0)$이 있다. △PAB, △PBC의 넓이를 각각 S_1, S_2라 할 때, $\displaystyle\lim_{a\to 1}\dfrac{S_1}{S_2}$의 값을 구하여라.

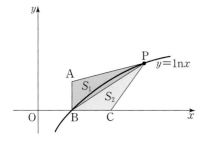

45 x축 위의 두 점 A$(t,\ 0)$, B$(2t,\ 0)$을 지나고 y축에 평행한 직선이 곡선 $y=\ln (x+1)$과 만나는 점을 각각 C, D라 하자. 삼각형 OAC의 넓이를 $S(t)$, 사다리꼴 ABDC의 넓이를 $T(t)$라 할 때, $\displaystyle\lim_{t\to 0}\dfrac{T(t)}{S(t)}$의 값을 구하여라.

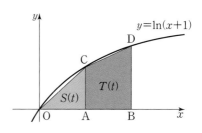

46 곡선 $y=\ln (1+10x)$ 위를 움직이는 점 P와 원점 O를 이은 선분이 x축의 양의 방향과 이루는 각의 크기를 θ라 한다. 점 P가 원점 O에 한없이 가까워질 때, $\tan\theta$의 극한값을 구하여라.

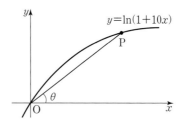

04 지수함수와 로그함수의 도함수

1. 지수함수의 도함수
(1) $y=e^x \Rightarrow y'=e^x$
(2) $y=a^x \Rightarrow y'=a^x \ln a \ (a>0, \ a \neq 1)$

2. 로그함수의 도함수
(1) $y=\ln |x| \Rightarrow y'=\dfrac{1}{x}$
(2) $y=\log_a |x| \Rightarrow y'=\dfrac{1}{x \ln a} \ (a>0, \ a \neq 1)$

$y=e^{f(x)}$
$\Rightarrow y'=e^{f(x)}f'(x)$
$y=a^{f(x)}$
$\Rightarrow y'=a^{f(x)}f'(x)\ln a$
$(a>0, \ a \neq 1)$

유형 035 지수함수와 로그함수의 도함수

※ 다음 함수를 미분하여라.

01 $y=x^2+e^x$

02 $y=xe^x$

03 $y=4e^x-5^x$

04 $y=2x^3e^x$

05 $y=e^{2x}(x+x^2)$

06 $y=e^{x+2}$

07 $y=e^x+3x$

08 $y=x^2e^x$

※ 다음 함수를 미분하여라.

09 $y=\ln 6x$

10 $y=5x \ln x$

11 $y=\ln x+\log_2 x$

12 $y=(3x-1)\log_2 x$

13 $y=x^3 \ln 2x$

14 $y=(\ln x)^3$

15 $y=x^2+\log_3 x$

16 $y=(e^x-3)\ln x$

※ 다음 함수를 미분하여라.

17 $y = e^{x + \ln 2}$

18 $y = 4^{2x-1}$

19 $y = 6^x (x-1)$

20 $y = 3^x + 5^{x+1}$

21 $y = 5^x + e^{x-1}$

22 $y = (x^2 + 4)(e^x - 1)$

23 $y = 2^x (x-4)$

24 $y = (x^2 + 1)e^x$

※ 다음 물음에 답하여라.

25 함수 $f(x) = x^3 + e^{2x}$에 대하여 $f'(1)$의 값을 구하여라.

26 함수 $f(x) = e^x x + 2^x$에 대하여 $f'(0)$의 값을 구하여라.

27 함수 $f(x) = \ln x + e^{x-2}$에 대하여 $f'(2)$의 값을 구하여라.

※ 다음 함수를 미분하여라.

28 $y = \log_2 16x$

29 $y = (x+2)\log_2 x$

30 $y = e^x \ln 5x$

31 $y = \ln x + \log_{\sqrt{5}} x$

유형 036 지수함수와 로그함수의 도함수의 응용

※ 다음 물음에 답하여라.

32 곡선 $f(x)=x^3-\ln x$ 위의 점 $(1, 1)$에서의 접선의 기울기를 구하여라.

33 곡선 $f(x)=e^x \log_2 x - \ln x$ 위의 점 $(1, 0)$에서의 접선의 기울기를 구하여라.

34 함수 $f(x)=x \ln x$에 대하여 x의 값이 1에서 e까지 변할 때의 평균변화율과 $x=a$에서의 순간변화율이 같을 때, 실수 a의 값을 구하여라.

35 함수 $f(x)=e^{\ln x+2}+x \ln x$에 대하여 $f'(e)=e^a+b$일 때, $a+b$의 값을 구하여라.

36 함수 $f(x)=e^{a(x-1)}+bx$에 대하여 $\lim\limits_{x \to 1}\dfrac{f(x)-5}{x-1}=8$을 만족시킨다고 한다. 이때, 두 상수 a, b의 곱 $a \cdot b$의 값을 구하여라.

37 함수 $f(x)=x \log_2 x + \ln x$에 대하여 $\lim\limits_{x \to 1} \dfrac{f(x^2)}{x-1} = \dfrac{a}{\ln b} + c$라고 한다. 이때, 세 상수 a, b, c에 대하여 $a+b+c$의 값을 구하여라.

38 실수 k에 대하여 $\lim\limits_{x \to 2} \dfrac{2^x + 3^{x-1} - 7}{x-2} = k$일 때, e^k의 값을 구하여라.

39 함수 $f(x) = \begin{cases} ax^2 + 4 & (x \leq 2) \\ \ln b(x-1) & (x > 2) \end{cases}$ 가 $x=2$에서 미분가능할 때, 상수 a, b의 값을 구하여라.

40 함수 $f(x) = \begin{cases} ae^{-x} & (x \leq 1) \\ x^2 - bx + 2 & (x > 1) \end{cases}$ 이 모든 실수 x에 대하여 미분가능할 때, 두 상수 a, b에 대하여 $4ab$의 값을 구하여라.

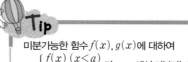

Tip

미분가능한 함수 $f(x), g(x)$에 대하여
$y = \begin{cases} f(x) \ (x<a) \\ g(x) \ (x \geq a) \end{cases}$ 가 $x=a$에서 미분가능할 조건 $\rightarrow \begin{cases} f(a) = g(a) \\ f'(a) = g'(a) \end{cases}$

05 삼각함수의 덧셈정리

1. 사인, 코사인함수의 덧셈정리

(1) $\sin(\alpha+\beta)=\sin\alpha\cos\beta+\cos\alpha\sin\beta$

$\quad\sin(\alpha-\beta)=\sin\alpha\cos\beta-\cos\alpha\sin\beta$

(2) $\cos(\alpha+\beta)=\cos\alpha\cos\beta-\sin\alpha\sin\beta$

$\quad\cos(\alpha-\beta)=\cos\alpha\cos\beta+\sin\alpha\sin\beta$

2. 탄젠트함수의 덧셈정리

(1) $\tan(\alpha+\beta)=\dfrac{\tan\alpha+\tan\beta}{1-\tan\alpha\tan\beta}$

(2) $\tan(\alpha-\beta)=\dfrac{\tan\alpha-\tan\beta}{1+\tan\alpha\tan\beta}$

3. 두 직선이 이루는 예각의 크기

두 직선 $y=m_1x+n_1$, $y=m_2x+n_2$가 x축의 양의 방향과 이루는 각의 크기를 각
각 α, β라 하면

$$\tan\alpha=m_1, \tan\beta=m_2$$

이고, 두 직선이 이루는 예각의 크기를 θ라 하면

$$\tan\theta=|\tan(\alpha-\beta)|=\left|\dfrac{\tan\alpha-\tan\beta}{1+\tan\alpha\tan\beta}\right|=\left|\dfrac{m_1-m_2}{1+m_1m_2}\right|$$

유형 037 삼각함수의 덧셈정리

※ 다음 삼각함수의 값을 구하여라.

01 $\sin 225°$

02 $\cos 15°$

03 $\sin\dfrac{5}{12}\pi$

04 $\cos\dfrac{7}{12}\pi$

※ 다음 삼각함수의 값을 구하여라.

05 $\tan 165°$

06 $\tan \dfrac{19}{12}\pi$

07 $\sec \dfrac{7}{12}\pi$

※ 다음 물음에 답하여라.

08 $\sin \alpha = \dfrac{1}{4}$, $\cos \beta = \dfrac{1}{3}$일 때, $\sin(\alpha+\beta)$의 값을 구하여라. $\left(\text{단, } \dfrac{\pi}{2} < \alpha < \pi, \, 0 < \beta < \dfrac{\pi}{2}\right)$

09 α, β가 각각 예각이고, $\sin \alpha = \dfrac{1}{2}$, $\cos \beta = \dfrac{1}{3}$일 때, $\sin(\alpha+\beta)$의 값을 구하여라.

10 α, β가 각각 예각이고, $\sin \alpha = \dfrac{1}{4}$, $\cos \beta = \dfrac{1}{2}$일 때, $\cos(\alpha-\beta)$의 값을 구하여라.

※ 다음 물음에 답하여라.

11 $\sin \alpha + \sin \beta = \dfrac{4}{3}$, $\cos \alpha + \cos \beta = \dfrac{1}{2}$ 일 때, $\cos(\alpha - \beta) = \dfrac{a}{b}$ 를 만족한다. a, b는 서로소인 자연수일 때, $a+b$의 값을 구하여라.

12 $\sin 2x = \dfrac{1}{4}$ 일 때, $\cos^2 x - \sin^2 x$의 값을 구하여라. $\left(\text{단, } 0 < x < \dfrac{\pi}{4}\right)$

유형 038 삼각함수의 덧셈정리의 활용

※ 다음 이차방정식의 두 근을 $\tan \alpha$, $\tan \beta$라 할 때, $\tan(\alpha + \beta)$의 값을 구하여라.

13 $x^2 - 6x - 1 = 0$

14 $x^2 + x - 5 = 0$

15 $2x^2 - 5x - 3 = 0$

※ 다음 물음에 답하여라.

16 두 직선 $x-4y+2=0$, $3x-y+5=0$이 이루는 예각의 크기가 θ일 때, $\tan\theta$의 값을 구하여라.

17 그림과 같이 직선 $y=\dfrac{5}{3}x$와 x축의 양의 방향이 이루는 각을 이등분하는 직선 $y=mx$에 대하여 기울기 m의 값을 구하여라.

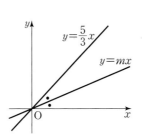

18 좌표평면 위의 두 점 $P(\cos\alpha,\ \sin\alpha)$, $Q(\cos\beta,\ \sin\beta)$ 사이의 거리가 1일 때, $\cos(\alpha-\beta)$의 값을 구하여라.

19 빗변이 아닌 두 변의 길이가 각각 3, 4인 두 직각삼각형 ABC와 DEF가 있다. 그림과 같이 두 꼭짓점 A, D를 일치시키고, 변 AB가 변 DE 위에 놓이도록 할 때, $\angle CAF=\theta$라 하자.

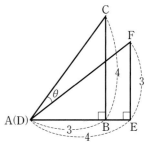

$\cos\theta=\dfrac{q}{p}$를 만족하는 p, q의 합 $p+q$의 값을 구하여라. (단, p, q는 서로소인 자연수이다.)

06 삼각함수의 합성

삼각함수의 덧셈정리를 이용하여 $a\sin\theta+b\cos\theta\ (a\neq0,\ b\neq0)$ 꼴의 식을 $r\sin(\theta+\alpha)$ 또는 $r\cos(\theta-\beta)\ (r>0,\ 0\leq\alpha<2\pi,\ 0\leq\beta<2\pi)$ 꼴로 나타내는 것을 삼각함수의 합성이라고 한다.

(1) $a\sin\theta+b\cos\theta=\sqrt{a^2+b^2}\sin(\theta+\alpha)$

$\left(\text{단, }\sin\alpha=\dfrac{b}{\sqrt{a^2+b^2}},\ \cos\alpha=\dfrac{a}{\sqrt{a^2+b^2}}\right)$

(2) $a\sin\theta+b\cos\theta=\sqrt{a^2+b^2}\cos(\theta-\beta)$

$\left(\text{단, }\sin\beta=\dfrac{a}{\sqrt{a^2+b^2}},\ \cos\beta=\dfrac{b}{\sqrt{a^2+b^2}}\right)$

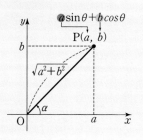

• $a\sin\theta+b\cos\theta$의 합성
① 좌표평면에 점 $\mathrm{P}(a,\ b)$를 이용하여 동경 OP 그리기
② 동경 OP의 각의 크기 α와 선분 OP의 길이 구하기
③ $\sqrt{a^2+b^2}\sin(\theta+\alpha)$

유형 039 삼각함수의 합성

※ 다음 삼각함수를 $r\sin(\theta+\alpha)$의 꼴로 나타내어라.
(단, $r>0$, $0\leq\alpha<2\pi$)

01 $\sin\theta+\sqrt{3}\cos\theta$

해설 | $\sqrt{1^2+(\sqrt{3})^2}=\sqrt{4}=2$이므로

$\sin\theta+\sqrt{3}\cos\theta=2\left(\dfrac{1}{\square}\sin\theta+\dfrac{\sqrt{3}}{\square}\cos\theta\right)$

$=2\left(\cos\dfrac{\pi}{3}\sin\theta+\sin\dfrac{\pi}{3}\cos\theta\right)$

$=2\sin\left(\theta+\boxed{}\right)$

[다른 풀이]
① 좌표평면에 점 $\mathrm{P}(a,\ b)$를 이용하여 동경 OP 그리기
➡ $\sin\theta+\sqrt{3}\cos\theta$에서 $\mathrm{P}(1,\ \sqrt{3})$
② 동경 OP의 각의 크기 α와 선분 OP의 길이 구하기
➡ $\alpha=\dfrac{\pi}{3}$, $\overline{\mathrm{OP}}=\sqrt{1^2+(\sqrt{3})^2}=2$
③ $\sqrt{a^2+b^2}\sin(\theta+\alpha)\Rightarrow\boxed{}\sin\left(\theta+\boxed{}\right)$

02 $\sqrt{3}\sin\theta-\cos\theta$

03 $\dfrac{\sqrt{3}}{2}\sin\theta+\dfrac{1}{2}\cos\theta$

04 $\sin\theta+\cos(\theta+30°)$

05 $\cos(\theta-60°)-\cos\theta$

※ 다음 물음에 답하여라.

06 $\sin x - \sqrt{3}\cos x = a\sin(x+b)$를 만족하는 두 실수 a, b에 대하여 $a - \dfrac{b}{\pi}$의 값을 구하여라.

(단, $a > 0$, $0 \le b < 2\pi$)

07 함수 $y = \sqrt{3}\sin x - \cos x$의 그래프를 x축 방향으로 a만큼 평행이동하면 $y = 2\cos x$의 그래프와 일치한다. 이때, a의 값을 구하여라. ($-180° \le a < 180°$)

유형 040 삼각함수의 합성을 이용한 최대·최소

※ 다음 함수의 최댓값을 M, 최솟값을 m이라 할 때, 두 수의 곱 Mm의 값을 구하여라.

08 $y = 2\sin\left(x + \dfrac{\pi}{3}\right) - 2\sin x + 1$

09 $y = 2\cos x - \cos\left(x + \dfrac{\pi}{3}\right)$

※ 다음 물음에 답하여라.

10 함수 $y=\sin x+\sqrt{a}\cos x$의 최댓값이 6일 때, 상수 a의 값을 구하여라.

11 함수 $y=2\sin^3 x+\sin x\cos 2x+2\cos x$의 최댓값을 구하여라.

12 각 θ의 범위가 $0<\theta<\dfrac{\pi}{2}$일 때, $\sin\theta=\dfrac{1}{4}$이고
$$f(x)=\sin(x+\theta)\sin(x-\theta)$$
의 최솟값은 k라 한다. 이때, $32k$의 값을 구하여라.

학교시험 필수예제

13 그림과 같이 점 O가 중심이고, $\overline{\text{AB}}$가 지름인 반원 위에 동점 P가 있다.
$\angle\text{APO}=\alpha$, $\angle\text{BPO}=\beta$일 때, $3\sin\alpha+4\sin\beta$의 최댓값을 구하여라.

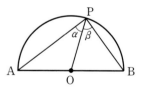

삼각함수의 극한

1. 삼각함수의 극한

임의의 실수 a에 대하여

(1) $\lim\limits_{x \to a} \sin x = \sin a$

(2) $\lim\limits_{x \to a} \cos x = \cos a$

(3) $\lim\limits_{x \to a} \tan x = \tan a \left(\text{단, } a \neq n\pi + \dfrac{\pi}{2} (n \text{은 정수}) \right)$

2. $\lim\limits_{x \to 0} \dfrac{\sin x}{x}$ 의 값

x의 단위가 라디안일 때

(1) $\lim\limits_{x \to 0} \dfrac{\sin x}{x} = 1$ (2) $\lim\limits_{x \to 0} \dfrac{\tan x}{x} = 1$

| 참고 | (2) $\lim\limits_{x \to 0} \dfrac{\tan x}{x} = \lim\limits_{x \to 0} \dfrac{\sin x}{x \cos x} = \lim\limits_{x \to 0} \dfrac{\sin x}{x} \cdot \lim\limits_{x \to 0} \dfrac{1}{\cos x} = 1 \times 1 = 1$

1. $y = \sin x$, $y = \cos x$는 모든 실수에서 연속이고, $y = \tan x$는 $x \neq n\pi + \dfrac{\pi}{2}$ (n은 정수)인 모든 실수에서 연속이다.

2. (1) $\lim\limits_{x \to 0} \dfrac{\sin bx}{ax} = \lim\limits_{x \to 0} \dfrac{\sin bx}{bx} \cdot \dfrac{b}{a}$

$= \dfrac{b}{a}$

(2) $\lim\limits_{x \to 0} \dfrac{\tan bx}{ax} = \lim\limits_{x \to 0} \dfrac{\tan bx}{bx} \cdot \dfrac{b}{a}$

$= \dfrac{b}{a}$

유형 041 삼각함수의 극한

※ 다음 극한값을 구하여라.

01 $\lim\limits_{x \to \frac{\pi}{3}} \sin x$

02 $\lim\limits_{x \to \frac{\pi}{4}} \cos x$

03 $\lim\limits_{x \to \frac{\pi}{6}} \tan x$

04 $\lim\limits_{x \to 0} x \sin \dfrac{1}{x}$

해설| $x \neq 0$인 모든 실수 x에 대하여 $\left| \sin \dfrac{1}{x} \right| \leq \boxed{}$ 이므로

$\left| x \sin \dfrac{1}{x} \right| \leq |x|$, $-|x| \leq x \sin \dfrac{1}{x} \leq |x|$

이때, $\lim\limits_{x \to 0} |x| = \lim\limits_{x \to 0} (-|x|) = 0$이므로

$\lim\limits_{x \to 0} x \sin \dfrac{1}{x} = \boxed{}$

※ 다음 극한값을 구하여라.

05 $\displaystyle\lim_{x \to 0} \tan x \cos \dfrac{1}{x}$

06 $\displaystyle\lim_{x \to 0} \sin x \sin \dfrac{1}{x^2}$

07 $\displaystyle\lim_{x \to 0} \dfrac{\sin 2x}{x}$

해설ㅣ $2x = t$로 놓으면 $x \to 0$일 때, $t \to 0$이므로

$$\lim_{x \to 0} \frac{\sin 2x}{x} = \lim_{x \to 0} 2 \cdot \frac{\sin 2x}{\boxed{}} = \lim_{t \to 0} 2 \cdot \frac{\sin t}{\boxed{}} = \boxed{}$$

08 $\displaystyle\lim_{x \to 0} \dfrac{\tan x}{2x}$

09 $\displaystyle\lim_{x \to 0} \dfrac{\sin 2x}{\sin 6x}$

해설ㅣ
$$\lim_{x \to 0} \frac{\sin 2x}{\sin 6x} = \lim_{x \to 0} \frac{\sin 2x}{x} \cdot \frac{x}{\sin 6x}$$

$$= \lim_{x \to 0} 2\frac{\sin 2x}{2x} \cdot \lim_{x \to 0} \boxed{} \frac{\frac{x}{\boxed{}}}{\sin 6x}$$

$$= 2\lim_{x \to 0} \frac{\sin 2x}{2x} \cdot \boxed{} \frac{\frac{x}{\boxed{}}}{\sin 6x}$$

$$= 2 \cdot 1 \cdot \boxed{} \cdot 1 = \boxed{}$$

10 $\displaystyle\lim_{x \to 0} \dfrac{\tan 3x}{x}$

11 $\displaystyle\lim_{x\to\pi}\frac{\sin x}{\pi-x}$

해설ㅣ $\pi-x=t$로 놓으면 $x\to\pi$일 때, $t\to0$이므로

$$\lim_{x\to\pi}\frac{\sin x}{\pi-x}=\lim_{t\to0}\frac{\sin(\pi-\boxed{})}{t}$$

$$=\lim_{t\to0}\frac{\sin t}{t}=\boxed{}$$

12 $\displaystyle\lim_{x\to\pi}\frac{\tan 3x}{\pi-x}$

13 $\displaystyle\lim_{x\to\frac{\pi}{2}}\frac{x-\dfrac{\pi}{2}}{\cos x}$

14 $\displaystyle\lim_{x\to0}\frac{1-\cos x}{x}$

해설ㅣ $\displaystyle\lim_{x\to0}\frac{1-\cos x}{x}=\lim_{x\to0}\frac{(1-\cos x)(1+\boxed{})}{x(1+\cos x)}$

$$=\lim_{x\to0}\frac{1-\boxed{}}{x(1+\cos x)}$$

$$=\lim_{x\to0}\frac{\sin^2 x}{x(1+\cos x)}$$

$$=\lim_{x\to0}\left(\frac{\sin x}{x}\cdot\frac{\sin x}{1+\cos x}\right)$$

$$=1\cdot\frac{0}{\boxed{}}=\boxed{}$$

15 $\displaystyle\lim_{x\to0}\frac{1-\cos x}{x\sin x}$

16 $\displaystyle\lim_{x\to\pi}\frac{\cos x+1}{x-\pi}$

※ 다음 물음에 답하여라.

17 $\lim\limits_{x \to 0} \dfrac{\tan x}{\sin(ax+b)} = \dfrac{1}{3}$일 때, 두 상수 a, b의 합 $a+b$의 값을 구하여라. $\left(\text{단, } 0 \leq b < \dfrac{\pi}{2}\right)$

18 $\lim\limits_{x \to 0} \dfrac{a - 2\cos x}{x \tan x} = b$일 때, 두 상수 a, b의 합 $a+b$의 값을 구하여라.

19 그림과 같이 지름 AB의 길이가 12인 반원에서 지름에 평행한 현 CD를 긋고 $\angle \text{AOC} = \theta \left(0 < \theta < \dfrac{\pi}{2}\right)$라

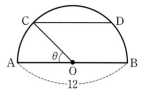

하자. 이때, 도형 OBDC의 넓이 $S(\theta)$에 대하여 $\lim\limits_{\theta \to 0+} \dfrac{S(\theta)}{\theta}$의 값을 구하여라.

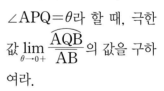
학교시험 필수예제

20 그림은 지름이 $\overline{\text{PQ}}$인 반원을 거울에 비춘 그림이다. 반원 위의 한 점 A가 거울에 비친 점을 B, $\angle \text{APQ} = \theta$라 할 때, 극한값 $\lim\limits_{\theta \to 0+} \dfrac{\overparen{\text{AQB}}}{\overline{\text{AB}}}$의 값을 구하여라.

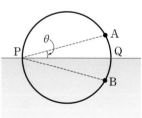

삼각함수의 도함수

1. **함수 sin의 도함수**

   $$y' = \lim_{h \to 0} \frac{\sin(x+h) - \sin x}{h} = \cos x \Rightarrow (\sin x)' = \cos x$$

2. **함수 cos의 도함수**

   $$y' = \lim_{h \to 0} \frac{\cos(x+h) - \cos x}{h} = -\sin x \Rightarrow (\cos x)' = -\sin x$$

예 $y = \sin x - \cos x$에서

$$y' = \cos x - (-\sin x)$$
$$= \cos x + \sin x$$

유형 042 삼각함수의 도함수

※ 다음 함수를 미분하여라.

01 $y = x^2 + \sin x$

02 $y = x^3 + \cos x$

03 $y = 3x - 2\cos x$

04 $y = 3\sin x - \cos x$

05 $y = x\cos^2 x + 5$

06 $y = \sin x \cos x$

07 $y = e^x - \cos x$

08 $y = 2\ln x + 4\cos x \ (x > 0)$

※ 다음 물음에 답하여라.

09 함수 $f(x)=(x^2+1)\sin x$의 도함수를 $f'(x)$라 할 때, $f'(0)$의 값을 구하여라.

10 함수 $f(x)=2\sqrt{3}\,x\sin x+3\cos x$의 도함수를 $f'(x)$라 할 때, $f'\left(\dfrac{\pi}{3}\right)$의 값을 구하여라.

11 함수 $f(x)=\sin\left(\dfrac{\pi}{2}+x\right)+\sin(\pi+x)$의 도함수를 $f'(x)$라 할 때, $f'\left(\dfrac{\pi}{4}\right)$의 값을 구하여라.

12 함수
$$f(x)=\begin{cases}\sin x & (-1<x<0)\\ ax+b & (0\le x<1)\end{cases}$$
가 $x=0$에서 미분가능일 때, 두 상수 a, b의 합 $a+b$의 값을 구하여라.

13 함수
$$f(x)=\begin{cases}x^2+ax+2 & (x<0)\\ b\cos x & (x\ge 0)\end{cases}$$
가 $x=0$에서 미분가능일 때, 두 상수 a, b의 합 $a+b$의 값을 구하여라.

09 함수의 몫의 미분법

1. 함수의 몫의 미분법
두 함수 $f(x)$, $g(x)$ $(g(x) \neq 0)$가 미분가능할 때

(1) $\left\{\dfrac{1}{g(x)}\right\}' = -\dfrac{g'(x)}{\{g(x)\}^2}$ (2) $\left\{\dfrac{f(x)}{g(x)}\right\}' = \dfrac{f'(x)g(x) - f(x)g'(x)}{\{g(x)\}^2}$

2. 함수 $y = x^n$ (n은 정수)의 도함수
n이 정수일 때, $y = x^n$이면 $\Rightarrow y' = nx^{n-1}$

3. 삼각함수의 도함수
(1) $(\tan x)' = \sec^2 x$ (2) $(\sec x)' = \sec x \tan x$
(3) $(\csc x)' = -\csc x \cot x$ (4) $(\cot x)' = -\csc^2 x$

- $y = \sec x$의 도함수

$\sec x = \dfrac{1}{\cos x}$이므로 몫의 미분법에 의하여

$y' = \left(\dfrac{1}{\cos x}\right)' = -\dfrac{(\cos x)'}{\cos^2 x}$

$= \dfrac{\sin x}{\cos^2 x} = \sec x \tan x$

유형 043 함수의 몫의 미분법

※ 다음 함수를 미분하여라.

01 $y = \dfrac{1}{x}$

02 $y = \dfrac{1}{x^3}$

03 $y = \dfrac{3x+1}{x+5}$

04 $y = \dfrac{x-5}{x^2+x}$

05 $y = \dfrac{x^2-4}{2x+3}$

학교시험 필수예제

06 함수 $f(x) = \dfrac{x^2}{3x^2+4}$에 대하여 $x=2$에서의 순간변화율을 구하여라.

※ 다음 함수를 미분하여라.

07 $y = \dfrac{1}{e^x}$

08 $y = \dfrac{1}{\ln x}$

09 $y = \dfrac{x}{\ln x}$

10 $y = \dfrac{e^x - 1}{e^x + 1}$

11 $y = \dfrac{x + 5}{e^x}$

12 $y = \dfrac{x}{\ln x} + e^x + x^2$

 학교시험 필수예제

13 어떤 음식물에 효모를 넣었을 때, 발효가 진행되는 과정에서 중간 상태의 물질 A가 만들어진다. 이때, 효모를 넣은 지 x시간 후의 물질 A의 양 yg은

$$y = \dfrac{5x}{e^x}$$

와 같이 나타내어진다. 효모를 넣은 지 2시간 후의 물질 A의 양의 순간변화율을 구하여라.

유형 044 탄젠트함수의 도함수

※ 다음 함수를 미분하여라.

14 $y = \tan x + \sin x$

15 $y = e^x \tan x$

16 $y = x^2 \tan x$

17 $y = \sin x \tan x$

18 $y = 5\tan x - 3x$

19 $y = \dfrac{\tan x}{e^x}$

학교시험 필수예제

20 함수 $f(x) = \dfrac{\sin x + \cos x}{\cos x}$에 대하여 $f'\left(\dfrac{\pi}{3}\right)$의 값을 구하여라.

10 합성함수의 미분법

1. 합성함수의 미분법

두 함수 $y=f(u)$, $u=g(x)$가 미분가능할 때, 합성함수 $y=f(g(x))$는 미분가능하고, 그 도함수는

$$\frac{dy}{dx}=\frac{dy}{du}\cdot\frac{du}{dx} \text{ 또는 } \{f(g(x))\}'=f'(g(x))g'(x)$$

2. 지수함수 $y=a^x(a>0, a\neq1)$의 도함수

$y=a^x(a>0,\ a\neq1)$이면 $\Rightarrow y'=a^x\ln a$

3. 로그함수의 도함수

(1) $y=\ln|x|$이면 $\Rightarrow y'=\dfrac{1}{x}$

(2) $y=\log_a|x|\,(a>0,\ a\neq1)$이면 $\Rightarrow y'=\dfrac{1}{x\ln a}$

4. 함수 $y=x^a$ (a는 실수, $x>0$)의 도함수

a가 실수일 때, $y=x^a$ $(x>0)$이면 $\Rightarrow y'=ax^{a-1}$

- $y=a^x\,(a>0,\ a\neq1)$의 도함수

$$(a^x)'=(e^{x\ln a})'=e^{x\ln a}\cdot(x\ln a)'$$
$$=e^{x\ln a}\cdot\ln a=a^x\ln a$$

- $y=\log_a|x|\,(a>0,\ a\neq1)$의 도함수

$$y'=\left(\frac{\ln|x|}{\ln a}\right)'=\frac{1}{\ln a}(\ln|x|)'$$
$$=\frac{1}{\ln a}\cdot\frac{1}{x}=\frac{1}{x\ln a}$$

유형 045 합성함수의 미분법

※ 다음 함수를 미분하여라.

01 $y=(5x^3+2)^2$

해설ㅣ $u=5x^3+2$로 놓으면 $y=u^2$에서

$$\frac{du}{dx}=\boxed{}x^2,\ \frac{dy}{dx}=2u$$

이므로

$$\frac{dy}{dx}=\frac{dy}{du}\cdot\frac{du}{dx}=2u\cdot\boxed{}x^2$$
$$=2(5x^3+2)\cdot\boxed{}x^2$$
$$=\boxed{}x^2(5x^3+2)$$

02 $y=(2x^2+3x+1)^2$

03 $y=(5x+1)^2-3(5x+1)+4$

04 $y=\dfrac{1}{(3x+2)^2}$

※ 다음 함수를 미분하여라.

05 $y=\dfrac{3}{x^4+5}$

06 $y=\left(x-\dfrac{1}{x}\right)^2+2\left(x-\dfrac{1}{x}\right)$

07 $y=e^{3x+5}$

08 $y=\ln|3x+6|$

09 $y=2^{\sin x}$

학교시험 필수예제

10 이차함수 $f(x)=ax^2+1$과 일차함수 $g(x)=3x+1$에 대하여 함수 $y=f(g(x))$의 도함수가 $y'=3x+1$일 때, 상수 a의 값을 구하여라.

11 구간 $6<x<10$에서 정의된 함수 $f(x)$가 $f(x)=\log_5(x^2-5x)$를 만족시킬 때, $f'(7)$의 값을 구하여라.

12 함수 $f(x)=2^{\tan x}+\cos x$에 대하여 $f'\left(\dfrac{\pi}{4}\right)$의 값을 구하여라.

13 미분가능한 함수 $f(x)$가 0이 아닌 실수 x에 대하여 $f(3x-2)=e^x+x^2+\ln|x|$를 만족할 때, $f'(4)$의 값을 구하여라.

14 $y=\sin(2x+3)$

15 $y=\cos^3 x$

16 $y=\tan(3x-4)$

학교시험 필수예제

17 함수 $f(x)=\tan^2 x$에 대하여 $x=\dfrac{\pi}{3}$에서의 미분계수를 구하여라.

※ 다음 함수를 미분하여라.

18 $y=x^{-\frac{3}{2}}$

19 $y=2\sqrt{x^3}$

20 $y=x\sqrt{6x}$

21 $y=\ln|x^2|$

22 $y=\ln|x^3+5x-4|$

23 $y=\log_2|x^3-1|$

Tip

$y=\ln|f(x)|$에서 $u=f(x)$라고 하면
$$y'=\frac{dy}{du}\cdot\frac{du}{dx}=\frac{1}{u}\cdot f'(x)=\frac{f'(x)}{f(x)}$$

학교시험 필수예제

24 함수 $f(x)=\ln x$의 합성함수 $y=f(f(x))$의 $x=e^2$에서의 미분계수를 구하여라. (단, $x>e$)

※ 로그함수의 미분법을 이용하여 다음 함수를 미분하여라.

25 $f(x) = \dfrac{(x-1)(x+2)^3}{(x-5)^4}$

해설| 양변의 절댓값에 자연로그를 취하면

$$\ln|f(x)| = \ln\left|\dfrac{(x-1)(x+2)^3}{(x-5)^4}\right|$$

$$= \ln|x-1| + 3\ln|x+2| - \boxed{}\ln|x-5|$$

이 식의 양변을 x에 대하여 미분하면

$$\dfrac{f'(x)}{f(x)} = \dfrac{1}{x-1} + \dfrac{3}{x+2} - \dfrac{\boxed{}}{x-5}$$

$$= \dfrac{(x+2)(x-5)+3(x-1)(x-5)-\boxed{}(x-1)(x+2)}{(x-1)(x+2)(x-5)}$$

$$= \dfrac{-25x+13}{(x-1)(x+2)(x-5)}$$

$$\therefore f'(x) = f(x) \cdot \dfrac{-25x+13}{(x-1)(x+2)(x-5)}$$

$$= \dfrac{(x-1)(x+\boxed{})^3}{(x-5)^4} \cdot \dfrac{(-25x+13)}{(x-1)(x+2)(x-5)}$$

$$= \dfrac{(x+\boxed{})^2(-25x+13)}{(x-5)^5}$$

26 $f(x) = \dfrac{(x+1)(x-2)^2}{x+3}$

27 $f(x) = x^{\sin x}\ (x>0)$

Tip

복잡한 분수함수 또는 밑, 지수가 변수인 지수함수는
⇨ 양변의 절댓값에 자연로그를 취하여 로그함수의 미분법을 이용한다.

학교시험 필수예제

28 함수 $f(x) = \dfrac{(x-1)\sqrt{x-4}}{x+5}$ 에 대하여 $f'(5)$의 값을 구하여라.

11 매개변수로 나타낸 함수의 미분법

매개변수 t로 나타낸 두 함수 $x=f(t)$, $y=g(t)$가 t에 대하여 미분가능하고

$$f'(t)\neq0일\ 때,\ \frac{dy}{dx}=\frac{\dfrac{dy}{dt}}{\dfrac{dx}{dt}}=\frac{g'(t)}{f'(t)}$$

| 참고 | 매개변수로 나타낸 함수의 미분에서 $\frac{dy}{dx}$ 는 매개변수인 t에 대한 식으로 나타내도 된다.

두 변수 x, y 사이의 관계가 변수 t를 매개로 하여 $\begin{cases} x=f(t) \\ y=g(t) \end{cases}$ 꼴로 나타날 때, 변수 t를 x, y의 매개변수라 하고, 이 함수를 매개변수로 나타낸 함수라 한다.

유형 047 매개변수로 나타낸 함수의 미분법

※ 다음 매개변수로 나타낸 함수에서 $\frac{dy}{dx}$ 를 구하여라.

01 $x=2t-3$, $y=t^2-2t$

해설 | 매개변수로 나타낸 함수 $x=2t-3$, $y=t^2-2t$에서

$$\frac{dx}{dt}=\boxed{},\ \frac{dy}{dt}=\boxed{}이므로$$

$$\frac{dy}{dx}=\frac{\dfrac{dy}{dt}}{\dfrac{dx}{dt}}=\frac{\boxed{}}{\boxed{}}=\boxed{}$$

02 $x=-t+2$, $y=1+3t^2$

03 $x=t^2$, $y=t+\dfrac{1}{t}$

※ 다음 물음에 답하여라.

04 매개변수 θ로 나타낸 함수 $x=4\cos\theta$, $y=3\sin\theta$에 대하여 $\theta=\dfrac{\pi}{6}$ 일 때, $\dfrac{dy}{dx}$ 의 값을 구하여라.

05 매개변수 t로 나타낸 함수 $x=t^2+2t$, $y=t^3+1$ 을 $y=f(x)$로 나타낼 때, $\displaystyle\lim_{h\to0}\frac{f(3+3h)-f(3)}{h}$ 의 값을 구하여라. (단, $t>0$)

06 곡선 $x=t^3+1$, $y=t-\dfrac{1}{t^2}$ 위의 한 점 $\left(9,\ \dfrac{7}{4}\right)$에서의 접선의 기울기를 구하여라.

12 음함수의 미분법

빠른정답 05쪽 / 친절한 해설 31쪽

x의 함수 y가 음함수 $f(x, y)=0$의 꼴로 주어졌을 때는 y를 x에 대한 함수로 보고, 주어진 식의 각 항을 x에 대하여 미분하여 $\dfrac{dy}{dx}$를 구한다.

| 보기 | 음함수 $x^2-y^2=1$에서 각 항을 x에 대하여 미분하면

$$\frac{d}{dx}(x^2)-\frac{d}{dx}(y^2)=\frac{d}{dx}(1),\ 2x-2y\frac{dy}{dx}=0 \quad \therefore \frac{dy}{dx}=\frac{x}{y}\ (단, y\neq 0)$$

음함수의 미분법은 음함수 $f(x, y)=0$을 $y=g(x)$ 꼴로 변형하기 어려운 함수를 미분할 때 유용하다.

유형 048 음함수의 미분법

※ 다음 음함수에서 $\dfrac{dy}{dx}$를 구하여라.

01 $x^2+y^2=4$

해설| 양변을 x에 대하여 미분하면

$$\frac{d}{dx}(x^2)+\frac{d}{dx}(y^2)=\frac{d}{dx}(4)$$

$$\boxed{}+\boxed{}\frac{dy}{dx}=0$$

$$\therefore \frac{dy}{dx}=\boxed{}\ (단,\ y\neq 0)$$

02 $x^2+3y^2=4xy$

03 $\sqrt[3]{x^2}+\sqrt[3]{y^2}=1$

※ 다음 물음에 답하여라.

04 곡선 $y^4-3x^2=2xy^2$ 위의 점 $(1, \sqrt{3})$에서의 접선의 기울기를 구하여라.

05 곡선 $\dfrac{e^y}{x}=\ln x$ 위의 점 (e, a)에서의 접선의 기울기가 b일 때, 두 상수 a, b의 곱 ab의 값을 구하여라.

13 역함수의 미분법

미분가능한 함수 $f(x)$의 역함수 $g(x)$가 존재하고 미분가능할 때, 역함수 $g(x)$의 도함수 $g'(x)$는

$$g'(x) = \frac{1}{f'(g(x))}$$

| 참고 | 역함수의 성질에 의하여 $f(f^{-1}(x)) = x$이다. 이때, 합성함수의 미분법에 의하여

$f'(g(x)) \cdot g'(x) = 1$이므로 $g'(x) = \dfrac{1}{f'(g(x))}$

미분가능한 함수 $y = f(x)$의 역함수가 존재할 때

$$\frac{dy}{dx} = \frac{1}{\dfrac{dx}{dy}} \left(\text{단, } \frac{dx}{dx} \neq 0 \right)$$

유형 049 역함수의 미분법

※ 다음 함수 $f(x)$의 역함수 $g(x)$의 도함수 $g'(x)$를 구하여라.

01 $f(x) = x^3 + 1$

해설 | 함수 $f(x)$에 대하여
도함수는 $f'(x) = 3x^2$,
역함수는 $g(x) = \boxed{}$
이다.
따라서 역함수의 도함수 $g'(x)$는

$$g'(x) = \frac{1}{f'(g(x))} = \frac{1}{3(\boxed{})^2}$$
$$= \boxed{}$$

02 $f(x) = x^2 + 1 \ (x > 0)$

※ 다음 함수에 대하여 $\dfrac{dy}{dx}$를 역함수의 미분법을 이용하여 구하여라.

03 $x = \dfrac{y}{y^2 + 2}$

해설 | 양변을 y에 대하여 미분하면

$$\frac{dx}{dy} = \frac{(y^2 + 2) - y \cdot \boxed{}}{(y^2 + 2)^2} = \frac{-\boxed{} + 2}{(y^2 + 2)^2}$$

$$\therefore \frac{dy}{dx} = \frac{1}{\dfrac{dx}{dy}} = \boxed{} \quad (\text{단, } y \neq \pm\sqrt{2})$$

04 $x = 3y^2 - y + 2$

05 $y = \sqrt[4]{4x - 1}$

※ 다음 물음에 답하여라.

06 미분가능한 두 함수 $f(x)$, $g(x)$가 서로 역함수 관계에 있고 $f(2)=3$, $f'(2)=5$일 때, $g'(3)$의 값을 구하여라.

해설ㅣ $f(2)=3$이므로 $g(3)=\boxed{}$이다.

$$\therefore g'(3)=\frac{1}{f'(g(\boxed{}))}=\frac{1}{f'(\boxed{})}=\boxed{}$$

07 미분가능한 함수 $f(x)$에 대하여 $y=f(x)$의 그래프가 그림과 같고, $f'(1)=3f(1)$이다. $f(x)$의 역함수를 $g(x)$라고 할 때, $g'(2)$의 값을 구하여라.

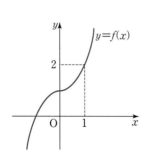

08 함수 $f(x)=\tan x\left(0<x<\dfrac{\pi}{2}\right)$의 역함수를 $y=g(x)$라 할 때, $g'(1)$의 값을 구하여라.

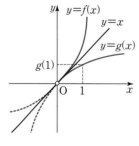

09 함수 $f(x)=x^2+4x-8\ (x\geq-2)$의 역함수를 $g(x)$라고 할 때, $g'(4)$의 값을 구하여라.

10 함수 $f(x)=x^2+2x-8\ (x\geq-1)$의 역함수를 $y=g(x)$라고 할 때, $g'(16)$의 값을 구하여라.

11 함수 $f(x)=x^3+3x-1$의 역함수를 $y=g(x)$라고 할 때, $g'(3)$의 값을 구하여라.

※ 다음 물음에 답하여라.

12 함수 $f(x)=e^x+\ln x$의 역함수를 $g(x)$라고 할 때, $g'(e)$의 값을 구하여라.

13 $-\dfrac{\pi}{4}<x<\dfrac{\pi}{4}$에서 정의된 함수 $f(x)=\sin 2x$의 역함수를 $g(x)$라고 할 때, $g'\left(\dfrac{1}{2}\right)$의 값을 구하여라.

14 함수 $f(x)=\ln\sqrt{\dfrac{1+x}{1-x}}$ $(-1<x<1)$의 역함수를 $g(x)$라고 할 때, $f'\left(\dfrac{2}{3}\right)-g'(0)$의 값을 구하여라.

15 함수 $x=2y^3+y^2-3$에 대하여 $\lim\limits_{y\to1}\dfrac{dy}{dx}$의 값을 구하여라.

16 미분가능한 함수 $f(x)$의 역함수 $g(x)$가
$$\lim_{x\to1}\frac{g(x)-2}{x-1}=3$$
을 만족시킬 때, 미분계수 $f'(2)$의 값을 구하여라.

학교시험 필수예제

17 함수 $f(x)=(x-4)e^x$ $(x>0)$의 역함수를 $g(x)$라고 할 때, 곡선 $y=g(x)$ 위의 점 $(e^5,\ 5)$에서의 접선의 기울기를 구하여라.

14 이계도함수

함수 $f(x)$의 도함수 $f'(x)$가 미분가능할 때, $f'(x)$의 도함수

$$\lim_{h \to 0} \frac{f'(x+h)-f'(x)}{h}$$

를 함수 $y=f(x)$의 이계도함수라 하고, 기호로

$$f''(x),\ y'',\ \frac{d^2y}{dx^2},\ \frac{d^2}{dx^2}f(x)$$

와 같이 나타낸다.

예 함수 $y=x^4+3x^2$의
도함수는 $y'=4x^3+6x$이고,
이계도함수는 $y''=12x^2+6$이다.

유형 051 이계도함수

※ 다음 함수의 이계도함수를 구하여라.

01 $y=3x^4+5x^2+4$

해설ㅣ 함수 $y=3x^4+5x^2+4$의
도함수는 $y'=12x^3+\boxed{}$이고
이계도함수는 $y''=\boxed{}x^2+\boxed{}$이다.

02 $y=x(x+1)^2$

03 $y=\dfrac{1}{x^2+4}$

04 $y=\dfrac{e^x-e^{-x}}{2}$

05 $y=x^2 \ln x$

06 $y=\sin^2 x$

※ 다음 함수의 $x=1$에서 이계도함수의 값을 구하여라.

07 $y=\sqrt{3x+1}$

08 $y=\dfrac{\log_2 x}{x}$

09 $y=\sin\dfrac{\pi}{3}x+\cos\dfrac{\pi}{2}x$

※ 다음 물음에 답하여라.

10 함수 $f(x)=e^{2x}$에 대하여 $f'(\ln 2)+f''(\ln 2)$의 값을 구하여라.

11 함수 $f(x)=xe^{2x}+x\ln x$에 대하여 $f'(1)-f''(1)$의 값을 구하여라.

12 함수 $f(x)=\sin x+\cos x$에 대하여 $f'\left(\dfrac{\pi}{3}\right)\cdot f''\left(\dfrac{\pi}{3}\right)$의 값을 구하여라.

15 접선의 방정식

1. **곡선 위의 점에서의 접선의 방정식**
   곡선 $y=f(x)$ 위의 점 $(a, f(a))$에서의 접선의 방정식은
   $$y-f(a)=f'(a)(x-a)$$

2. **기울기가 주어진 접선의 방정식**
   곡선 $y=f(x)$의 접선의 기울기 m이 주어졌을 때
   ① 접점의 좌표를 $(a, f(a))$로 놓는다.
   ② $f'(a)=m$임을 이용하여 접점의 좌표를 구한다.
   ③ $y-f(a)=m(x-a)$를 이용하여 접선의 방정식을 구한다.

3. **곡선 위에 있지 않은 한 점에서의 접선의 방정식**
   곡선 $y=f(x)$ 밖의 한 점 (x_1, y_1)이 주어졌을 때
   ① 접점의 좌표를 $(a, f(a))$로 놓는다.
   ② $y-f(a)=f'(a)(x-a)$에 점 (x_1, y_1)의 좌표를 대입하여 a의 값을 구한다.
   ③ a의 값을 $y-f(a)=f'(a)(x-a)$에 대입하여 접선의 방정식을 구한다.

• 곡선 $y=f(x)$ 위의 점 $(a, f(a))$에서의 접선의 기울기는 $x=a$에서의 미분계수 $f'(a)$와 같다.

• 주어진 점을 지나는 접선의 방정식을 구할 때에는 주어진 점이 곡선 위의 점인지 아닌지를 구별해야 한다.

유형 052 곡선 위의 점에서의 접선의 방정식

※ 다음 곡선 위의 주어진 점에서의 접선의 방정식을 구하여라.

01 $y=\sqrt{x}$, $(4, 2)$

해설ㅣ $f(x)=\sqrt{x}$라고 하면
$$f'(x)=(x^{\frac{1}{2}})'=\frac{1}{2}x^{-\frac{1}{2}}=\frac{1}{2\sqrt{x}}$$
점 $(4, 2)$에서의 접선의 기울기는
$$f'(4)=\boxed{}$$
이므로 접선의 방정식은
$$y-2=\boxed{}(x-4) \quad \therefore y=\boxed{}x+\boxed{}$$

02 $y=e^{x-1}+1$, $(1, 2)$

03 $y=\ln(x+1)$, $(3, \ln 4)$

04 $y=\sin x+\cos x$, $\left(\frac{3}{4}\pi, 0\right)$

05 $y = \ln 2x$, $(e, \ln 2 + 1)$

07 $y = \sqrt{2x}$, $m = 4$

유형 **053**　기울기가 주어진 접선의 방정식

※ 다음 곡선에 접하고 기울기가 m인 직선의 방정식을 구하여라.

06 $y = e^x$, $m = 1$

해설ㅣ $f(x) = e^x$이라고 하면

$f'(x) = e^x$

접점의 좌표를 (a, e^a)이라고 하면 기울기가 1이므로

$f'(a) = e^a = 1$에서 $a = \boxed{}$

따라서 접점의 좌표는 $(0, e^0) = (0, \boxed{})$이므로 구하는 접선의 방정식은

$y - \boxed{} = 1 \cdot (x - 0)$

$\therefore y = x + \boxed{}$

08 $y = \ln(x + 5)$, $m = \dfrac{1}{2}$

09 $y=\cos 2x\left(0\leq x\leq\dfrac{\pi}{4}\right)$, $m=-1$

11 직선 $y=x+a$가 곡선 $y=x+\sin x$에 접할 때, 상수 a의 값을 구하여라. (단, $0\leq x\leq\pi$)

※ 다음 물음에 답하여라.

10 곡선 $y=e^{x+1}$에 접하고 $x+4y-1=0$에 수직인 직선의 방정식을 $y=ax+b$라고 할 때, 상수 a, b에 대하여 $4\ln a+b$의 값을 구하여라.

유형 **054** 곡선 위에 있지 않은 한 점에서의 접선의 방정식

※ 다음 주어진 점에서 곡선에 그은 접선의 방정식을 구하여라.

12 $y=\ln x$, $(0,\ 0)$

해설| $f(x)=\ln x$라고 하면 $f'(x)=\dfrac{1}{x}$

접점의 좌표를 $(a,\ \ln a)$라고 하면 $x=a$에서 접선의 기울기는

$$f'(a)=\dfrac{1}{a}$$

이므로 접선의 방정식은

$$y-\ln a=\dfrac{1}{a}(x-a),\ y=\dfrac{x}{a}+\ln a-1$$

이 접선이 점 $(0,\ 0)$을 지나므로 대입하면

$$0=\dfrac{0}{a}+\ln a-1\ \therefore a=\boxed{}$$

따라서 접선의 방정식은

$$y=\dfrac{x}{\boxed{}}+\ln\boxed{}-1\qquad \therefore y=\boxed{}$$

13 $y=e^{x-1}$, $(1,\ 0)$

14 $y=\ln(x-2)$, $(2,\ -1)$

※ 다음 물음에 답하여라.

15 점 $(0,\ 4)$에서 곡선 $y=\dfrac{2}{x}$에 그은 접선의 방정식을 $y=ax+b$라고 할 때, 두 상수 a, b에 대하여 a^2+b^2의 값을 구하여라.

학교시험 필수예제

16 원점에서 곡선 $y=\dfrac{\ln x}{x}$ $(x>0)$에 그은 접선이 점 $(e,\ a)$를 지날 때, a의 값을 구하여라.

16 이계도함수와 함수의 극대·극소

1. **미분가능한 함수의 극대와 극소의 판정**

   미분가능한 함수 $f(x)$에서 $f'(a)=0$일 때, $x=a$의 좌우에서

   (1) $f'(x)$의 부호가 양($+$)에서 음($-$)으로 바뀌면 $f(x)$는 $x=a$에서 극대이다.

   (2) $f'(x)$의 부호가 음($-$)에서 양($+$)으로 바뀌면 $f(x)$는 $x=a$에서 극소이다.

2. **이계도함수를 이용한 함수의 극대와 극소 판정**

   이계도함수를 갖는 함수 $f(x)$에서 $f'(a)=0$일 때,

   (1) $f''(a)<0$이면 $f(x)$는 $x=a$에서 극대이다.

   (2) $f''(a)>0$이면 $f(x)$는 $x=a$에서 극소이다.

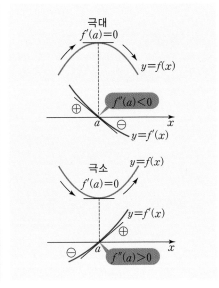

유형 055 함수의 극대와 극소

※ 다음 함수의 극값을 구하여라.

01 $f(x)=\dfrac{x+1}{x^2+3}$

해설 | 함수 $f(x)=\dfrac{x+1}{x^2+3}$에서

$$f'(x)=\frac{(x^2+3)-(x+1)\cdot 2x}{(x^2+3)^2}=\frac{-(x+3)(x-1)}{(x^2+3)^2}$$

$f'(x)=0$에서 $x=-3$ 또는 $x=\boxed{}$

$f'(x)$의 부호를 조사하여 함수 $f(x)$의 증가와 감소를 표로 나타내면 다음과 같다.

x	$\cdots$	-3	$\cdots$	$\boxed{}$	$\cdots$
$f'(x)$	$-$	0	$+$	0	$-$
$f(x)$	$\searrow$	$-\dfrac{1}{6}$	$\nearrow$	$\boxed{}$	$\searrow$

따라서 함수 $f(x)$는 $x=-3$에서 극솟값 $-\dfrac{1}{6}$,

$x=\boxed{}$에서 극댓값 $\boxed{}$을 갖는다.

02 $f(x)=x-e^x$

03 $f(x)=x\ln x$

04 $f(x)=e^x\cos x$ (단, $0\le x\le 2\pi$)

※ 다음 물음에 답하여라.

05 함수 $f(x)=\dfrac{x}{x^2+4}$ 는 $x=a$에서 극댓값 $\dfrac{1}{4}$ 을 갖고, $x=b$에서 극솟값 k를 갖는다. 이때, 세 상수 a, b, k에 대하여 $a+b-12k$의 값을 구하여라.

06 함수 $f(x)=\dfrac{x^2+ax+b}{x-1}$ 는 $x=3$에서 극값 -1을 갖는다. 두 상수 a, b에 대하여 $a+2b$의 값을 구하여라.

07 함수 $f(x)=\ln 2x+\dfrac{a}{x}-3x$ 가 극댓값과 극솟값을 모두 가질 때, a의 값의 범위가 $\alpha<a<\beta$이다. 이때, $24(\beta-\alpha)$의 값을 구하여라.

유형 056　이계도함수를 이용한 함수의 극대와 극소

※ 이계도함수를 이용하여 다음 함수의 극값을 구하여라.

08 $f(x)=x+\dfrac{4}{x}$

해설ㅣ $f'(x)=1-\dfrac{4}{x^2}$ 이므로 $f'(x)=0$에서

$$1-\dfrac{4}{x^2}=\dfrac{(x+2)(x-2)}{x^2}=0$$

$\therefore x=-2$ 또는 $x=2$

$f''(x)=\boxed{}$ 이므로

(i) $x=-2$일 때, $f''(-2)=\boxed{}<0$

(ii) $x=2$일 때, $f''(2)=\boxed{}>0$

따라서 함수 $f(x)$는

$x=\boxed{}$ 에서 극댓값 $f(\boxed{})=\boxed{}$ 를 갖고,

$x=\boxed{}$ 에서 극솟값 $f(\boxed{})=\boxed{}$ 를 갖는다.

09 $f(x) = \dfrac{\ln x}{x}$

10 $f(x) = \ln x + x^2 - 3x$

11 $f(x) = x^2 e^x$

※ 다음 물음에 답하여라.

12 $f(x) = x - \sqrt{x-1}$의 극값을 $\dfrac{q}{p}$ (p, q는 서로소)라고 할 때, $|p+q|$의 값을 구하여라.

학교시험 필수예제

13 함수 $f(x) = x + 2\cos x\,(0 \le x \le 2\pi)$의 극댓값을 p, 극솟값을 q라고 할 때, $p-q$의 값을 구하여라.

17 곡선의 오목과 볼록

1. 곡선의 오목과 볼록
(1) 어떤 구간에서 $f''(x) > 0$이면 그 구간에서 $f'(x)$는 증가한다. 따라서 $f(x)$는 아래로 볼록한 모양이다.

(2) 어떤 구간에서 $f''(x) < 0$이면 그 구간에서 $f'(x)$는 감소한다. 따라서 $f(x)$는 위로 볼록한 모양이다.

2. 변곡점
(1) 곡선의 모양이 위로 볼록에서 아래로 볼록으로 바뀌거나 아래로 볼록에서 위로 볼록으로 바뀌는 점을 변곡점이라고 한다.

(2) 함수 $f(x)$에서 $f''(a) = 0$이고 $x = a$의 좌우에서 $f''(x)$의 부호가 바뀌면 점 $(a, f(a))$는 곡선 $y = f(x)$의 변곡점이다.

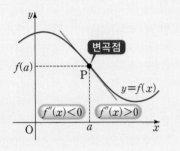 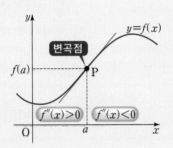

• 이계도함수의 부호와 곡선의 오목과 볼록

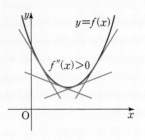

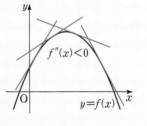

유형 057 곡선의 오목과 볼록

※ 다음 곡선의 오목과 볼록을 조사하여라.

01 $y = x^3 - 6x^2 + 1$

해설 | $f(x) = x^3 - 6x^2 + 1$이라고 하면
$f'(x) = 3x^2 - 12x$, $f''(x) = 6x - 12$
$f''(x) = 0$에서 $x = 2$
이때,
$x < 2$이면 $f''(x)$ ☐ 0, $x > 2$이면 $f''(x)$ ☐ 0
따라서 곡선 $y = f(x)$는 구간 $(-\infty, 2)$에서 ☐로 볼록하고, 구간 $(2, \infty)$에서 ☐로 볼록하다.

02 $y = -x^4 + 2x^3 - 3$

03 $y = x + 2\sin x \ (0 < x < 2\pi)$

04 $y = xe^x$

※ 다음 곡선의 변곡점이 있는지 조사하고, 변곡점을 구하여라.

05 $y=x^3-6x^2+10x-3$

해설 | $f(x)=x^3-6x^2+10x-3$이라고 하면

$f'(x)=3x^2-12x+10$, $f''(x)=\boxed{}$

$f''(x)=0$에서 $x=\boxed{}$

이때, $x=\boxed{}$의 좌우에서 $f''(x)$의 부호를 조사하면

$x<\boxed{}$이면 $f''(x)<0$,

$x>\boxed{}$이면 $f''(x)>0$

이므로 점 $(\boxed{}, \boxed{})$은 곡선 $y=x^3-6x^2+10x-3$

의 변곡점이다.

06 $y=\sin x+\cos x \ (0<x<2\pi)$

07 $y=e^x \sin x \ (0<x<\pi)$

※ 다음 곡선의 두 변곡점 사이의 거리를 구하여라.

08 $f(x)=\dfrac{1}{x^2+3}$

해설 | $f'(x)=\boxed{}$,

$f''(x)=\dfrac{-2(x^2+3)^2+2x\cdot 2(x^2+3)\cdot 2x}{(x^2+3)^4}$

$\qquad =\dfrac{6(x^2-1)}{(x^2+3)^3}=\dfrac{6(x+1)(x-1)}{(x^2+3)^3}$

$f''(x)=0$에서 $x=-1$ 또는 $x=1$

이때, $x=-1$과 $x=1$의 좌우에서 $f''(x)$의 부호가

바뀌므로 변곡점의 좌표는

$\left(-1, \boxed{}\right)$, $\left(1, \boxed{}\right)$

따라서 두 변곡점 사이의 거리는 $\boxed{}$

09 $f(x)=\ln(x^2+2)^2$

10 $f(x)=2\ln(x^2+1)$

※ 다음 물음에 답하여라.

11 곡선 $y=x^2+\dfrac{1}{x}$ 의 변곡점을 지나고 기울기가 1인 직선의 방정식을 $y=x+a$ 라고 할 때, 상수 a 의 값을 구하여라.

12 곡선 $y=3xe^{-2x}$ 의 변곡점에서의 접선의 기울기를 구하여라.

13 곡선 $y=(\ln ax)^2$ 의 변곡점이 직선 $y=ex$ 위에 있을 때, a 의 값을 구하여라.

14 곡선 $y=\dfrac{1}{2}x^4-4x^3+9x^2-3$ 의 두 변곡점을 각각 P, Q라 하고, 점 R$(-1, -1)$일 때, 삼각형 PQR의 무게중심의 좌표를 구하여라.

15 닫힌구간 $[0, 5]$에서 연속인 함수 $f(x)$에 대하여 $y=f'(x)$의 그래프가 다음과 같고, $f'(1)=f'(3)=f'(5)=0, f''(4)=0$이다.

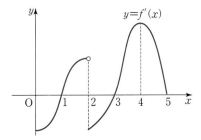

|보기|에서 옳은 것만을 있는 대로 골라라.

┌ 보기 ├
ㄱ. 닫힌구간 $[0, 5]$에서 함수 $f(x)$가 $x=a$에서 극값을 갖는 a의 개수는 2이다.
ㄴ. 닫힌구간 $[0, 5]$에서 곡선 $y=f(x)$의 변곡점의 개수는 1이다.
ㄷ. 열린구간 $(2, 4)$에서 곡선 $y=f(x)$는 아래로 볼록이다.

18 함수의 그래프의 개형

함수 $y=f(x)$의 그래프 개형을 그릴 때에는 도함수와 이계도함수를 이용하여, 다음 사항을 구하고 종합하여 그린다.

(1) 함수의 정의역과 치역
(2) 대칭성과 주기성 ☞ x축, y축, 원점에 대한 대칭성과 $f(x)=f(x+p)$를 이용한 주기성 조사
(3) 좌표축과의 교점 ☞ $x=0$ 또는 $y=0$ 대입
(4) 함수의 증가와 감소, 극대와 극소 ☞ $f'(x)$의 부호 이용
(5) 곡선의 오목과 볼록, 변곡점 ☞ $f''(x)$의 부호 이용
(6) $\lim\limits_{x\to\infty}f(x)$, $\lim\limits_{x\to-\infty}f(x)$, 점근선

• 그래프의 대칭성(1)
  $f(-x)=f(x)$이면 우함수이므로
  ⇨ 그래프는 y축에 대하여 대칭이다.
  $f(-x)=-f(x)$이면 기함수이므로
  ⇨ 그래프는 원점에 대하여 대칭이다.
• 그래프의 대칭성(2)
  $f(a-x)=f(a+x)$ (a는 상수)이면
  ⇨ 그래프는 직선 $x=a$에 대하여 대칭이다.
• 그래프의 주기성
  $f(x)=f(x+p)$ (p는 상수)이면
  ⇨ 그래프는 구간의 길이 p만큼씩 같은 모양이 반복된다.

유형 059 그래프의 개형

※ 다음 함수의 그래프의 개형을 위의 순서를 참조하여 그려라.

01 $f(x)=\dfrac{1}{x^2+1}$

02 $f(x)=\ln(x^2+1)$

※ 다음 함수의 그래프의 개형을 그려라.

03 $y=x^4-2x^2+1$

04 $y=\dfrac{e^x-e^{-x}}{2}$

05 $y=\ln x^2$

06 $y=x-2\sin x\,(0\leq x\leq 2\pi)$

07 $y = \dfrac{2x}{x^2+1}$

※ 다음 물음에 답하여라

08 함수 $f(x) = x^n e^{-x}$에 대한 다음 설명으로 옳은 것을 |보기|에서 모두 골라라. (단, n은 자연수)

┌ 보기 ├
- ㄱ. n이 짝수일 때, $f(x)$의 최솟값은 0이다.
- ㄴ. n이 짝수일 때, $f(x)$는 $x=0$에서 극솟값을 갖고 $x=n$에서 극댓값을 갖는다.
- ㄷ. n이 홀수일 때, $f(x)$는 $x=0$에서 극댓값을 갖고 $x=n$에서 극솟값을 갖는다.

09 두 다항함수 $f(x)$, $g(x)$가 모든 실수 x에 대하여 $f(-x) = -f(x)$, $g(-x) = g(x)$를 만족하고
$$h(x) = f(x) + xg(x)$$
로 정의할 때, |보기|에서 옳은 것을 모두 골라라.

┌ 보기 ├
- ㄱ. $h(0) = 0$
- ㄴ. $h'(-x) = h'(x)$
- ㄷ. $h(x)$의 이계도함수 $h''(x)$가 $x=1$에서 극댓값 1을 가질 때, 방정식 $h''(x) - x = 0$의 실근은 적어도 3개이다.

19 함수의 최대 · 최소

닫힌구간 $[a, b]$에서 연속인 함수 $f(x)$의 최댓값, 최솟값은 다음 순서로 구한다.
① 주어진 구간에서의 $f(x)$의 극댓값과 극솟값을 모두 구한다.
② 주어진 구간의 양 끝점에서의 함숫값 $f(a)$, $f(b)$를 구한다.
③ 위에서 구한 극댓값, 극솟값, $f(a)$, $f(b)$의 크기를 비교하여, 가장 큰 값이
   최댓값이고, 가장 작은 값이 최솟값이다.

닫힌구간 $[a, b]$에서 연속인 함수 $f(x)$의 최댓값은 '극댓값, $f(a)$, $f(b)$' 중에서 최대인 것, 최솟값은 '극솟값, $f(a)$, $f(b)$' 중에서 최소인 것이다.

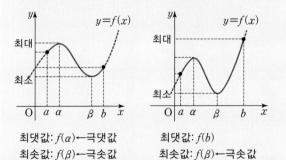

최댓값: $f(a)$←극댓값
최솟값: $f(\beta)$←극솟값

최댓값: $f(b)$
최솟값: $f(\beta)$←극솟값

최댓값: $f(b)$
최솟값: $f(a)$

유형 060 여러 가지 함수의 최댓값과 최솟값

※ 다음 함수의 주어진 구간에서 최댓값과 최솟값을 구하여라.

01 $f(x)=x^3-3x^2+1 \ (-2 \le x \le 3)$

02 $f(x)=\dfrac{x}{x^2-x+1} \ (-2 \le x \le 2)$

03 $f(x)=x^2+\sqrt{1-x^2} \ (0 \le x \le 1)$

04 $f(x)=e^x-e^{-x} \ (-1 \le x \le 2)$

05 구간 $-2 \leq x \leq 1$에서 함수 $f(x) = xe^x$의 최댓값을 m, 최솟값을 n이라고 할 때, mn의 값을 구하여라.

07 구간 $\dfrac{1}{e^2} \leq x \leq e^2$에서 함수 $f(x) = \dfrac{\ln x}{x}$의 최댓값을 m, 최솟값을 n이라고 할 때, mn의 값을 구하여라.

06 구간 $0 < x \leq e^2$에서 함수 $y = x\ln x + 2x$의 최댓값을 m, 최솟값을 n이라고 할 때, mn의 값을 구하여라.

08 구간 $0 \leq x \leq 2\pi$에서 함수 $f(x) = \sin 2x + 2\cos x$의 최댓값을 m, 최솟값을 n이라고 할 때, $m - n$의 값을 구하여라.

※ 다음 물음에 답하여라.

09 함수 $f(x)=x\ln x-\dfrac{x}{2}+a$의 최솟값이 0일 때, 상수 a의 값을 구하여라.

10 함수 $f(x)=x\ln x-2x+a$의 최솟값이 3일 때, 상수 a의 값을 구하여라.

11 함수 $f(x)=a(x-\sin 2x)$의 최댓값이 π일 때, 양의 상수 a의 값을 구하여라. $\left(\text{단, }-\dfrac{\pi}{2}\leq x\leq\dfrac{\pi}{2}\right)$

유형 061 최대·최소의 활용

※ 다음 물음에 답하여라.

12 그림과 같이 두 꼭짓점은 x축 위에 있고 다른 두 꼭짓점은 곡선 $y=e^{-\frac{x^2}{2}}$ 위에 있는 직사각형의 넓이의 최댓값을 구하여라.

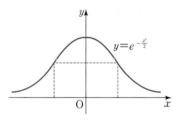

13 그림과 같이 두 곡선 $y=e^x$, $y=e^{-x}$ 위에 두 꼭짓점이 각각 놓여 있고, 한 변이 x축 위에 있는 직사각형의 넓이의 최댓값을 구하여라.

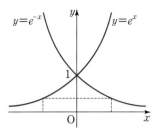

14 그림과 같이 지름 AB의 길이가 12인 반원에서 지름에 평행한 현 CD를 그을 때 생기는 도형 OBDC의 넓이의 최댓값을 구하여라.

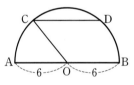

15 곡선 $y=\sqrt{4-x^2}$ $(x\geq0)$과 x축, y축으로 둘러싸인 부분에 내접하는 직사각형 OABC가 있다. 이때, 점 A가 x축 위의 점일 때, 이 직사각형의 넓이의 최댓값을 구하여라. (단, O는 원점이다.)

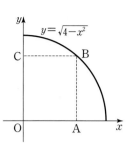

16 곡선 $y=2e^{-x}$ 위의 점 P$(t,\ 2e^{-t})$ $(t>0)$에서 y축에 내린 수선의 발을 A라 하고, 점 P에서의 접선이 y축과 만나는 점을 B라 하자. 삼각형 APB의 넓이가 최대가 되도록 하는 t의 값을 구하여라.

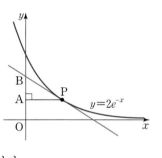

20 방정식과 부등식에의 활용

1. 방정식의 실근의 개수

(1) 방정식 $f(x)=0$의 실근의 개수

$\iff$ 함수 $y=f(x)$의 그래프와 x축과의 교점의 개수

(2) 방정식 $f(x)=g(x)$의 실근의 개수

$\iff$ 두 함수 $y=f(x)$, $y=g(x)$의 그래프의 교점의 개수

2. 부등식의 증명

(1) 부등식 $f(x)>0$의 증명

$\Rightarrow$ ($f(x)$의 최솟값)>0임을 보인다.

(2) 부등식 $f(x)>g(x)$의 증명

$\Rightarrow f(x)-g(x)>0$임을 보인다.

(3) $x>a$인 범위에서 부등식 $f(x)>0$의 증명

$\Rightarrow$ (방법1) $x>a$인 범위에서 ($f(x)$의 최솟값)>0임을 보인다.

(방법2) $x>a$인 범위에서 $f(x)$가 증가하고 $f(a)\geq0$임을 보인다.

• 방정식의 실근의 개수

방정식 $f(x)=0$의 실근

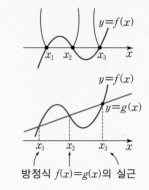

방정식 $f(x)=g(x)$의 실근

유형 062 방정식의 실근의 개수

※ 다음 방정식의 서로 다른 실근의 개수를 구하여라.

01 $e^x-x-2=0$

02 $e^x=x-1$

03 $x-\cos x=0$

04 $\ln x-3x=0$

05 $x>0$일 때, 방정식 $e^x=kx$가 서로 다른 두 실근을 갖도록 하는 상수 k의 값의 범위를 구하여라.

06 방정식 $\ln x=kx$가 서로 다른 두 실근을 갖도록 하는 상수 k의 값의 범위를 구하여라.

07 방정식 $x-\ln x-k=0$이 서로 다른 두 실근을 갖도록 하는 상수 k의 값의 범위를 구하여라.

학교시험 필수예제

08 방정식 $e^x-x-k=0$이 서로 다른 두 실근을 갖도록 하는 상수 k의 값의 범위는?

① $0<k<\dfrac{1}{3e}$ ② $0<k<\dfrac{1}{e}$ ③ $0\leq k<1$

④ $k>1$ ⑤ $k>e$

※ 다음 물음에 답하여라.

09 방정식 $\ln x - x + 3 - n = 0$이 실근을 갖도록 하는 자연수 n의 개수를 구하여라.

11 닫힌구간 $[-\pi, \pi]$에서 방정식 $\sin x = kx$가 서로 다른 세 실근을 가지기 위한 상수 k의 값의 범위를 구하여라.

12 $x > 0$일 때 미분가능하고, $x \geq 0$일 때 연속인 함수 $f(x)$에 대하여 그 도함수 $y = f'(x)$의 그래프가 오른쪽 그림과 같다. 함수 $f(x)$가 다음의 세 조건을 모두 만족할

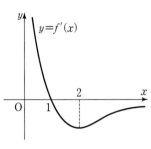

때, 방정식 $f(x) = k$가 서로 다른 두 실근을 가지기 위한 실수 k의 값의 범위는 $\alpha < k < \beta$라 한다. 두 실수 α, β에 대하여 $\alpha + \beta$의 값을 구하여라.

> ┤ 조건 ├
> (가) $f(0) = -2$
> (나) $f(1) = 6$
> (다) $\lim\limits_{x \to \infty} f(x) = 0$

10 곡선 $y = \dfrac{\ln x}{x^2}$와 직선 $y = kx$가 서로 다른 두 점에서 만나기 위한 k의 값의 범위를 구하여라.

※ 다음 □ 안에 알맞은 것을 써넣어라.

13 $x>0$일 때, 부등식 $\sin x < x^2 + x$가 성립함을 증명하는 과정이다.

$f(x) = \boxed{}$ 라고 하면

$f'(x) = \boxed{}$

$x>0$이고,

$\left| \boxed{} \right| \leq 1$이므로

$f'(x) < 0$

또, $f(0) = \boxed{}$

따라서 $x>0$에서 $f(x) \boxed{} 0$이므로

$\sin x < x^2 + x$

14 $x>0$일 때, 부등식 $e^x > \sin x + 1$임을 증명하는 과정이다.

$f(x) = \boxed{}$ 로 놓으면

$f'(x) = \boxed{}$

이때, 도함수 $f'(x)$는 $x>0$에서 $e^x > \boxed{}$이고

$\boxed{} < \cos x < \boxed{}$이므로 $f'(x) \boxed{} 0$이다. 따라서 함수 $f(x)$는 양의 실수 전체의 구간에서 $\boxed{}$한다.

또, $f(0) = 0$

따라서 $x>0$에서 $f(x) \boxed{} 0$이므로

$e^x > \sin x + 1$

※ 다음 물음에 답하여라.

15 양의 실수 x에 대하여 부등식 $3x \ln x + x + k \geq 0$이 성립할 때, 상수 k의 최솟값을 구하여라.

16 $x>0$일 때, 부등식 $ex - \ln ax \geq 0$이 항상 성립하도록 하는 정수 a의 개수를 구하여라.
(단, $e=2.7$로 계산한다.)

17 $x>0$일 때, 부등식 $x\ln x \geq a-x$가 성립하도록 하는 실수 a의 최댓값을 구하여라.

19 $1 \leq x \leq 2$인 모든 실수 x에 대하여 부등식
$$\alpha x \leq e^x \leq \beta x$$
가 성립하도록 α, β를 정할 때, $\beta-\alpha$의 최솟값을 구하여라.

학교시험 필수예제

18 $x>0$일 때, 부등식 $x \geq \ln ax$가 항상 성립하도록 양수 a의 값의 범위를 구하여라.

20 $e \leq x \leq e^2$일 때, 부등식 $x\ln x-3x+2+k \leq 0$이 성립하기 위한 상수 k의 최댓값을 구하여라.

21 평면 운동에서의 속도와 가속도

좌표평면 위를 움직이는 점 P에 대하여 시각 t에서의 점 P의 좌표가 $(f(t), g(t))$일 때

(1) 점 P의 시각 t에서의 속도 v는
$$v=(v_x, v_y)=\left(\frac{dx}{dt}, \frac{dy}{dt}\right)=(f'(t), g'(t))$$

(2) 점 P의 시각 t에서의 속력 $|v|$는
$$|v|=\sqrt{v_x^2+v_y^2}=\sqrt{\left(\frac{dx}{dt}\right)^2+\left(\frac{dy}{dt}\right)^2}=\sqrt{\{f'(t)\}^2+\{g'(t)\}^2}$$

(3) 점 P의 시각 t에서의 가속도 a는
$$a=(a_x, a_y)=\left(\frac{d^2x}{dt^2}, \frac{d^2y}{dt^2}\right)=(f''(t), g''(t))$$

(4) 점 P의 시각 t에서의 가속도의 크기 $|a|$는
$$|a|=\sqrt{a_x^2+a_y^2}=\sqrt{\left(\frac{d^2x}{dt^2}\right)^2+\left(\frac{d^2y}{dt^2}\right)^2}=\sqrt{\{f''(t)\}^2+\{g''(t)\}^2}$$

위치

↓미분

속도

↓미분

가속도

유형 064 평면 운동에서의 속도와 가속도

※ 다음 물음에 답하여라.

01 좌표평면 위를 움직이는 점 $P(x, y)$의 시각 t에서의 위치가
$$x=t^2-3t, \ y=3t^2+t-2$$
일 때, 다음을 구하여라.

(1) 시각 t에서의 속도 v와 속력 $|v|$

(2) 시각 t에서의 가속도 a와 가속도의 크기 $|a|$

해설| (1) $\dfrac{dx}{dt}=2t-3$, $\dfrac{dy}{dt}=\boxed{}$ 이므로

$v=(2t-3, \boxed{})$

$|v|=\sqrt{(2t-3)^2+(\boxed{})^2}=\sqrt{40t^2+\boxed{}}$

(2) $\dfrac{d^2x}{dt^2}=2$, $\dfrac{d^2y}{dt^2}=\boxed{}$ 이므로

$a=(2, \boxed{})$

$|a|=\sqrt{2^2+\boxed{}^2}=\boxed{}\sqrt{10}$

02 좌표평면 위를 움직이는 점 $P(x, y)$의 시각 t에서의 위치가
$$x=\sqrt{t}, \ y=2\ln t$$
일 때, 점 P의 시각 $t=4$에서의 속력을 구하여라.

03 좌표평면 위를 움직이는 점 $P(x, y)$의 시각 t에서의 위치가
$$x=t-2\sin t, \ y=t-2\cos t$$
일 때, $t=\pi$에서의 점 P의 속력을 구하시오.

04 좌표평면 위를 움직이는 점 $P(x, y)$의 시각 t에서의 위치가
$$x=t-\sin t, \ y=1-\cos t$$
일 때, 점 P의 속력이 최대가 되는 시각을 구하여라.
(단, $0\leq t\leq 2\pi$)

05 좌표평면 위를 움직이는 점 $P(x, y)$의 시각 t에서의 위치가

$$x=\frac{1}{2}t^2+t, \; y=t^2-2t-1$$

일 때, 점 P의 속력의 최솟값을 구하시오.

06 좌표평면 위를 움직이는 점 P의 시각 t에서의 위치 (x, y)가

$$x=2t+1, \; y=\frac{1}{2}t^2-\ln t$$

일 때, 점 P의 속력이 최소가 되는 순간의 속도를 구하여라. (단, $t>0$)

07 좌표평면 위를 움직이는 점 P의 시각 t에서의 위치 (x, y)가

$$x=e^t\cos t, \; y=e^t\sin t$$

이다. 점 P의 속력이 $\sqrt{2e}$일 때의 시각이 t_1, 가속도의 크기가 $2e\sqrt{e}$일 때의 시각이 t_2일 때, t_1+t_2의 값을 구하여라.

학교시험 필수예제

08 좌표평면 위를 움직이는 점 $P(x, y)$의 시각 t에서의 위치가

$$x=e^t+e^{-2t}, \; y=e^t-e^{-2t}$$

일 때, $t=\ln 2$에서의 점 P의 가속도의 크기는?

① 3   ② $\sqrt{10}$ ③ $\sqrt{11}$

④ $2\sqrt{3}$ ⑤ $\sqrt{13}$

II. 미분법

1. 지수함수의 극한

지수함수 $y=a^x\,(a>0,\,a\neq1)$에서

(1) $a>1$일 때, $\lim\limits_{x\to\infty}a^x=\infty$, $\lim\limits_{x\to-\infty}a^x=$ ❶

(2) $0<a<1$일 때, $\lim\limits_{x\to\infty}a^x=0$, $\lim\limits_{x\to-\infty}a^x=$ ❷

2. 로그함수의 극한

로그함수 $y=\log_a x\;(a>0,\,a\neq1)$에서

(1) $a>1$일 때, $\lim\limits_{x\to0+}\log_a x=-\infty$, $\lim\limits_{x\to\infty}\log_a x=$ ❸

(2) $0<a<1$일 때, $\lim\limits_{x\to0+}\log_a x=\infty$, $\lim\limits_{x\to\infty}\log_a x=$ ❹

3. 무리수 e와 자연로그

(1) 무리수 e의 정의

$$e=\lim_{x\to0}(1+x)^{\frac{1}{x}}=\lim_{x\to\infty}\left(1+\boxed{❺}\right)^x\;(e=2.71828\cdots)$$

(2) 자연로그

① 무리수 e를 밑으로 하는 로그 $\log_e x$를 자연로그라 하며 $\ln x$ 로 나타낸다.

② 지수함수 $y=e^x$와 로그함수 $y=\ln x$는 서로 역함수 관계에 있다.

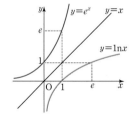

개념 window

- $(1+0)^\infty$의 꼴에서 $\lim\limits_{x\to0}(1+x)^{\frac{1}{x}}=e$가 성립하려 면 x와 $\dfrac{1}{x}$이 역수 관계에 있어 야 한다.
- 자연로그는 밑이 e인 로그로 일 반적인 로그의 성질을 갖는다.

4. 지수함수와 로그함수의 도함수

(1) 지수함수의 도함수

① $y=e^x \Rightarrow y'=e^x$　　　　② $y=a^x \Rightarrow y'=a^x\ln a\;(a>0,\,a\neq1)$

(2) 로그함수의 도함수

① $y=\ln x \Rightarrow y'=$ ❻ $(x>0)$　　② $y=\log_a x \Rightarrow y'=\dfrac{1}{x\ln a}\;(x>0,\,a>0,\,a\neq1)$

- $y=e^{f(x)} \Rightarrow y'=e^{f(x)}f'(x)$
- $y=a^{f(x)}$
  $\Rightarrow y'=a^{f(x)}f'(x)\ln a$
  $\qquad\qquad(a>0,\,a\neq1)$

5. 삼각함수의 덧셈정리

(1) 사인, 코사인함수의 덧셈정리

① $\sin(\alpha+\beta)=$ ❼

　　$\sin(\alpha-\beta)=\sin\alpha\cos\beta-\cos\alpha\sin\beta$

② $\cos(\alpha+\beta)=\cos\alpha\cos\beta-\sin\alpha\sin\beta$

　　$\cos(\alpha-\beta)=$ ❽

(2) 탄젠트함수의 덧셈정리

① $\tan(\alpha+\beta)=$ ❾　　　　② $\tan(\alpha-\beta)=\dfrac{\tan\alpha-\tan\beta}{1+\tan\alpha\tan\beta}$

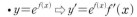

❶ 0　❷ ∞　❸ ∞　❹ −∞　❺ $\dfrac{1}{x}$　❻ $\dfrac{1}{x}$　❼ $\sin\alpha\cos\beta+\cos\alpha\sin\beta$　❽ $\cos\alpha\cos\beta+\sin\alpha\sin\beta$　❾ $\dfrac{\tan\alpha+\tan\beta}{1-\tan\alpha\tan\beta}$

(3) 두 직선이 이루는 예각의 크기

$$\tan \theta = |\tan(\alpha-\beta)| = \left|\frac{\tan \alpha - \tan \beta}{1+\tan \alpha \tan \beta}\right| = \left|\frac{m_1-m_2}{1+m_1 m_2}\right|$$

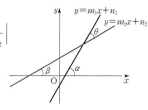

6. 함수의 몫의 미분법

(1) 함수의 몫의 미분법

두 함수 $f(x)$, $g(x)$ $(g(x)\neq 0)$가 미분가능할 때

① $\left\{\dfrac{1}{g(x)}\right\}' = -\dfrac{g'(x)}{\{g(x)\}^2}$　　② $\left\{\dfrac{f(x)}{g(x)}\right\}' = $ ⑩

(2) 함수 $y=x^n$ (n은 정수)의 도함수

n이 정수일 때, $y=x^n$이면 $\Rightarrow y'=nx^{n-1}$

(3) 삼각함수의 도함수

① $(\tan x)' = $ ⑪ 　　② $(\sec x)' = \sec x \tan x$

③ $(\csc x)' = $ ⑫ 　　④ $(\cot x)' = -\csc^2 x$

> $y=\sec x$의 도함수
>
> $\sec x = \dfrac{1}{\cos x}$이므로 몫의 미분법에 의하여
>
> $y' = \left(\dfrac{1}{\cos x}\right)' = -\dfrac{(\cos x)'}{\cos^2 x}$
>
> $= \dfrac{\sin x}{\cos^2 x} = \sec x \tan x$

7. 합성함수의 미분법

(1) 합성함수의 도함수

두 함수 $y=f(u)$, $u=g(x)$가 미분가능할 때, 합성함수 $y=f(g(x))$는 미분가능하고, 그 도

함수는 $\dfrac{dy}{dx} = \dfrac{dy}{du}\cdot\dfrac{du}{dx}$ 또는 $\{f(g(x))\}' = $ ⑬

(2) 지수함수 $y=a^x$ $(a>0,\ a\neq 1)$의 도함수

$y=a^x$ $(a>0,\ a\neq 1)$이면 $\Rightarrow y'=a^x \ln a$

(3) 로그함수의 도함수

① $y=\ln|x|$이면 $\Rightarrow y'=\dfrac{1}{x}$　　② $y=\log_a|x|$ $(a>0,\ a\neq 1)$이면 $\Rightarrow y'=\dfrac{1}{x\ln a}$

(4) 함수 $y=x^r$ (r는 실수, $x>0$)의 도함수

r가 실수일 때, $y=x^r$ $(x>0)$이면 $\Rightarrow y'=rx^{r-1}$

> • $y=a^x$ $(a>0,\ a\neq 1)$의 도함수
>
> $(a^x)' = (e^{x\ln a})'$
>
> $\qquad = e^{x\ln a}\cdot(x\ln a)'$
>
> $\qquad = e^{x\ln a}\cdot\ln a = a^x \ln a$
>
> • $y=\log_a|x|$ $(a>0,\ a\neq 1)$의 도함수
>
> $y' = \left(\dfrac{\ln|x|}{\ln a}\right)' = \dfrac{1}{\ln a}(\ln|x|)'$
>
> $\qquad = \dfrac{1}{\ln a}\cdot\dfrac{1}{x} = \dfrac{1}{x\ln a}$

8. 매개변수로 나타낸 함수의 미분법

매개변수 t로 나타낸 두 함수 $x=f(t)$, $y=g(t)$가 t에 대하여 미분가능하고

$f'(t)\neq 0$일 때, $\dfrac{dy}{dx} = \dfrac{\dfrac{dy}{dt}}{\dfrac{dx}{dt}} = \dfrac{g'(t)}{f'(t)}$

9. 음함수의 미분법

x의 함수 y가 음함수 $f(x,y)=0$의 꼴로 주어졌을 때는 y를 x에 대한 함수로 보고, 주어진 식의

각 항을 x에 대하여 미분하여 $\dfrac{dy}{dx}$를 구한다.

10. 역함수의 미분법

미분가능한 함수 $f(x)$의 역함수 $g(x)$가 존재하고 미분가능할 때, 역함수 $g(x)$의 도함수 $g'(x)$

는 $g'(x) = $ ⑭

> $\dfrac{dy}{dx} = \dfrac{1}{\dfrac{dx}{dy}}$ $\left(\text{단, } \dfrac{dx}{dy}\neq 0\right)$

---

⑩ $\dfrac{f'(x)g(x)-f(x)g'(x)}{\{g(x)\}^2}$　　⑪ $\sec^2 x$　　⑫ $-\csc x \cot x$　　⑬ $f'(g(x))g'(x)$　　⑭ $\dfrac{1}{f'(g(x))}$

11. 이계도함수

함수 $f(x)$의 도함수 $f'(x)$가 미분가능할 때, $f'(x)$의 도함수 $\lim\limits_{h \to 0} \dfrac{f'(x+h)-f'(x)}{h}$ 를 함수

$y=f(x)$의 ⑮⎕⎕⎕⎕ 라 하고, 기호로 $f''(x)$, y'', $\dfrac{d^2y}{dx^2}$, $\dfrac{d^2}{dx^2}f(x)$와 같이 나타낸다.

12. 접선의 방정식

(1) 곡선 위의 점에서의 접선의 방정식

   곡선 $y=f(x)$ 위의 점 $(a, f(a))$에서의 접선의 방정식은 $y-f(a)=$ ⑯⎕⎕ $(x-a)$

(2) 기울기가 주어진 접선의 방정식

   곡선 $y=f(x)$의 접선의 기울기 m이 주어졌을 때

   ① 접점의 좌표를 $(a, f(a))$로 놓는다.

   ② $f'(a)=m$임을 이용하여 접점의 좌표를 구한다.

   ③ $y-f(a)=m(x-a)$를 이용하여 접선의 방정식을 구한다.

(3) 곡선 위에 있지 않은 한 점에서의 접선의 방정식

   곡선 $y=f(x)$ 밖의 한 점 (x_1, y_1)이 주어졌을 때

   ① 접점의 좌표를 $(a, f(a))$로 놓는다.

   ② $y-f(a)=f'(a)(x-a)$에 점 (x_1, y_1)의 좌표를 대입하여 a의 값을 구한다.

   ③ a의 값을 $y-f(a)=f'(a)(x-a)$에 대입하여 접선의 방정식을 구한다.

13. 이계도함수와 함수의 극대 · 극소

(1) 미분가능한 함수의 극대와 극소의 판정

   미분가능한 함수 $f(x)$에서 $f'(x)=0$일 때, $x=a$의 좌우에서

   ① $f'(x)$의 부호가 양($+$)에서 음($-$)으로 바뀌면 $f(x)$는 $x=a$에서 극대이다.

   ② $f'(x)$의 부호가 음($-$)에서 양($+$)으로 바뀌면 $f(x)$는 $x=a$에서 극소이다.

(2) 이계도함수를 이용한 함수의 극대와 극소 판정

   이계도함수를 갖는 함수 $f(x)$에서 $f'(a)=0$일 때,

   ① $f''(a)<0$이면 $f(x)$는 $x=a$에서 ⑰⎕⎕ 이다.

   ② $f''(a)>0$이면 $f(x)$는 $x=a$에서 ⑱⎕⎕ 이다.

14. 곡선의 오목과 볼록

(1) 곡선의 오목과 볼록

   ① 어떤 구간에서 $f''(x)>0$이면 그 구간에서 $f'(x)$는 증가한다. 따라서 $f(x)$는

   ⑲⎕⎕⎕ 볼록한 모양이다.

   ② 어떤 구간에서 $f''(x)<0$이면 그 구간에서 $f'(x)$는 감소한다. 따라서 $f(x)$는 ⑳⎕⎕

   볼록한 모양이다.

(2) 변곡점

   ① 곡선의 모양이 위로 볼록에서 아래로 볼록으로 바뀌거나 아래로 볼록에서 위로 볼록으로 바

   뀌는 점을 변곡점이라고 한다.

   ② 함수 $f(x)$에서 $f''(a)=0$이고 $x=a$의 좌우에서 $f''(x)$의 부호가 바뀌면 점 $(a, f(a))$는

   곡선 $y=f(x)$의 변곡점이다.

개념 window

■ 이계도함수와 함수의 극대 · 극소

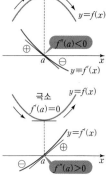

■ 이계도함수의 부호와 곡선의 오목과 볼록

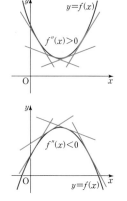

---

⑮ 이계도함수   ⑯ $f'(a)$ ⑰ 극대   ⑱ 극소   ⑲ 아래로   ⑳ 위로

15. 함수의 그래프의 개형

함수 $y=f(x)$의 그래프 개형을 그릴 때에는 도함수와 이계도함수를 이용하여, 다음 사항을 구하고 종합하여 그린다.

(1) 함수의 정의역과 치역
(2) 대칭성과 주기성 ☞ x축, y축, 원점에 대한 대칭성과 $f(x)=f(x+p)$를 이용한 주기성 조사
(3) 좌표축과의 교점 ☞ $x=0$ 또는 $y=0$ 대입
(4) 함수의 증가와 감소, 극대와 극소 ☞ $f'(x)$의 부호 이용
(5) 곡선의 오목과 볼록, 변곡점 ☞ $f''(x)$의 부호 이용
(6) $\lim\limits_{x \to \infty} f(x)$, $\lim\limits_{x \to -\infty} f(x)$, 점근선

16. 함수의 최대 · 최소

닫힌구간 $[a,\ b]$에서 연속인 함수 $f(x)$의 최댓값, 최솟값은 다음 순서로 구한다.

① 주어진 구간에서의 $f(x)$의 극댓값과 극솟값을 모두 구한다.
② 주어진 구간의 양 끝점에서의 함숫값 $f(a)$, $f(b)$를 구한다.
③ 위에서 구한 극댓값, 극솟값, $f(a)$, $f(b)$의 크기를 비교하여, 가장 큰 값이 최댓값이고, 가장 작은 값이 최솟값이다.

17. 방정식과 부등식에의 활용

(1) 방정식의 실근의 개수
　① 방정식 $f(x)=0$의 실근의 개수
　　$\iff$ 함수 $y=f(x)$의 그래프와 ㉑ 과의 ㉒ 의 개수
　② 방정식 $f(x)=g(x)$의 실근의 개수
　　$\iff$ 두 함수 $y=f(x)$, $y=g(x)$의 그래프의 교점의 개수

(2) 부등식의 증명
　① 부등식 $f(x)>0$의 증명 ⇨ ($f(x)$의 최솟값)>0임을 보인다.
　② 부등식 $f(x)>g(x)$의 증명 ⇨ $f(x)-g(x)>0$임을 보인다.
　③ $x>a$인 범위에서 부등식 $f(x)>0$의 증명
　　⇨ (방법1) $x>a$인 범위에서 ($f(x)$의 최솟값) ㉓ 0임을 보인다.
　　　(방법2) $x>a$인 범위에서 $f(x)$가 증가하고 $f(a)\geq0$임을 보인다.

18. 평면 운동에서의 속도와 가속도

좌표평면 위를 움직이는 점 P에 대하여 시각 t에서의 점 P의 좌표가 $(f(t),\ g(t))$일 때

(1) 점 P의 시각 t에서의 속도 v는 $v=(v_x,\ v_y)=\left(\dfrac{dx}{dt},\ \dfrac{dy}{dt}\right)=(f'(t),\ g'(t))$

(2) 점 P의 시각 t에서의 속력 $|v|$는
$$|v|=\sqrt{v_x{}^2+v_y{}^2}=\sqrt{\left(\dfrac{dx}{dt}\right)^2+\left(\dfrac{dy}{dt}\right)^2}=\sqrt{\{f'(t)\}^2+\{g'(t)\}^2}$$

(3) 점 P의 시각 t에서의 가속도 a는 $a=(a_x,\ a_y)=\left(\dfrac{d^2x}{dt^2},\ \dfrac{d^2y}{dt^2}\right)=(f''(t),\ g''(t))$

(4) 점 P의 시각 t에서의 가속도의 크기 $|a|$는
$$|a|=\sqrt{a_x{}^2+a_y{}^2}=\sqrt{\left(\dfrac{d^2x}{dt^2}\right)^2+\left(\dfrac{d^2y}{dt^2}\right)^2}=\sqrt{\{f''(t)\}^2+\{g''(t)\}^2}$$

개념 window

- 그래프의 대칭성(1)
  $f(-x)=f(x)$이면 우함수이므로 ⇨ 그래프는 y축에 대하여 대칭이다.
  $f(-x)=-f(x)$이면 기함수이므로 ⇨ 그래프는 원점에 대하여 대칭이다.

- 그래프의 대칭성(2)
  $f(a-x)=f(a+x)$ (a는 상수)이면 ⇨ 그래프는 직선 $x=a$에 대하여 대칭이다.

- 그래프의 주기성
  $f(x)=f(x+p)$ (p는 상수)이면 ⇨ 그래프는 구간의 길이가 p만큼씩 같은 모양이 반복된다.

■ 방정식의 실근의 개수

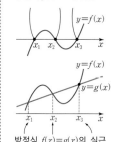

방정식 $f(x)=0$의 실근

방정식 $f(x)=g(x)$의 실근

㉑ x축　㉒ 교점　㉓ $>$

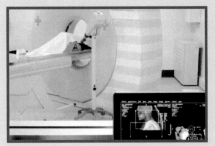

CT 촬영

컴퓨터 단층 촬영은 단면을 찍어 전체를 파악하는 적분
의 원리가 들어 있다.

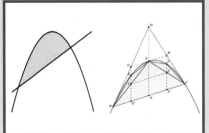

비정형의 도형의 넓이

고대 그리스 시대에는 비정형의 도형의 넓이를 내접하
는 삼각형의 넓이로 분할하여 계산하였다.

신호등

신호등은 가변의 진폭을 가진 펄스를 적분한 전체
에 지에 의해서 동작한다.

어떻게?
포도주통에서 적분이 탄생하였을까?

그 답은 바로
포도주 통의 높이와
실제 양이 비례하지 않았기 때문

17세기까지 포도주가 담긴 통의 포도주의 높이로 가격을
매기곤 했었는데, 중간이 볼록한 통의 모양 때문에 실제 양과
거래 가격이 정확히 비례하지 않았다. 당시 천문학자인 케플
러는 포도주 통을 가로로 잘라 만든 무수히 많은 원기둥의 부
피를 더했다. 이는 구분구적법을 사용하지 않고 구한 것으로
적분법의 시초가 되었다.

Ⅲ 적분법

01 여러 가지 함수의 부정적분

1. 함수 $y = x^r$ (r는 실수)의 부정적분

(1) $r \neq -1$일 때, $\displaystyle\int x^r \, dx = \frac{1}{r+1}x^{r+1} + C$

(2) $r = -1$일 때, $\displaystyle\int x^{-1} dx = \int \frac{1}{x} dx = \ln|x| + C$

2. 지수함수의 부정적분

(1) $\displaystyle\int a^x \, dx = \frac{a^x}{\ln a} + C$ (단, $a > 0$, $a \neq 1$)

(2) $\displaystyle\int e^x \, dx = e^x + C$

3. 삼각함수의 부정적분

(1) $\displaystyle\int \sin x \, dx = -\cos x + C$

(2) $\displaystyle\int \cos x \, dx = \sin x + C$

(3) $\displaystyle\int \sec^2 x \, dx = \tan x + C$

(4) $\displaystyle\int \csc^2 x \, dx = -\cot x + C$

- r가 실수일 때 $(x^r)' = rx^{r-1}$
- $(\ln|x|)' = \dfrac{1}{x}$
- $(\log_a|x|)' = \left(\dfrac{\ln|x|}{\ln a}\right)' = \dfrac{1}{\ln a}(\ln|x|)'$

  $\quad = \dfrac{1}{\ln a} \cdot \dfrac{1}{x} = \dfrac{1}{x\ln a}$
- $(a^x)' = (e^{x\ln a})' = e^{x\ln a} \cdot (x\ln a)'$

  $\quad = e^{x\ln a} \cdot \ln a = a^x \ln a$
- $(\tan x)' = \sec^2 x$, $(\cot x)' = -csc^2 x$
- 삼각함수를 적분할 때

  $\sin^2 x + \cos^2 x = 1$, $1 + \tan^2 x = \sec^2 x$,

  $1 + \cot^2 x = \csc^2 x$를 이용하여 적분하기 쉬운 꼴로 변형한다.

유형 065 함수 $y = x^r$의 부정적분

※ 다음 부정적분을 구하여라.

01 $\displaystyle\int \frac{1}{x^3} dx$

해설 | $\displaystyle\int \frac{1}{x^3} dx = \int x^{\boxed{}} dx$

$\qquad = \dfrac{1}{\boxed{}+1} x^{\boxed{}+1} + C$

$\qquad = \boxed{} + C$

02 $\displaystyle\int \frac{5}{x} dx$

03 $\displaystyle\int (x\sqrt{x} + \sqrt{x}) dx$

04 $\displaystyle\int \frac{x^2 + 1}{x} dx$

05 $\int \dfrac{x^3-4x^2+3}{x^2}dx$

06 $\int \dfrac{5x+3}{x}dx$

07 $\int \dfrac{x^2-x-6}{x-3}dx$

08 $\int \dfrac{x-1}{\sqrt[3]{x-1}}dx$

※ **다음 물음에 답하여라.**

09 함수 $f(x)=\int \left(x+\dfrac{1}{x}\right)^2 dx$에 대하여 $f(3)-f(1)$의 값을 구하여라.

10 점 $(1,\ 4)$를 지나는 곡선 $y=f(x)\ (x>0)$ 위의 임의의 점 $(x,\ f(x))$에서의 접선의 기울기가 $\sqrt{x}(x+3)$일 때, $f(5)$의 값을 구하여라.

학교시험 필수예제

11 모든 실수 x에서 연속인 함수 $f(x)$에 대하여
$$f'(x)=\begin{cases}6\sqrt{x}\ \ (x>1)\\ x+1\ (x<1)\end{cases}$$
이다. $f(4)=20$일 때, $f(-6)$의 값을 구하여라.

유형 **O66 지수함수의 부정적분**

※ 다음 부정적분을 구하여라.

12 $\displaystyle\int 2^{2x}\,dx$

해설ㅣ $\displaystyle\int 2^{2x}\,dx=\int 4^x\,dx=\frac{4^x}{\ln\boxed{}}+C=\frac{2^{2x}}{2\ln\boxed{}}+C$

13 $\displaystyle\int e^{x-1}\,dx$

14 $\displaystyle\int (e^x+2^{2x+1})\,dx$

15 $\displaystyle\int (5^x+1)^2\,dx$

16 $\displaystyle\int \frac{e^{2x}-1}{e^x-1}dx$

17 $\displaystyle\int \frac{e^{3x}+1}{e^{2x}-e^x+1}dx$

18 $\displaystyle\int \frac{9^x-1}{3^x-1}dx$

19 $\displaystyle\int (3e^x+2^{x+1})dx$

※ **다음 물음에 답하여라.**

20 함수 $f(x)=\displaystyle\int (2^x+e^x)dx$에 대하여 $f(2)-f(1)$의 값을 구하여라.

21 함수 $f(x)$는 $\dfrac{e^{3x}-1}{e^x-1}$의 한 부정적분이고, 함수 $F(x)$는 $f(x)$의 한 부정적분이다. $f(0)=2$일 때, $\displaystyle\lim_{h\to 0}\frac{F(1+2h)-F(1)}{3h}$의 값을 구하여라.

22 0이 아닌 실수 x에 대하여

$$f'(x) = \frac{(x-e^x)(x+e^x)}{x^2 e^{2x}}, \, f(1) = -\frac{1}{2e^2}$$

을 만족하는 함수 $f(x)$를 구하여라.

24 $\displaystyle\int \frac{\cos^2 x}{1+\sin x}dx$

25 $\displaystyle\int \frac{1}{1-\sin^2 x}dx$

유형 067 삼각함수의 부정적분

※ 다음 부정적분을 구하여라.

23 $\displaystyle\int \frac{1+\cos^2 x}{\cos^2 x}dx$

26 $\displaystyle\int \tan^2 x \, dx$

27 $\displaystyle\int (\cos x + \sec x)\sec x \, dx$

Tip

삼각함수를 적분할 때
$\sin^2 x + \cos^2 x = 1, \, 1+\tan^2 x = \sec^2 x, \, 1+\cot^2 x = \csc^2 x$
를 이용하여 적분하기 쉬운 꼴로 변형한다.

28 $\displaystyle\int \dfrac{1}{\sin^2 x \cos^2 x}dx$

29 $\displaystyle\int (1-\cos x)^2 dx + \int (2+\sin x)^2 dx$

30 $\displaystyle\int (\cos x + 1)^2 dx - \int (\cos x - 2)^2 dx$

※ **다음 물음에 답하여라.**

31 함수 $f(x)$의 도함수가 $f'(x)=\sin x$일 때, $f(\pi)-f(0)$의 값을 구하여라.

32 곡선 $y=f(x)$ 위의 점 $(x,\ y)$에서의 접선의 기울기가 $\cot^2 x$이고 이 곡선이 점 $\left(\dfrac{\pi}{4},\ -1\right)$을 지날 때, $f\left(\dfrac{\pi}{6}\right)$의 값을 구하여라.

02 치환적분법

1. 치환적분법
미분가능한 함수 $g(t)$에 대하여 $x=g(t)$로 놓으면
$$\int f(x)dx=\int f(g(t))g'(t)dt$$

2. 치환적분법을 이용한 부정적분

(1) $\int f(g(x))g'(x)dx$꼴

$$\int f(g(x))g'(x)dx=\int f(t)dt$$

$\llcorner$ $g(x)=t$로 놓고 $\dfrac{dt}{dx}=g'(x)$에서 $dt=g'(x)dx$로 생각해도 된다.

(2) $\int \dfrac{f'(x)}{f(x)}dx$꼴

$$\int \frac{f'(x)}{f(x)}dx=\int \frac{1}{t}dt=\ln|t|+C=\ln|f(x)|+C$$

$\llcorner$ $f(x)=t$로 놓고 $\dfrac{dt}{dx}=f'(x)$에서 $dt=f'(x)dx$로 생각해도 된다.

• 치환적분법으로 구한 부정적분은 일반적으로 그 결과를 처음의 변수로 바꾸어 나타낸다.

• $\displaystyle\int \dfrac{1}{3x+1}dx$

$$\int \frac{1}{3x+1}dx=\int \frac{1}{t}\cdot\frac{1}{3}dt$$

$3x+1=t$로 놓으면,

$\dfrac{dt}{dx}=3$에서

$dt=3dx,\ dx=\dfrac{1}{3}dt$

유형 068 치환적분법을 이용한 부정적분

※ 치환적분법을 사용하여 다음 부정적분을 구하여라.

01 $\displaystyle\int (x+1)^3 dx$

해설| $x+1=t$로 놓으면 $1=\dfrac{dt}{dx}$

$$\int (x+1)^3 dx=\int t^3 \boxed{}=\boxed{}t^4+C$$

$$=\boxed{}(x+1)^4+C$$

02 $\displaystyle\int 3x^2(x^3-1)^2 dx$

03 $\displaystyle\int 2(x-1)(x^2-2x-4)dx$

04 $\displaystyle\int \sin x \cos^2 x\, dx$

05 $\displaystyle\int \tan x \sec^2 x\, dx$

06 $\displaystyle\int 4x^3 e^{x^4}\, dx$

07 $\displaystyle\int \frac{\ln 3x}{x}\, dx$

08 $\displaystyle\int (4x+1)^3\, dx$

09 $\displaystyle\int x\sqrt{2x-8}\, dx$

10 $\displaystyle\int e^{-x}\, dx$

11 $\displaystyle\int \sin 2x\, dx$

12 함수 $f(x)=\displaystyle\int (1-\sin x)^2\cos x\,dx$에 대하여 $f(0)=0$일 때, $f\!\left(\dfrac{\pi}{2}\right)$의 값을 구하여라.

13 함수 $f(x)$에 대하여
$$f'(x)=e^{\sin x}\cos x,\ f(\pi)=0$$
일 때, $f\!\left(\dfrac{\pi}{6}\right)$의 값을 구하여라.

14 $f(x)=\displaystyle\int \dfrac{(\ln x)^3+2(\ln x)^2+1}{x}\,dx$에 대하여 $f(e)=1$일 때, $24f(e^2)$의 값을 구하여라.

15 함수 $f(x)=\displaystyle\int \dfrac{\sec^2(\ln x)}{x}\,dx$에 대하여 $f(1)=1$일 때, $f\!\left(e^{\frac{\pi}{3}}\right)$의 값을 구하여라.

16 함수 $f(x)=\displaystyle\int 4xe^{x^2+2}dx$에 대하여 $f(0)=2e^2$ 일 때, $f(1)$의 값을 구하여라.

18 함수 $f(x)=\displaystyle\int \frac{\cos(\ln x)}{x}dx$에 대하여 $f(1)=1$ 일 때, $f\left(e^{\frac{\pi}{6}}\right)$의 값을 구하여라.

유형 069 함수 $\dfrac{f'(x)}{f(x)}$의 부정적분

※ 다음 ☐ 안에 알맞은 것을 써넣어라.

19 다음은 $\displaystyle\int \frac{f'(x)}{f(x)}dx$의 부정적분을 구하는 과정이다.

$\displaystyle\int \frac{f'(x)}{f(x)}dx$에 대하여 ☐☐☐☐☐ 로 놓으면

$\dfrac{dt}{dx}=$ ☐☐☐ 이다.

따라서 치환적분법에서

$\displaystyle\int \frac{f'(x)}{f(x)}dx=\int \frac{1}{f(x)}\cdot f'(x)dx=\int \boxed{}dt$

$=\boxed{}+C=\ln|f(x)|+C$

17 구간 $\left[0,\ \dfrac{\pi}{4}\right]$에서 정의된 함수 $f(x)$의 도함수는
$$f'(x)=\tan x+\tan^2x+\tan^3x+\tan^4x$$
이고 $f(0)=0$일 때, $f\left(\dfrac{\pi}{4}\right)$의 값을 구하여라.

※ 다음 부정적분을 구하여라.

20 $\displaystyle\int \frac{e^x+1}{e^x+x}dx$

21 $\displaystyle\int \frac{x+1}{x^2+2x-1}\,dx$

22 $\displaystyle\int \frac{1}{x\ln 2x}\,dx$

23 $\displaystyle\int \tan x\,dx$

※ 다음 물음에 답하여라.

24 함수 $f(x)$에 대하여
$$f'(x)=\frac{2x+1}{x^2+x-4},\ f(2)=\ln 2$$
일 때, $f(1)$의 값을 구하여라.

25 실수 전체에서 정의된 함수 $f(x)$에 대하여
$$f'(x)=\frac{3^x}{3^x+1},\ f(0)=\log_3 2$$
일 때, $f(1)$의 값을 구하여라.

26 함수 $f(x)$의 도함수 $f'(x)$가
$$f'(x)=\frac{2^x\ln 2}{2^x+1},\ f(0)=\ln 2$$
일 때, $f(3)$의 값을 구하여라.

03 부분적분법

1. 부분적분법

두 함수 $f(x)$, $g(x)$가 미분가능할 때,

$$\int f(x)g'(x)dx = f(x)g(x) - \int f'(x)g(x)dx$$

2. 부분적분법을 이용한 부정적분

(1) 부분적분법 $\int uv' \, dx = uv - \int u'v \, dx$를 이용할 때는 곱으로 주어진 두 식에서

> 미분한 결과가 간단한 것을 ⇨ u
> 적분하기 쉬운 것을 ⇨ v'

으로 놓는다. 즉, 우변의 두 번째 항 $\int u'v \, dx$가 주어진 적분 $\int uv' \, dx$보다 간단한 경우가 되도록 함수를 택한다.

(2) 부분적분법을 한 번 적용하여 구할 수 없는 경우에는 다시 한 번 더 적용하여 부정적분을 구한다.

• 함수의 곱의 미분법에서
$$\{f(x)g(x)\}' = f'(x)g(x) + f(x)g'(x)$$이
므로
$$\int \{f'(x)g(x) + f(x)g'(x)\}dx$$
$$= \int \{f(x)g(x)\}' \, dx$$
$$\therefore \int f(x)g'(x)dx$$
$$= f(x)g(x) - \int f'(x)g(x)dx$$

• 부분적분법에서 $f(x)$는 미분하면 간단해지는 것으로, $g'(x)$는 적분하기 쉬운 것으로 선택하는데, 일반적으로 로그함수, 다항함수, 삼각함수, 지수함수 순서로 $f(x)$를 택한다.

로	로그함수 $\ln x$, $\log x$	미분하기 쉽다. ↕ 적분하기 쉽다.
다	다항함수 x, x^2, $\cdots$	
삼	삼각함수 $\sin x$, $\cos x$	
지	지수함수 e^x, a^x	

유형 070 부분적분법을 이용한 부정적분

※ 다음 부정적분을 구하여라.

01 $\int x \cos x \, dx$

02 $\int (3x+2)\sin x \, dx$

03 $\int \ln x \, dx$

04 $\int (x-1)e^{2x} \, dx$

05 $\int x \ln x \, dx$

06 $\int (2x-1) \sin 2x \, dx$

07 함수 $f(x)$에 대하여 $f'(x) = \ln x$이고 $f(e) = 0$일 때, $f(1)$의 값은?

① -1 ② -2 ③ 3
④ e ⑤ e^2

※ 다음 물음에 답하여라.

08 함수 $f(x) = \int (x^2 + 4x + 1) \ln x \, dx$에 대하여 $f(1) = 0$일 때, $f(e)$의 값을 구하여라.

09 함수 $f(x)$에 대하여 도함수 $f'(x)$는 $f'(x) = x \sin x$이고 $y = f(x)$의 그래프가 원점을 지날 때, $f\left(\dfrac{\pi}{2}\right)$의 값을 구하여라.

10 $x>0$인 모든 실수 x에서 정의된 함수

$$f(x)=\begin{cases}\displaystyle\int \ln x^2 dx & (x\neq 1)\\ 2 & (x=1)\end{cases}$$

이 $x=1$에서 연속일 때, $f(2)$의 값을 구하여라.

※ 다음 부정적분을 풀어라.

12 $\displaystyle\int (\ln x)^2 dx$

13 $\displaystyle\int (x^2-3x)\cos x\, dx$

유형 071 부분적분법의 반복 적용

※ 다음 □ 안에 알맞은 것을 써넣어라.

11 다음은 부분적분법을 여러 번 적용하여 부정적분 $\displaystyle\int x^2 e^x\, dx$를 구하는 과정이다.

$f(x)=\boxed{}$, $g'(x)=e^x$으로 놓으면

$f'(x)=\boxed{}$, $g(x)=e^x$이므로

$\displaystyle\int x^2 e^x\, dx=x^2 e^x-\int \boxed{}dx$

이때, $\displaystyle\int \boxed{}dx$에 부분적분법을 다시 한 번 적용하

여 $u=\boxed{}$, $v'=e^x$으로 놓으면

$u'=\boxed{}$, $v=e^x$이므로

$\displaystyle\int 2x e^x\, dx=\boxed{}-\int 2e^x\, dx$

따라서

$\displaystyle\int x^2 e^x\, dx=x^2 e^x-\int \boxed{}dx$

$\displaystyle\qquad\qquad =x^2 e^x-\left(\boxed{}-\int 2e^x dx\right)$

$\displaystyle\qquad\qquad =\boxed{}$

14 $\displaystyle\int x(\ln x)^2 dx$

15 $\int x^2 \sin x \, dx$

16 $\int e^{2x} \cos x \, dx$

17 $\int e^{-x} \cos x \, dx$

학교시험 필수예제

18 함수 $f(x) = \int e^x \cos x \, dx$이고 $f\left(\dfrac{\pi}{2}\right) = \dfrac{e^{\frac{\pi}{2}}}{2}$일 때, $f(0)$의 값은?

① 1 ② $\dfrac{\sqrt{2}}{2}$ ③ $\dfrac{1}{2}$

④ $\dfrac{1}{3}$ ⑤ $\dfrac{\sqrt{2}}{4}$

※ 다음 물음에 답하여라.

19 구간 $(0, \infty)$에서 연속인 함수 $f(x)$의 한 부정적분을 $F(x)$라 할 때, 함수 $F(x)$가 다음 조건을 만족시킨다. 이때, $F(2)$의 값을 구하여라.

┤ 조건 ├
(가) 모든 양수 x에 대하여 $F(x) + xf(x) = (2x+2)e^x$
(나) $F(1) = 2e$

20 $x > 0$인 모든 실수 x에 대하여 함수 $f(x)$의 부정적분 중의 하나를 $F(x)$라고 할 때,
$$F(x) = xf(x) - x \ln x$$
이다. 이때, $f(e^2)$의 값을 구하여라. (단, $f(1) = 0$)

21 $x > 0$에서 미분가능한 함수 $f(x)$가 다음 조건을 만족시킨다. 이때, $f(\pi)$의 값을 구하여라.

┤ 조건 ├
(가) $f\left(\dfrac{\pi}{2}\right) = 1$
(나) $f(x) + xf'(x) = x \cos x$

22 양의 실수를 정의역으로 하는 두 함수 $f(x) = x$, $h(x) = \ln x$에 대하여 다음 두 조건을 모두 만족시키는 함수 $g(x)$가 있다. 이때, $g(e)$의 값을 구하여라.

┤ 조건 ├
(가) $f'(x)g(x) + f(x)g'(x) = h(x)$
(나) $g(1) = -1$

04 구분구적법

1. **구분구적법** : 어떤 도형의 넓이 또는 부피를 구할 때, 주어진 도형을 잘게 나누어 이미 알고 있는 간단한 도형의 넓이 또는 부피의 합으로 어림한 값을 구하고, 이 어림한 값의 극한값으로 도형의 넓이 또는 부피를 구하는 방법

2. **구분구적법에 의한 넓이 또는 부피 구하는 단계**
   ① 주어진 도형을 n개의 기본 도형으로 나눈다.
   ② 기본 도형들의 넓이의 합 S_n 또는 부피의 합 V_n을 구한다.
   ③ $\lim_{n \to \infty} S_n$ 또는 $\lim_{n \to \infty} V_n$의 값을 구한다.

$a_n < c_n < b_n$일 때
$\lim_{n \to \infty} a_n = \lim_{n \to \infty} b_n = \alpha$ (α는 실수)이면
$\lim_{n \to \infty} c_n = \alpha$

유형 072 구분구적법

※ 다음 물음에 답하여라.

01 곡선 $y = x^3$과 x축 및 직선 $x = 1$로 둘러싸인 부분의 넓이를 구분구적법으로 구하여라.

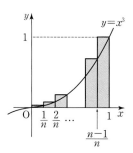

해설| 위의 그림과 같이 곡선 위쪽에 만든 직사각형의 넓이의 합을 T_n이라고 하면

$$T_n = \frac{1}{n}\left(\frac{1}{n}\right)^3 + \frac{1}{n}\left(\frac{2}{n}\right)^3 + \cdots + \frac{1}{n}\left(\frac{n}{n}\right)^3$$

$$= \frac{1}{n^4}(1^3 + 2^3 + \cdots + n^3)$$

$$= \frac{1}{n^4}\left\{\boxed{}\right\}^2 = \frac{1}{4}\left(1 + \frac{1}{n}\right)^2$$

따라서 구하는 도형의 넓이는

$$\lim_{n \to \infty} T_n = \lim_{n \to \infty} \frac{1}{4}\left(1 + \frac{1}{n}\right)^2 = \boxed{}$$

02 곡선 $y = x(2-x)$와 x축으로 둘러싸인 부분의 넓이를 구분구적법으로 구하여라.

03 밑면이 한 변의 길이가 a인 정사각형이고, 높이가 h인 사각뿔의 부피를 구분구적법으로 구하여라.

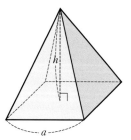

05 정적분의 정의

함수 $y=f(x)$가 구간 $[a, b]$에서 연속일 때, 다음을 함수 $y=f(x)$의 a에서 b까지의 정적분이라고 한다.

$$\int_a^b f(x)dx=\lim_{n\to\infty}\sum_{k=1}^n f(x_k)\varDelta x$$

$$\left(단, \varDelta x=\frac{b-a}{n}, x_k=a+k\varDelta x\right)$$

여기서 a를 정적분의 아래끝, b를 정적분의 위끝이라고 한다.

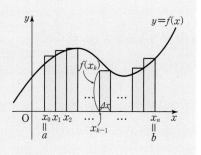

부정적분 $\int f(x)dx$는 x에 대한 함수이고, 정적분 $\int_a^b f(x)dx$는 실수이다.

정적분의 값은 적분변수가 바뀌어도 그 값은 변하지 않는다. 즉

$$\int_a^b f(x)dx=\int_a^b f(t)dt=\int_a^b f(u)du$$

유형 073 정적분의 정의

※ 정적분의 정의에 의하여 다음 정적분의 값을 구하여라.

01 $\int_1^3 x\,dx$

해설 | $f(x)=x$로 놓으면 정적분의 정의에서 $a=1$, $b=3$이므로

$$\varDelta x=\frac{3-1}{n}=\frac{2}{n},\ x_k=1+k\varDelta x=1+\frac{2k}{n}$$

$$f(x_k)=x_k=1+\frac{2k}{n}$$

$$\therefore \int_1^3 x\,dx=\lim_{n\to\infty}\sum_{k=1}^n f(x_k)\varDelta x$$

$$=\lim_{n\to\infty}\sum_{k=1}^n\left(1+\frac{2k}{n}\right)\cdot\frac{2}{n}$$

$$=\lim_{n\to\infty}\frac{2}{n}\sum_{k=1}^n\left(1+\frac{2k}{n}\right)$$

$$=\lim_{n\to\infty}\left\{\frac{2}{n}\cdot n+\frac{4}{n^2}\cdot\frac{n(n+1)}{2}\right\}$$

$$=2+\boxed{}=\boxed{}$$

02 $\int_0^3 x^2\,dx$

03 $\int_1^3 (x+1)dx$

04 $\int_0^3 (x^2+1)dx$

06 치환적분법과 부분적분법을 이용한 정적분

1. 정적분의 계산

구간 $[a, b]$에서 연속인 함수 $f(x)$의 한 부정적분을 $F(x)$라고 하면

$$\int_a^b f(x)dx = \Big[F(x) \Big]_a^b = F(b) - F(a)$$

2. 치환적분법을 이용한 정적분

구간 $[a, b]$에서 연속인 함수 $f(x)$에 대하여 미분가능한 함수 $x = g(t)$의 도함수 $g'(t)$가 구간 $[\alpha, \beta]$에서 연속이고, $a = g(\alpha)$, $b = g(\beta)$이면

$$\int_a^b f(x)dx = \int_\alpha^\beta f(g(t))g'(t)dt$$

3. 부분적분법을 이용한 정적분

두 함수 $f(x)$, $g(x)$가 미분가능하고 $f'(x)$, $g'(x)$가 연속일 때,

$$\int_a^b f(x)g'(x)dx = \Big[f(x)g(x) \Big]_a^b - \int_a^b f'(x)g(x)dx$$

• 치환적분법을 이용한 정적분에서는 적분 구간이 바뀌는 것에 주의한다.

유형 074 여러 가지 함수의 정적분

※ 다음 정적분의 값을 구하여라.

01 $\displaystyle\int_0^4 \sqrt{x}(x-1)dx$

02 $\displaystyle\int_0^1 \frac{e^{2x}}{e^{x-1}}dx - \int_0^1 \frac{1}{e^{x-1}}dx$

03 $\displaystyle\int_e^{4e} \frac{3x+1}{x}dx$

04 $\displaystyle\int_1^e \frac{x+3}{x^2}dx$

05 $\int_0^2 \dfrac{3}{x^2+5x+4} dx$

06 $\int_0^3 (2^x+4^x) dx$

07 $\int_0^1 (3e^x+2^{x+1}) dx$

08 $\int_0^{\frac{\pi}{2}} \dfrac{\cos^2 x}{1+\sin x} dx$

09 $\int_0^{\frac{\pi}{3}} \dfrac{1}{1-\sin^2 x} dx$

10 $\int_0^{\ln 3} \dfrac{e^{3x}}{e^{2x}+e^x+1} dx + \int_{\ln 3}^0 \dfrac{1}{e^{2x}+e^x+1} dx$

11 $\displaystyle\int_{-\pi}^{\pi}(1-\cos x)^2\,dx+\int_{-\pi}^{\pi}((2+\sin x)^2\,dx$

14 $\displaystyle\int_{2}^{5}2x\sqrt{x^2+5}\,dx$

※ 다음 물음에 답하여라.

12 정적분 $\displaystyle\int_{-1}^{3}\frac{6x^3-5}{x}dx$의 값이 $\alpha-\ln\beta$라고 할 때, 두 상수 α, β의 합 $\alpha+\beta$의 값을 구하여라.

15 $\displaystyle\int_{1}^{3}e^{2x-1}\,dx$

유형 075 치환적분법을 이용한 정적분

※ 다음 정적분의 값을 구하여라.

13 $\displaystyle\int_{0}^{\frac{\pi}{2}}\sin^2 x\cos x\,dx$

16 $\displaystyle\int_{1}^{e^2}\frac{(\ln x)^2}{2x}dx$

※ 다음 물음에 답하여라.

17 함수 $f(x)=e^x$에 대하여 $\int_0^1 \{f(x)+f(1-x)dx\}$ 의 값을 구하여라.

19 $\int_1^{\sqrt{3}} \dfrac{1}{x^2+1}dx$

유형 076 삼각치환 적분법

※ 다음 정적분의 값을 구하여라.

18 $\int_0^{\sqrt{3}} \dfrac{1}{x^2+9}dx$

20 $\int_{-1}^{\sqrt{3}} \dfrac{1}{x^2+2x+2}dx$

Tip

(1) $\sqrt{a^2-x^2},\ \dfrac{1}{\sqrt{a^2-x^2}}\ (a>0)$의 꼴

　⇨ $x=a\sin\theta\left(-\dfrac{\pi}{2}\leq\theta\leq\dfrac{\pi}{2}\right)$로 치환

(2) $\sqrt{x^2+a^2},\ \dfrac{1}{\sqrt{x^2+a^2}}\ (a>0)$의 꼴

　⇨ $x=a\tan\theta\left(-\dfrac{\pi}{2}<\theta<\dfrac{\pi}{2}\right)$로 치환

※ 다음 물음에 답하여라.

21 $\displaystyle\int_{-a}^{a}\frac{1}{a^2+x^2}dx=\frac{\pi}{6}$ 일 때, 상수 a의 값을 구하여라.

22 $\displaystyle\int_{0}^{a}\sqrt{a^2-x^2}dx=\frac{\pi}{2}$ 일 때, 상수 a^2의 값을 구하여라.

※ 다음 정적분의 값을 구하여라.

23 $\displaystyle\int_{\sqrt{e}}^{e^2}\frac{1}{x\ln x}dx$

24 $\displaystyle\int_{0}^{1}\frac{e^x+1}{e^x+x}dx$

25 $\displaystyle\int_{1}^{3}\frac{x+1}{x^2+2x-1}dx$

26 $\displaystyle\int_{0}^{\frac{\pi}{4}}\tan x\,dx$

유형 O78 부분적분법을 이용한 정적분

※ 다음 정적분의 값을 구하여라.

27 $\int_{1}^{\sqrt{e}} x\ln x\, dx$

28 $\int_{0}^{\ln 2} xe^x\, dx$

29 $\int_{0}^{\frac{\pi}{2}} e^x\cos x\, dx$

30 $\int_{\frac{\pi}{4}}^{\frac{\pi}{2}} (2x-1)\sin 2x\, dx$

학교시험 필수예제

31 정적분 $\int_{-\frac{\pi}{2}}^{\frac{\pi}{2}} e^t\cos t\, dt$의 값은?

① $\dfrac{e^{\sqrt{2}}-e^{-\sqrt{2}}}{2}$ ② $\dfrac{e^{\sqrt{2}}+e^{-\sqrt{2}}}{2}$ ③ $\dfrac{e^{\frac{\pi}{2}}-e^{-\frac{\pi}{2}}}{2}$

④ $\dfrac{e^{\frac{\pi}{2}}+e^{-\frac{\pi}{2}}}{2}$ ⑤ $\dfrac{e^{\pi}-e^{-\pi}}{2}$

함수 $f(x)$가 구간 $[a, b]$에서 연속일 때,

$$\lim_{n\to\infty}\sum_{k=1}^{n}f\left(a+\frac{b-a}{n}k\right)\frac{b-a}{n}$$

$$=\lim_{n\to\infty}\sum_{k=1}^{n}f(x_k)\Delta x \left(x_k=a+\frac{b-a}{n}k,\ \Delta x=\frac{b-a}{n}\right)$$

$$=\int_{a}^{b}f(x)dx$$

연속함수 $f(x)$에 대하여

$$\cdot \lim_{n\to\infty}\sum_{k=1}^{n}f\left(a+\frac{(b-a)k}{n}\right)\cdot\frac{b-a}{n}=\int_{a}^{b}f(x)dx$$

$$\cdot \lim_{n\to\infty}\sum_{k=1}^{n}f\left(a+\frac{pk}{n}\right)\cdot\frac{p}{n}=\int_{a}^{a+p}f(x)dx$$

$$=\int_{0}^{p}f(a+x)dx$$

$$=p\int_{0}^{1}f(a+px)dx$$

유형 079 정적분과 급수의 합 사이의 관계

※ 정적분을 이용하여 다음 극한값을 구하여라.

01 $\displaystyle\lim_{n\to\infty}\frac{\sqrt{1}+\sqrt{2}+\cdots+\sqrt{n}}{n\sqrt{n}}$

02 $\displaystyle\lim_{n\to\infty}\frac{1}{n}\left(\sqrt{\frac{n}{1}}+\sqrt{\frac{n}{2}}+\sqrt{\frac{n}{3}}+\cdots+\sqrt{\frac{n}{n}}\right)$

03 $\displaystyle\lim_{n\to\infty}\sum_{k=1}^{n}\frac{4k}{n^2}e^{\frac{k}{n}}$

04 $\displaystyle\lim_{n\to\infty}\frac{2}{n}\left(e^{1+\frac{4}{n}}+e^{1+\frac{8}{n}}+\cdots+e^{1+\frac{4n}{n}}\right)$

05 $\lim\limits_{n\to\infty}\left(\dfrac{1}{n+1}+\dfrac{1}{n+2}+\cdots+\dfrac{1}{2n}\right)$

08 $\lim\limits_{n\to\infty}\dfrac{1}{n}\ln\left(\dfrac{n+1}{n}\times\dfrac{n+2}{n}\times\dfrac{n+3}{n}\times\cdots\times\dfrac{2n}{n}\right)$

06 $\lim\limits_{n\to\infty}\sum\limits_{k=1}^{n}\dfrac{k}{n^2+4k^2}$

09 $\lim\limits_{n\to\infty}\dfrac{\pi}{n}\left(\sin\dfrac{\pi}{n}+\sin\dfrac{2\pi}{n}+\cdots+\sin\dfrac{n\pi}{n}\right)$

07 $\lim\limits_{n\to\infty}\left(\dfrac{1^2}{n^3+1^3}+\dfrac{2^2}{n^3+2^3}+\dfrac{3^2}{n^3+3^3}+\cdots+\dfrac{n^2}{n^3+n^3}\right)$

10 $\lim\limits_{n\to\infty}\dfrac{1}{n}\sum\limits_{k=1}^{n}\sin^2\dfrac{k\pi}{n}$

※ 다음 물음에 답하여라.

11 함수 $f(x) = e^{2x}$에 대하여
$$\lim_{n \to \infty} \frac{1}{n}\left\{f\left(\frac{1}{n}\right) + f\left(\frac{2}{n}\right) + f\left(\frac{3}{n}\right) + \cdots + f\left(\frac{n}{n}\right)\right\}$$
의 값을 구하여라.

12 함수 $f(x) = e^x + 2x$에 대하여
$$\lim_{n \to \infty} \sum_{k=1}^{n} f\left(\frac{k}{n}\right)\frac{1}{n} + \lim_{n \to \infty} \sum_{k=1}^{2n} f\left(1 + \frac{k}{n}\right)\frac{1}{n}$$
의 값을 구하여라.

13 함수 $f(x) = \tan x$에 대하여
$$\lim_{n \to \infty} \frac{1}{n}\left[\left\{f\left(\frac{\pi}{n}\right)\right\}^2 + \left\{f\left(\frac{2\pi}{n}\right)\right\}^2 + \left\{f\left(\frac{3\pi}{n}\right)\right\}^2 + \right.$$
$$\left. \cdots + \left\{f\left(\frac{n\pi}{n}\right)\right\}^2\right]$$
의 값을 구하여라.

14 함수 $f(x) = \dfrac{1}{x^2 + x}$에 대하여
$$\lim_{n \to \infty} \frac{2}{n}\sum_{k=1}^{n} f\left(1 + \frac{2k}{n}\right)$$
의 값을 구하여라.

15 함수 $f(x)=2xe^{x^2}$에 대하여

$$\lim_{n \to \infty} \frac{1}{n}\left\{f\left(\frac{2}{n}\right)+f\left(\frac{4}{n}\right)+f\left(\frac{6}{n}\right)+\cdots+f\left(\frac{2n}{n}\right)\right\}$$

의 값을 구하여라.

16 $\displaystyle\lim_{n \to \infty} \frac{\pi}{n}\left(\cos\frac{\pi}{n}+\cos\frac{2\pi}{n}+\cos\frac{3\pi}{n}+\cdots+\cos\frac{n\pi}{n}\right)$

를 정적분으로 나타내면 $\displaystyle\int_0^a \cos x\, dx$일 때, 상수 a의 값을 구하여라.

17 자연수 n에 대하여 $\displaystyle a_n=\int_0^n 5^x \ln 5\, dx$일 때,

$\displaystyle\sum_{k=1}^{\infty} \frac{1}{1+a_n}$의 값을 구하여라.

학교시험 **필수예제**

18 구간 $[0, 1]$에서 정의된 연속함수 $f(x)$가 $f(0)=0$, $f(1)=1$이며, 구간 $(0, 1)$에서 이계도함수를 갖고 $f'(x)>0$, $f''(x)>0$일 때, 다음 중 $\displaystyle\int_0^1 \{x-f(x)\}\,dx$의 값과 같은 것은?

① $\displaystyle\lim_{n \to \infty} \sum_{k=1}^{n}\left\{\frac{k}{n}-f\left(\frac{k}{n}\right)\right\}\frac{1}{2n}$

② $\displaystyle 2\lim_{n \to \infty} \sum_{k=1}^{n}\left\{\frac{k}{n}-f\left(\frac{k}{n}\right)\right\}\frac{1}{n}$

③ $\displaystyle\lim_{n \to \infty} \sum_{k=1}^{n}\left\{\frac{k}{n}-f\left(\frac{k}{n}\right)\right\}\frac{1}{n}$

④ $\displaystyle\lim_{n \to \infty} \sum_{k=1}^{n}\left\{\frac{2k}{n}-f\left(\frac{2k}{n}\right)\right\}\frac{2}{n}$

⑤ $\displaystyle\lim_{n \to \infty} \sum_{k=1}^{n}\left\{\frac{k}{2n}-f\left(\frac{k}{2n}\right)\right\}\frac{1}{n}$

08 곡선으로 둘러싸인 도형의 넓이

1. 곡선과 x축 사이의 넓이

함수 $f(x)$가 구간 $[a,\ b]$에서 연속일 때, $y=f(x)$와 x축 및 두 직선 $x=a$, $x=b$로 둘러싸인 도형의 넓이 S는

$$S=\int_a^b |f(x)|\,dx$$

2. 곡선과 y축 사이의 넓이

함수 $g(y)$가 구간 $[c,\ d]$에서 연속일 때, $x=g(y)$와 y축 및 두 직선 $y=c$, $y=d$로 둘러싸인 도형의 넓이 S는

$$S=\int_c^d |g(y)|\,dy$$

3. 두 곡선 사이의 넓이

두 함수 $f(x)$, $g(x)$가 구간 $[a,\ b]$에서 연속일 때, 두 곡선 $y=f(x)$, $y=g(x)$및 두 직선 $x=a$, $x=b$로 둘러싸인 도형의 넓이 S는

$$S=\int_a^b |f(x)-g(x)|\,dx$$

• 곡선과 x축 사이의 넓이
$f(x)$의 값이 양수인 구간과 음수인 구간으로 나누어 넓이를 각각 구한 다음 더한다. 즉, 왼쪽 그림에서
$f(x)\ge 0$일 때의 넓이는
$$\Rightarrow \int_p^b f(x)\,dx$$
$f(x)\le 0$일 때의 넓이는
$$\Rightarrow \int_a^p -f(x)\,dx$$

• 두 곡선 사이의 넓이
두 곡선의 교점의 x좌표를 찾고, $f(x)\ge g(x)$, $f(x)\le g(x)$인 x의 값의 범위로 적분 구간을 나누어 생각한다.

유형 080 곡선과 x축 사이의 넓이

※ 다음 곡선과 직선으로 둘러싸인 도형의 넓이를 구하여라.

01 $y=\sqrt{x}-1$, x축, $x=0$, $x=2$

해설ㅣ $[0,\ 1]$에서 $\sqrt{x}-1\le 0$,
$[1,\ 2]$에서 $\sqrt{x}-1\ge 0$
이므로 구하는 넓이는

$$\int_0^2 \sqrt{x}-1\,dx$$
$$=\int_0^1 (\boxed{})\,dx$$
$$\quad +\int_1^2 (\boxed{})\,dx$$
$$=\boxed{}$$

02 $y=e^x$, x축, $x=0$, $x=1$

03 $y=\ln x+1$, x축, $x=2$, $x=e$

04 $y=\dfrac{x-1}{x+1}$, x축, $x=2$, $x=4$

※ 다음 구간에서 곡선과 x축으로 둘러싸인 도형의 넓이를 구하여라.

05 $y=\dfrac{1}{\sqrt{x}}$ $[1, 4]$

06 $y=\cos x$ $[0, \pi]$

07 $y=\dfrac{e^{x}+e^{-x}}{2}$ $[-1, 1]$

유형 O81 곡선과 y축 사이의 넓이

※ 다음 곡선과 직선으로 둘러싸인 도형의 넓이를 구하여라.

08 $y=\ln x$, y축, $y=0$, $y=1$

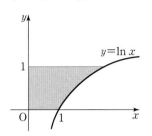

해설ㅣ $y=\ln x$에서 $x=\boxed{}$이므로

$$\int_{0}^{1}\Big|\boxed{}\Big|dy=\Big[\boxed{}\Big]_{0}^{1}=\boxed{}$$

09 $y=\dfrac{1}{x}$, y축, $y=1$, $y=4$

10 $y=e^{x}$, y축, $y=1$, $y=e^{3}$

11 $y=\sqrt{x}+1$, y축, $y=3$, $y=6$

12 $y=x^3-1$, y축, $y=-1$, $y=3$

 학교시험 필수예제

13 곡선 $\dfrac{1}{3}x=4-y^2$과 y축으로 둘러싸인 부분의 넓이는?

① 2   ② 4   ③ 8

④ 16   ⑤ 32

유형 082 두 곡선 사이의 넓이

※ 다음 구간에서 두 곡선으로 둘러싸인 도형의 넓이를 구하여라.

14 $y=\sin x$, $y=\cos x$, $\left[\dfrac{\pi}{4},\ \dfrac{5}{4}\pi\right]$

해설 | 구간 $\left[\dfrac{\pi}{4},\ \dfrac{5}{4}\pi\right]$

에서 두 곡선
$y=\sin x$와
$y=\cos x$의 교점의
x좌표를 구하면
$\sin x=\cos x$에서

$x=\dfrac{\pi}{4}$, $x=\dfrac{5}{4}\pi$

$\left[\dfrac{\pi}{4},\ \dfrac{5}{4}\pi\right]$에서 $\sin x \boxed{} \cos x$이므로

$\displaystyle\int_{\frac{\pi}{4}}^{\frac{5}{4}\pi}|\sin x-\cos x|\,dx$

$=\displaystyle\int_{\frac{\pi}{4}}^{\frac{5}{4}\pi}(\boxed{})\,dx$

$=\left[\boxed{}\right]_{\frac{\pi}{4}}^{\frac{5}{4}\pi}=\boxed{}$

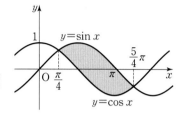

15 $y=\sin x$, $y=\cos x$, $[0,\ \pi]$

16 $y=\sin x$, $y=\cos 2x$, $\left[\dfrac{\pi}{6},\ \dfrac{5}{6}\pi\right]$

18 두 곡선 $y=\dfrac{1}{27}x^2$, $y=\sqrt{x}$으로 둘러싸인 도형의 넓이를 구하여라.

※ 다음 물음에 답하여라.

17 두 곡선 $y=2^x$, $y=2^{-x}$과 직선 $x=2$로 둘러싸인 도형의 넓이를 구하여라.

19 곡선 $y=\dfrac{2x}{x^2+1}$와 직선 $y=x$로 둘러싸인 도형의 넓이를 구하여라.

20 곡선 $y=x\ln x$와 이 곡선 위의 점 (e, e)에서의 접선 및 y축으로 둘러싸인 부분의 넓이를 구하여라.

21 함수 $f(x)=x+\sin x$의 그래프가 그림과 같을 때, 구간 $(0, \pi)$에서 두 곡선 $y=f(x)$와 $y=f^{-1}(x)$로 둘러싸인 부분의 넓이를 구하여라.

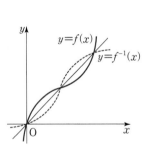

22 함수 $y=e^x$의 그래프와 x축, y축 및 직선 $x=1$로 둘러싸인 영역의 넓이가 직선 $y=ax\,(0<a<e)$에 의하여 이등분될 때, 상수 a의 값을 구하여라.

23 그림과 같이 곡선 $y=x\sin x\left(0\le x\le\dfrac{\pi}{2}\right)$에 대하여 이 곡선과 직선 $x=k$, x축으로 둘러싸인 영역을 A, 이 곡선과 직선 $x=k$, $y=\dfrac{\pi}{2}$로 둘러싸인 영역을 B라 하자. A의 넓이와 B의 넓이가 같을 때, 상수 k의 값을 구하여라. $\left($단, $0\le x\le\dfrac{\pi}{2}\right)$

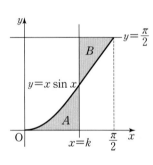

09 입체도형의 부피

구간 $[a, b]$의 임의의 점 x에서 x축에 수직인 평면으로 자른 단면의 넓이가 $S(x)$인 입체도형의 부피 V는

$$V = \int_a^b S(x)dx$$

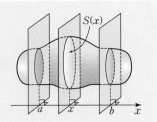

입체도형의 부피 V는 구분구적법과 정적분의 정의에서

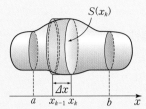

$$V = \lim_{n \to \infty} V_n = \lim_{n \to \infty} \sum_{k=1}^n S(x_k) \Delta x = \int_a^b S(x)dx$$

유형 O83 입체도형의 부피

※ 다음 물음에 답하여라.

O1 다음은 밑면의 넓이가 A, 높이가 h인 사각뿔의 부피 V를 정적분을 이용하여 구하는 과정이다. □ 안에 알맞은 것을 써넣어라.

그림과 같이 사각뿔의 꼭짓점을 O라 하고 수선을 x축이라 한다. 꼭짓점 O로부터의 거리가 x인 점에서 밑면에 평행인 단면의 넓이를 $S(x)$라 하면

$$S(x) : A = x^2 : h^2$$

$$\therefore S(x) = \boxed{}$$

따라서 구하는 부피 V는

$$V = \int_0^h S(x)dx = \int_0^h \boxed{} dx$$

$$= \frac{A}{h^2} \left[\boxed{} \right]_0^h = \boxed{}$$

O2 높이가 5인 입체도형을 밑면으로부터 x인 지점에서 밑면에 평행한 평면으로 자른 단면은 한 변의 길이가 $\sqrt{25-x^2}$인 정사각형이다. 이 입체도형의 부피를 구하여라.

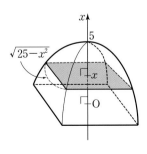

O3 어떤 용기에 담긴 물의 깊이가 $x \left(0 \le x \le \dfrac{\pi}{3} \right)$일 때, 수면은 반지름의 길이가 $\sec x$인 원이라고 한다. 물의 깊이가 $\dfrac{\pi}{3}$일 때, 용기에 담긴 물의 부피를 구하여라.

O4 그림과 같이 높이가 $\dfrac{\pi}{2}$인 입체도형을 밑면으로부터 거리가 x인 지점에서 밑면에 평행하게 자를 때 생기는 단면은 한 변의 길이가 $\cos x$인 정사각형이다. 이 입체도형의 부피를 구하여라.

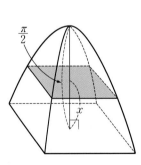

05 그림과 같이 반지름의 길이가 10 cm인 반구 모양의 그릇에 물을 가득 채운 후 30°만큼 기울여 물을 흘려보낼 때, 남아 있는 물의 양을 구하여라. (단, 그릇의 두께는 무시한다.)

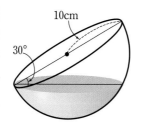

06 그림과 같이 밑면의 반지름의 길이가 5이고 높이가 10인 원기둥을 밑면의 지름을 지나고 밑면과 60°의 각을 이루는 평면으로 자른다. 이때, 생기는 두 입체도형 중 작은 입체도형의 부피를 구하여라.

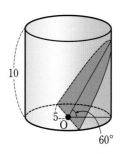

07 그림과 같이 곡선 $y=\sqrt{x+1}$과 x축, y축 및 직선 $x=1$로 둘러싸인 도형을 밑면으로 하는 입체도형이 있다. 이 입체도형을 x축에 수직인 평면으로 자른 단면이 모두 정사각형일 때, 이 입체도형의 부피를 구하여라.

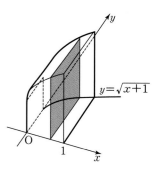

08 그림과 같이 함수 $f(x)=\sqrt{x}e^{\frac{x}{2}}$에 대하여 좌표평면 위의 두 점 A$(x,\ 0)$, B$(x,\ f(x))$를 이은 선분을 한 변으로 하는 정사각형을 x축에 수직인 평면 위에 그린다. 점 A의 x좌표가 $x=1$에서 $x=\ln 6$까지 변할 때, 이 정사각형이 만드는 입체도형의 부피를 구하여라.

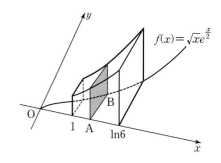

09 그림과 같이 곡선 $y=2\sqrt{\sin x}\ (0\le x\le \pi)$와 x축으로 둘러싸인 도형이 밑면이고, x축에 수직인 평면으로 자른 단면이 항상 정사각형일 때, 이 입체도형의 부피를 구하여라.

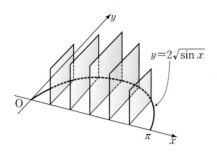

11 그림과 같이 함수
$$f(x)=\begin{cases} e^{-x} & (x<0) \\ \sqrt{\ln(x+1)+1} & (x\ge 0) \end{cases}$$
의 그래프 위의 점 $P(x,\ f(x))$에서 x축에 내린 수선의 발을 H라 하고, 선분 PH를 한 변으로 하는 정사각형을 x축에 수직인 평면 위에 그린다. 점 P의 x좌표가 $x=-2\ln 2$에서 $x=e-1$까지 변할 때, 이 정사각형이 만드는 입체도형의 부피를 구하여라.

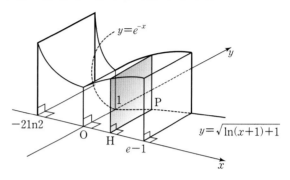

10 그림과 같이 함수 $f(x)=\ln x\ (x\ge 1)$에 대하여 곡선 $y=f(x)$와 x축으로 둘러싸인 부분을 밑면으로 하는 입체도형이 있다. 이 입체도형을 x축에 수직인 평면으로 자른 단면은 $\overline{PQ}$, $\overline{PR}$ 사이의 각이 $\dfrac{\pi}{3}$인 직각삼각형이다. 점 P의 좌표가 $x=1$에서 $x=e^2$까지 변할 때, 이 삼각형이 만드는 입체도형의 부피를 구하여라.

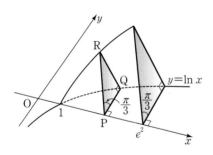

학교시험 필수예제

12 곡선 $y=\sin x$ 위의 점 $Q(x,\ \sin x)$에서 x축 위에 내린 수선의 발을 P라 하고, 선분 PQ를 한 변으로 하는 직각삼각형 PQR를 x축에 수직인 평면 위에 $\overline{QR}=x$를 만족시키도록 그린다. 점 Q가 곡선 $y=\sin x$ 위를 원점에서 점 $(\pi,\ 0)$까지 움직일 때, 이 직각삼각형이 만드는 입체도형의 부피를 구하여라.

10 속도와 거리

(1) 평면 운동에서의 이동 거리

좌표평면 위를 움직이는 점 $P(x, y)$의 시각 t에서의 위치가 $x=f(t)$, $y=g(t)$일 때, 시각 $t=a$에서 $t=b$까지 점 P가 움직인 거리 s는

$$s=\int_a^b |v|dt=\int_a^b \sqrt{\left(\frac{dx}{dt}\right)^2+\left(\frac{dy}{dt}\right)^2}dt=\int_a^b \sqrt{\{f'(t)\}^2+\{g'(t)\}^2}dt$$

(2) 곡선의 길이

① 매개변수로 나타낸 곡선 $x=f(t)$, $y=g(t)$의 $t=a$에서 $t=b$까지의 곡선의 길이 l은

$$l=\int_a^b \sqrt{\left(\frac{dx}{dt}\right)^2+\left(\frac{dy}{dt}\right)^2}dt=\int_a^b \sqrt{\{f'(t)\}^2+\{g'(t)\}^2}dt$$

② 곡선 $y=f(x)$의 $x=a$에서 $x=b$까지의 곡선의 길이 l은

$$l=\int_a^b \sqrt{1+\{f'(x)\}^2}dx$$

(2) ② 곡선 $y=f(x)$ $(a \le x \le b)$는 $x=t$, $y=f(t)$ $(a \le t \le b)$ 인 곡선으로 볼 수 있다.

$$l=\int_a^b \sqrt{\left(\frac{dx}{dt}\right)^2+\left(\frac{dy}{dt}\right)^2}dt$$

$$=\int_a^b \sqrt{1+\{f'(t)\}^2}dt$$

$$=\int_a^b \sqrt{1+\{f'(x)\}^2}dx$$

유형 084 평면 운동에서의 이동 거리

※ 좌표평면 위를 움직이는 점 P의 시각 t에서의 위치 (x, y)가 다음과 같을 때, 점 P가 움직인 거리 s를 구하여라.

01 $x=2t^2-1$, $y=\dfrac{3}{2}t^2-1$ $[t=1$에서 $t=3$까지$]$

해설│ $\dfrac{dx}{dt}=\boxed{}$, $\dfrac{dy}{dt}=\boxed{}$이므로

$$s=\int_1^3 \sqrt{(\boxed{})^2+(\boxed{})^2}dt$$

$$=\int_1^3 \boxed{}dt$$

$$=\left[\boxed{}\right]_1^3=\boxed{}$$

02 $x=\sqrt{2}t^2+1$, $y=\dfrac{1}{3}t^3-2t$ $[t=1$에서 $t=2$까지$]$

03 $x=\sin t$, $y=\cos t$ $[t=1$에서 $t=5$까지$]$

04 $x=3\sin t+4\cos t$, $y=4\sin t-3\cos t$ $[t=0$에서 $t=\pi$까지$]$

유형 085 곡선의 길이

※ 다음 곡선의 길이 l을 구하여라.

05 $y = \dfrac{x^3}{3} + \dfrac{1}{4x}$ [$x=1$에서 $x=3$까지]

해설 | $\dfrac{dy}{dx} = x^2 - \dfrac{1}{4x^2}$ 이므로

$l = \displaystyle\int_1^3 \sqrt{\boxed{} + \left(x^2 - \dfrac{1}{4x^2}\right)^2}\, dx$

$= \displaystyle\int_1^3 \sqrt{x^4 + \boxed{} + \dfrac{1}{16x^4}}\, dx$

$= \displaystyle\int_1^3 \sqrt{\left(\boxed{}\right)^2}\, dx$

$= \displaystyle\int_1^3 \left(\boxed{}\right) dx$

$= \left[\boxed{}\right]_1^3 = \boxed{}$

06 $y = \dfrac{e^x + e^{-x}}{2}$ [$x=-1$에서 $x=1$까지]

07 $x = \cos^3 t,\ y = \sin^3 t$ [$t=0$에서 $t=\pi$까지]

학교시험 필수예제

08 $0 \le t \le 4$일 때, 곡선 $x = 3\sqrt{t},\ y = (t+2)\sqrt{t+2}$ 의 길이는?

① 12 　　② 13 　　③ 14

④ 15 　　⑤ 16

 Ⅲ. 적분법

1. 여러 가지 함수의 부정적분

(1) 함수 $y=x^r$ (r는 실수)의 부정적분

① $r\neq-1$일 때, $\displaystyle\int x^r dx=\frac{1}{\boxed{❶}}x^{r+1}+C$

② $r=-1$일 때, $\displaystyle\int x^{-1}dx=\int\frac{1}{x}dx=\ln|x|+C$

(2) 지수함수의 부정적분

① $\displaystyle\int a^x dx=\frac{a^x}{\boxed{❷}}+C$ (단, $a>0$, $a\neq1$)

② $\displaystyle\int e^x dx=e^x+C$

(3) 삼각함수의 부정적분

① $\displaystyle\int\sin x\,dx=-\cos x+C$　　② $\displaystyle\int\cos x\,dx=\boxed{❸}+C$

③ $\displaystyle\int\sec^2 x\,dx=\boxed{❹}+C$　　④ $\displaystyle\int\csc^2 x\,dx=-\cot x+C$

2. 치환적분법

(1) 치환적분법

　미분가능한 함수 $g(t)$에 대하여 $x=g(t)$로 놓으면 $\displaystyle\int f(x)dx=\int f(g(t))g'(t)dt$

(2) 치환적분법을 이용한 부정적분

(1) $\displaystyle\int f(g(x))g'(x)dx$꼴

$$\int f(g(x))g'(x)dx=\int f(t)dt$$

　└ $g(x)=t$로 놓고 $\dfrac{dt}{dx}=g'(x)$에서 $dt=g'(x)dx$로 생각해도 된다.

(2) $\displaystyle\int\frac{f'(x)}{f(x)}dx$꼴

$$\int\frac{f'(x)}{f(x)}dx=\int\frac{1}{t}dt=\ln|t|+C=\ln|f(x)|+C$$

　└ $f(x)=t$로 놓고 $\dfrac{dt}{dx}=f'(x)$에서 $dt=f'(x)dx$로 생각해도 된다.

3. 부분적분법

(1) 부분적분법

　두 함수 $f(x)$, $g(x)$가 미분가능할 때, $\displaystyle\int f(x)g'(x)dx=f(x)g(x)-\boxed{❺}$

(2) 부분적분법을 한 번 적용하여 구할 수 없는 경우에는 다시 한 번 더 적용하여 부정적분을 구한다.

 **개념 window**

• $(\log_a|x|)'$
$=\left(\dfrac{\ln|x|}{\ln a}\right)'=\dfrac{1}{\ln a}(\ln|x|)'$
$=\dfrac{1}{\ln a}\cdot\dfrac{1}{x}=\dfrac{1}{x\ln a}$

• $(a^x)'=(e^{x\ln a})'$
$=e^{x\ln a}\cdot(x\ln a)'$
$=e^{x\ln a}\cdot\ln a=a^x\ln a$

• $(\tan x)'=\sec^2 x$,
$(\cot x)'=-\csc^2 x$

• $\tan^2 x$, $\cot^2 x$는 다음을 이용하여 식을 변형한 후 적분한다.
$1+\tan^2 x=\sec^2 x$,
$1+\cot^2 x=\csc^2 x$

■ 부분적분법에서 $f(x)$는 미분하면 간단해지는 것으로, $g'(x)$는 적분하기 쉬운 것으로 선택하는데, 일반적으로 로그함수, 다항함수, 삼각함수, 지수함수 순서로 $f(x)$를 택한다.

❶ $r+1$　❷ $\ln a$　❸ $\sin x$　❹ $\tan x$　❺ $\displaystyle\int f'(x)g(x)dx$

4. 구분구적법

어떤 도형의 넓이 또는 부피를 구할 때, 주어진 도형을 잘게 나누어 이미 알고 있는 간단한 도형의 넓이 또는 부피의 합으로 어림한 값을 구하고, 이 어림한 값의 극한값으로 도형의 넓이 또는 부피를 구하는 방법

5. 정적분의 정의

함수 $y=f(x)$가 구간 $[a, b]$에서 연속일 때, 다음을 함수 $y=f(x)$의 a에서 b까지의 정적분이라고 한다.

$$\int_a^b f(x)dx=\lim_{n\to\infty}\sum_{k=1}^n f(x_k)\Delta x \left(\text{단, } \Delta x=\frac{b-a}{n},\ x_k=a+k\Delta x\right)$$

여기서 a를 정적분의 아래끝, b를 정적분의 $\boxed{❻}$ 이라고 한다.

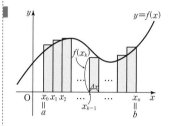

6. 치환적분법과 부분적분법을 이용한 정적분

(1) 정적분의 계산

구간 $[a, b]$에서 연속인 함수 $f(x)$의 한 부정적분을 $F(x)$라고 하면

$$\int_a^b f(x)dx=\Big[F(x)\Big]_a^b=F(b)-F(a)$$

(2) 치환적분법을 이용한 정적분

구간 $[a, b]$에서 연속인 함수 $f(x)$에 대하여 미분가능한 함수 $x=g(t)$의 도함수 $g'(t)$가 구간 $[\alpha, \beta]$에서 연속이고, $a=g(\alpha),\ b=g(\beta)$이면

$$\int_a^b f(x)dx=\boxed{❼}$$

(3) 부분적분법을 이용한 정적분

두 함수 $f(x),\ g(x)$가 미분가능하고 $f'(x),\ g'(x)$가 연속일 때,

$$\int_a^b f(x)g'(x)dx=\Big[f(x)g(x)\Big]_a^b-\int_a^b f'(x)g(x)dx$$

> 치환적분법을 이용한 정적분에서는 적분 구간이 바뀌는 것에 주의한다.

> 연속함수 $f(x)$에 대하여
> $\cdot \displaystyle\lim_{n\to\infty}\sum_{k=1}^n f\Big(a+\frac{(b-a)k}{n}\Big)\cdot\frac{b-a}{n}$
> $=\displaystyle\int_a^b f(x)dx$
> $\cdot \displaystyle\lim_{n\to\infty}\sum_{k=1}^n f\Big(a+\frac{pk}{n}\Big)\cdot\frac{p}{n}$
> $=\displaystyle\int_a^{a+p} f(x)dx$
> $=\displaystyle\int_0^p f(a+x)dx$
> $=p\displaystyle\int_0^1 f(a+px)dx$

7. 정적분과 급수의 합 사이의 관계

함수 $f(x)$가 구간 $[a, b]$에서 연속일 때,

$$\lim_{n\to\infty}\sum_{k=1}^n f\Big(a+\frac{b-a}{n}k\Big)\frac{b-a}{n}=\lim_{n\to\infty}\sum_{k=1}^n f(x_k)\Delta x\left(x_k=a+\frac{b-a}{n}k,\ \Delta x=\frac{b-a}{n}\right)$$
$$=\int_a^b f(x)dx$$

❻ 위끝 ❼ $\displaystyle\int_\alpha^\beta f(g(t))g'(t)dt$

8. 곡선으로 둘러싸인 도형의 넓이

(1) 곡선과 x축 사이의 넓이

함수 $f(x)$가 구간 $[a, b]$에서 연속일 때, $y=f(x)$와 x축 및 두 직선 $x=a$, $x=b$로 둘러싸인 도형의 넓이 S는

$$S = \boxed{⑧}$$

(2) 곡선과 y축 사이의 넓이

함수 $g(y)$가 구간 $[c, d]$에서 연속일 때, $x=g(y)$와 y축 및 두 직선 $y=c$, $y=d$로 둘러싸인 도형의 넓이 S는

$$S = \int_c^d |g(y)| dy$$

(3) 두 곡선 사이의 넓이

두 함수 $f(x)$, $g(x)$가 구간 $[a, b]$에서 연속일 때, 두 곡선 $y=f(x)$, $y=g(x)$및 두 직선 $x=a$, $x=b$로 둘러싸인 도형의 넓이 S는 $S = \boxed{⑨}$

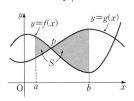

9. 입체도형의 부피

구간 $[a, b]$의 임의의 점 x에서 x축에 수직인 평면으로 자른 단면의 넓이가 $S(x)$인 입체도형의 부피 V는 $V = \boxed{⑩}$

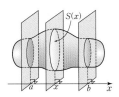

10. 속도와 거리

(1) 평면 운동에서의 이동 거리

좌표평면 위를 움직이는 점 $P(x, y)$의 시각 t에서의 위치가 $x=f(t)$, $y=g(t)$일 때, 시각 $t=a$에서 $t=b$까지 점 P가 움직인 거리 s는

$$s = \int_a^b |v| dt = \int_a^b \sqrt{\left(\frac{dx}{dt}\right)^2 + \left(\frac{dy}{dt}\right)^2} dt = \int_a^b \sqrt{\{f'(t)\}^2 + \{g'(t)\}^2} dt$$

(2) 곡선의 길이

① 매개변수로 나타낸 곡선 $x=f(t)$, $y=g(t)$의 $t=a$에서 $t=b$까지의 곡선의 길이 l은

$$l = \int_a^b \sqrt{\left(\frac{dx}{dt}\right)^2 + \left(\frac{dy}{dt}\right)^2} dt = \int_a^b \sqrt{\{f'(t)\}^2 + \{g'(t)\}^2} dt$$

② 곡선 $y=f(x)$의 $x=a$에서 $x=b$까지의 곡선의 길이 l은

$$l = \int_a^b \sqrt{1 + \{f'(x)\}^2} dx$$

개념 window

- 곡선과 x축 사이의 넓이
$f(x)$의 값이 양수인 구간과 음수인 구간으로 나누어 넓이를 각각 구한 다음 더한다. 즉, 왼쪽 그림에서 $f(x) \geq 0$일 때의 넓이는
$$\Rightarrow \int_p^b f(x) dx$$
$f(x) \leq 0$일 때의 넓이는
$$\Rightarrow \int_a^p -f(x) dx$$

- 두 곡선 사이의 넓이
두 곡선의 교점의 x좌표를 찾고, $f(x) \geq g(x)$, $f(x) \leq g(x)$인 x의 값의 범위로 적분 구간을 나누어 생각한다.

(2) ② 곡선 $y=f(x)$
$(a \leq x \leq b)$는
$x=t$, $y=f(t)$ $(a \leq t \leq b)$
인 곡선으로 볼 수 있다.
$$l = \int_a^b \sqrt{\left(\frac{dx}{dt}\right)^2 + \left(\frac{dy}{dt}\right)^2} dt$$
$$= \int_a^b \sqrt{1 + \{f'(t)\}^2} dt$$
$$= \int_a^b \sqrt{1 + \{f'(x)\}^2} dx$$

---

⑧ $\int_a^b |f(x)| dx$ ⑨ $\int_a^b |f(x) - g(x)| dx$ ⑩ $\int_a^b S(x) dx$

유형 익힘 분석

틀린 문항이 20% 이하이면 ○표, 20%~50% 범위이면 △표, 50% 이상이면 ×표를 하여 결과를 기준으로 나에게 취약한 유형을 파악한 후 관련 개념과 문제를 반드시 복습하고 개념을 완벽히 이해하도록 하세요.

유형No.	유형	총 문항수	틀린 문항수	채점결과
001	수렴하는 수열의 극한값	8		○△×
002	수열의 수렴, 발산 판별	13		○△×
003	수렴하는 두 수열의 합, 차, 곱, 몫의 극한값	16		○△×
004	유리식의 극한	13		○△×
005	무리식의 극한	12		○△×
006	수열의 수렴, 발산 판별	10		○△×
007	미정계수의 결정	6		○△×
008	극한의 기본 성질에서 $\{a_n\}$ 의 극한값 구하기	6		○△×
009	치환으로 $\{a_n\}$ 의 극한값 구하기	6		○△×
010	수열의 극한값의 대소 관계	7		○△×
011	등비수열의 극한	10		○△×
012	분모에 r^n꼴이 있는 분수식의 극한	9		○△×
013	공비가 문자로 주어진 경우의 극한	6		○△×
014	수열의 극한의 활용	8		○△×
015	급수의 부분합 구하기	9		○△×
016	급수의 수렴과 수열의 극한 사이의 관계	13		○△×
017	등비급수의 수렴과 발산	6		○△×
018	등비급수의 수렴 소선	3		○△×

유형No.	유형	총 문항수	틀린 문항수	채점결과
019	등비급수의 합	7		○△×
020	급수의 성질	6		○△×
021	도형의 길이 문제	4		○△×
022	도형의 넓이 문제	4		○△×
023	도형의 좌표 문제	4		○△×
024	실생활 문제	4		○△×
025	지수함수의 극한	7		○△×
026	로그함수의 극한	9		○△×
027	무리수 e의 정의	13		○△×
028	자연로그	5		○△×
029	$\lim\limits_{x \to 0} \dfrac{\ln(1+x)}{x}=1$ 꼴의 극한	5		○△×
030	$\lim\limits_{x \to 0} \dfrac{e^x-1}{x}=1$ 꼴의 극한	5		○△×
031	$\lim\limits_{x \to 0} \dfrac{\log_a(1+x)}{x}=\dfrac{1}{\ln a}$ 꼴의 극한	5		○△×
032	$\lim\limits_{x \to 0} \dfrac{a^x-1}{x}=\ln a$ 꼴의 극한	5		○△×
033	지수함수와 로그함수의 미정계수 결정	4		○△×
034	지수함수와 로그함수의 극한의 활용	4		○△×
035	지수함수와 로그함수의 도함수	31		○△×
036	지수함수와 로그함수의 도함수의 응용	9		○△×
037	삼각함수의 덧셈정리	12		○△×
038	삼각함수의 덧셈정리의 활용	7		○△×
039	삼각함수의 합성	7		○△×

연마 수학

미적분

정답 및 해설

연마 수학

미적분

I. 수열의 극한

01 수열의 수렴과 발산
본문 8쪽

01 0
02 0
03 2
04 2, 2, 2
05 1
06 1
07 0
08 0
09 수렴, -3
10 발산
11 2, 5, 양, 발산, ∞
12 발산
13 수렴, 2
14 발산
15 수렴, 0
16 발산
17 수렴, 5
18 수렴, 0
19 발산
20 수렴, 0
21 ㄴ, ㄷ

02 수열의 극한에 대한 기본 성질
본문 10쪽

01 8
02 3
03 6
04 1
05 1
06 2
07 ④
08 3
09 5
10 0

11 0
12 3
13 6
14 $\dfrac{2}{5}$
15 $\dfrac{1}{4}$
16 ①

03 유리식의 극한
본문 12쪽

01 2
02 0
03 3
04 $\dfrac{1}{4}$
05 2
06 $\dfrac{1}{3}$
07 ①
08 $\dfrac{1}{2}$
09 $\dfrac{1}{3}$
10 $\dfrac{3}{4}$
11 $\dfrac{1}{4}$
12 $\dfrac{1}{3}$
13 ②

04 무리식의 극한
본문 14쪽

01 $\dfrac{5}{2}$
02 1
03 1
04 0
05 2
06 ②
07 $\dfrac{1}{2}$
08 $\dfrac{8}{3}$
09 1
10 -4
11 $\dfrac{3}{2}$
12 ①

05 수열의 수렴, 발산 판별
본문 16쪽

01 ∞
02 $-\infty$
03 0
04 ∞
05 $\dfrac{1}{2}$
06 ∞
07 $\dfrac{5}{3}$
08 2
09 $-\infty$
10 -2

06 미정계수의 결정
본문 17쪽

01 0, 3, 3
02 $a=0,\ b=20$
03 $a=0,\ b=-14$
04 16
05 6
06 ①

07 일반항 a_n을 포함한 식의 극한값
본문 18쪽

01 6
02 22
03 4
04 -11
05 1
06 ①
07 2, 2, 2, 2, 1, 0, 0, 0
08 $\dfrac{3}{4}$
09 -2
10 3, 1, 3, 1
11 4
12 ③

08 수열의 극한값의 대소 관계
본문 20쪽

01 3
02 4
03 6
04 2
05 5
06 6
07 ④

09 등비수열의 극한
본문 21쪽

01 3, 3, 수렴
02 발산
03 수렴
04 진동(발산)
05 발산
06 수렴
07 진동(발산)
08 $-2<x\leq2$
09 $x=-5,\ 2<x\leq4$
10 ⑤
11 0, 0, 1, 수렴, 1
12 수렴, 0
13 수렴, $\dfrac{1}{5}$
14 수렴, -6
15 발산
16 6
17 5
18 3
19 ③

10 r^n을 포함한 식의 극한
본문 23쪽

01 0
02 0
03 0, -1, 발산

04	-1
05	$0<r<1$일 때 0, $r=1$일 때 $\dfrac{1}{2}$, $r>1$일 때 1
06	$0<r<1$일 때 -1, $r=1$일 때 0, $r>1$일 때 r

II 수열의 극한의 활용 본문 24쪽

01	1
02	$2\sqrt{2}$
03	1
04	$\dfrac{1}{4}$
05	$\sqrt{5}$
06	1
07	1
08	500대 이상

12 급수의 수렴과 발산 본문 26쪽

01	$\dfrac{1}{2}$, $\dfrac{1}{n+1}$, $\dfrac{1}{2}$, $\dfrac{3}{4}$, $\dfrac{3}{4}$
02	수렴, 1
03	수렴, 1
04	$\dfrac{1}{2}$, $\dfrac{1}{2}$, 1
05	2
06	$\dfrac{1}{2}$
07	$\dfrac{3}{2}$
08	$\dfrac{5}{2}$
09	4

13 급수와 수열의 극한 사이의 관계 본문 28쪽

01	발산
02	발산
03	수렴
04	0, 1

05	-3
06	$\dfrac{3}{4}$
07	①
08	0, -2
09	$\dfrac{3}{5}$
10	-7
11	12
12	9
13	②

14 등비급수의 수렴과 발산 본문 30쪽

01	$-\dfrac{1}{3}$, 수렴
02	발산
03	수렴
04	발산
05	수렴
06	발산
07	0, $x-2$, 3, 0, 3
08	$x<-1$, $x\geq1$
09	$x=2$ 또는 $-\dfrac{1}{2}<x<\dfrac{1}{2}$

15 등비급수의 합 본문 31

01	수렴, 3
02	발산
03	수렴, 4
04	발산
05	20
06	$\dfrac{81}{8}$
07	12

16 급수의 성질 본문 32

01	$\dfrac{4}{5}$, $\dfrac{1}{5}$, $\dfrac{4}{5}$, $\dfrac{1}{5}$, 1, $\dfrac{8}{3}$
02	$\dfrac{29}{4}$

03	4
04	$\dfrac{8}{5}$
05	8
06	54

17 등비급수의 활용 본문 33쪽

01	$\dfrac{3}{2}$
02	1
03	$2\sqrt{2}$
04	$1+\sqrt{3}$
05	4
06	$\dfrac{2}{3}$
07	$\dfrac{9}{2}\pi$
08	$\dfrac{6\pi-9\sqrt{3}}{20}$
09	$\left(\dfrac{100}{181},\dfrac{90}{181}\right)$
10	$\left(\dfrac{100}{149},\dfrac{70}{149}\right)$
11	$\left(\dfrac{9}{13},\dfrac{6}{13}\right)$
12	$\dfrac{4}{3}$
13	(1) 0.6^{n}톤 (2) 1.5톤
14	30만 톤
15	1111.11원
16	25714개

Ⅱ. 미분법

01 지수함수의 극한 본문 42쪽

01	∞

02	0
03	0
04	(가) 4^{x} (나) $\dfrac{1}{2}$ (다) 0 (라) 1
05	-1
06	5
07	32

02 로그함수의 극한 본문 43쪽

01	∞
02	$-\infty$
03	$-\infty$
04	1, 1, 1, 0
05	2
06	2
07	2
08	1
09	-2

03 무리수 e와 자연로그 본문 44쪽

01	6, 6
02	e^{3}
03	e^{6}
04	$\dfrac{1}{e^{4}}$
05	e^{2}
06	$\dfrac{1}{\sqrt{e}}$
07	e^{3}
08	$\dfrac{1}{\sqrt{e}}$
09	$e^{-\frac{3}{2}}$
10	e^{2}
11	e^{-4}
12	e^{2}
13	$\sqrt{e}$
14	3

15	$-\dfrac{1}{2}$
16	2
17	2
18	$2\sqrt{2}$
19	2, 2, 2, 2
20	$\dfrac{1}{2}$
21	5
22	$\dfrac{1}{2}$
23	1
24	2, 2, 2
25	2
26	1
27	4
28	$-\dfrac{1}{2}$
29	$\dfrac{1}{2},\ \dfrac{1}{2},\ \dfrac{1}{2\ln 3}$
30	$\dfrac{1}{4\ln 3}$
31	$\dfrac{1}{5\ln 5}$
32	$-\dfrac{1}{\ln 2}$
33	$\dfrac{1}{2\ln 2}$
34	$\dfrac{1}{3},\ \dfrac{1}{3},\ \dfrac{2}{3}\ln 2$
35	$3\ln 2 - \ln 3$
36	$\dfrac{1}{\ln 7}$
37	$\dfrac{1}{3}\ln 6$
38	4
39	7
40	2
41	10
42	4
43	1
44	$\dfrac{1}{e-1}$
45	3
46	10

04 지수함수와 로그함수의 도함수

본문 50쪽

01	$y'=2x+e^x$
02	$y'=(1+x)e^x$
03	$y'=4e^x-5^x\ln 5$
04	$y'=2x^2e^x(x+3)$
05	$y'=e^{2x}(2x^2+4x+1)$
06	$y'=e^{x+2}$
07	$y'=e^x+3$
08	$y'=xe^x(x+2)$
09	$y=\dfrac{1}{x}$
10	$y'=5\ln x+5$
11	$y'=\dfrac{1}{x}\left(1+\dfrac{1}{\ln 2}\right)$
12	$3\log_2 x+\dfrac{3x-1}{x\ln 2}$
13	$y'=x^2(3\ln x+3\ln 2+1)$
14	$y'=\dfrac{3(\ln x)^2}{x}$
15	$y'=2x+\dfrac{1}{x\ln 3}$
16	$y'=e^x\left(\ln x+\dfrac{1}{x}\right)-\dfrac{3}{x}$
17	$y'=2e^x$
18	$y'=2^{4x}\ln 2$
19	$y'=6^x\{(x-1)\ln 6+1\}$
20	$y'=3^x\ln 3+5^{x+1}\ln 5$
21	$y'=5^x\ln 5+e^{x-1}$
22	$y'=e^x(x^2+2x+4)-2x$
23	$y'=2^x\{(x-4)\ln 2+1\}$
24	$y'=(x+1)^2e^x$
25	$3+2e^2$
26	$1+\ln 2$
27	$\dfrac{3}{2}$
28	$y'=\dfrac{1}{x\ln 2}$
29	$y'=\log_2 x+\dfrac{x+2}{x\ln 2}$
30	$y'=e^x\left(\ln 5x+\dfrac{1}{x}\right)$
31	$y'=\dfrac{1}{x}\left(1+\dfrac{2}{\ln 5}\right)$

32	2
33	$\dfrac{e}{\ln 2}-1$
34	$e^{\frac{1}{e-1}}$
35	4
36	16
37	6
38	432
39	$a=\dfrac{1}{4},\ b=e^5$
40	$5e$

05 삼각함수의 덧셈정리

본문 54쪽

01	$-\dfrac{\sqrt{2}}{2}$
02	$\dfrac{\sqrt{2}}{4}(\sqrt{3}+1)$
03	$\dfrac{\sqrt{2}}{4}(\sqrt{3}+1)$
04	$\dfrac{\sqrt{2}}{4}(1-\sqrt{3})$
05	$-2+\sqrt{3}$
06	$-2-\sqrt{3}$
07	$-\sqrt{2}-\sqrt{6}$
08	$\dfrac{1}{12}-\dfrac{\sqrt{30}}{6}$
09	$\dfrac{1}{6}+\dfrac{\sqrt{6}}{3}$
10	$\dfrac{\sqrt{15}}{8}+\dfrac{\sqrt{3}}{8}$
11	73
12	$\dfrac{\sqrt{15}}{4}$
13	3
14	$-\dfrac{1}{6}$
15	1
16	$\dfrac{11}{7}$
17	$\dfrac{-3+\sqrt{34}}{5}$
18	$\dfrac{1}{2}$
19	49

06 삼각함수의 합성

본문 58쪽

01	$2,\ 2,\ \dfrac{\pi}{3},\ 2,\ \dfrac{\pi}{3}$
02	$2\sin\left(\theta+\dfrac{11}{6}\pi\right)$
03	$\sin\left(\theta+\dfrac{\pi}{6}\right)$
04	$\sin(\theta+60°)$
05	$\sin(\theta+330°)$
06	$\dfrac{1}{3}$
07	$a=-120°$
08	-3
09	-3
10	35
11	$\sqrt{5}$
12	-2
13	5

07 삼각함수의 극한

본문 61쪽

01	$\dfrac{\sqrt{3}}{2}$
02	$\dfrac{\sqrt{2}}{2}$
03	$\dfrac{\sqrt{3}}{3}$
04	1, 0
05	0
06	0
07	$2x,\ t,\ 2$
08	$\dfrac{1}{2}$
09	$\dfrac{1}{6},\ 6,\ \dfrac{1}{6},\ 6,\ \dfrac{1}{6},\ \dfrac{1}{3}$
10	3
11	$t,\ 1$
12	-3
13	-1
14	$\cos x,\ \cos^2 x,\ 2,\ 0$
15	$\dfrac{1}{2}$
16	0
17	3
18	3

05 $y''=2\ln x+3$

06 $y''=2(\cos^2 x-\sin^2 x)$

07 $-\dfrac{9}{32}$

08 $-\dfrac{3}{\ln 2}$

09 $-\dfrac{\sqrt{3}}{18}\pi^2$

10 24

11 $-5e^2$

12 $\dfrac{1}{2}$

I5 접선의 방정식
본문 82쪽

01 $\dfrac{1}{4},\ \dfrac{1}{4},\ \dfrac{1}{4},\ 1$

02 $y=x+1$

03 $y=\dfrac{1}{4}x+\ln 4-\dfrac{3}{4}$

04 $y=-\sqrt{2}x+\dfrac{3\sqrt{2}}{4}\pi$

05 $y=\dfrac{1}{e}x+\ln 2$

06 $0,\ 1,\ 1,\ 1$

07 $y=4x+\dfrac{1}{8}$

08 $y=\dfrac{1}{2}x+\dfrac{3}{2}+\ln 2$

09 $y=-x+\dfrac{\pi+6\sqrt{3}}{12}$

10 8

11 1

12 $e,\ e,\ e,\ \dfrac{x}{e}$

13 $y=ex-e$

14 $y=x-3$

15 20

16 $\dfrac{1}{2}$

I6 이계도함수와 함수의
극대 · 극소 본문 86쪽

01 $1,\ 1,\ \dfrac{1}{2},\ 1,\ \dfrac{1}{2}$

02 극댓값 -1

---

03 극솟값 $-\dfrac{1}{e}$

04 극댓값 $\dfrac{\sqrt{2}}{2}e^{\frac{\pi}{4}}$,

   극솟값 $-\dfrac{\sqrt{2}}{2}e^{\frac{5}{4}\pi}$

05 3

06 13

07 2

08 $\dfrac{8}{x^3},\ -1,\ 1,\ -2,\ -2,$

   $-4,\ 2,\ 2,\ 4$

09 극댓값 $\dfrac{1}{e}$

10 극댓값 $-\ln 2-\dfrac{5}{4}$,

   극솟값 -2

11 극댓값 $\dfrac{4}{e^2}$, 극솟값 0

12 7

13 $-\dfrac{2}{3}\pi+2\sqrt{3}$

I7 곡선의 오목과 볼록
본문 89쪽

01 $<,\ >$, 위, 아래

02 $(-\infty,\ 0),\ (1,\ \infty)$에서 위로 볼록, $(0,\ 1)$에서 아래로 볼록

03 $(0,\ \pi)$에서 위로 볼록, $(\pi,\ 2\pi)$에서 아래로 볼록

04 $(-\infty,\ -2)$에서 위로 볼록, $(-2,\ \infty)$에서 아래로 볼록

05 $6x-12,\ 2,\ 2,\ 2,\ 2,\ 2,\ 1$

06 $\left(\dfrac{3}{4}\pi,\ 0\right)$

07 $\left(\dfrac{\pi}{2},\ e^{\frac{\pi}{2}}\right)$

08 $-\dfrac{2x}{(x^2+3)^2},\ \dfrac{1}{4},\ \dfrac{1}{4},\ 2$

09 $2\sqrt{2}$

10 2

11 1

12 $-\dfrac{3}{e^2}$

13 e^2

---

14 $(1,\ 4)$

15 ㄴ, ㄷ

I8 함수의 그래프의
개형 본문 92쪽

01 해설 참조

02 해설 참조

03 해설 참조

04 해설 참조

05 해설 참조

06 해설 참조

07 해설 참조

08 ㄱ, ㄴ

09 ㄱ, ㄴ, ㄷ

I9 함수의 최대 · 최소
본문 95쪽

01 최댓값 1, 최솟값 -19

02 최댓값 1, 최솟값 $-\dfrac{1}{3}$

03 최댓값 $\dfrac{5}{4}$, 최솟값 1

04 최댓값 $e^2-\dfrac{1}{e^2}$, 최솟값 $\dfrac{1}{e}-e$

05 -1

06 $-\dfrac{4}{e}$

07 $-2e$

08 $3\sqrt{3}$

09 $\dfrac{1}{\sqrt{e}}$

10 $e+3$

11 2

12 $\dfrac{2}{\sqrt{e}}$

13 $\dfrac{2}{e}$

14 $6\pi+9\sqrt{3}$

15 2

16 2

---

20 방정식과 부등식에의
활용 본문 99쪽

01 2

02 0

03 1

04 0

05 $k>e$

06 $0<k<\dfrac{1}{e}$

07 $k>1$

08 ④

09 2

10 $0<k<\dfrac{1}{3e}$

11 $0\le k<1$

12 6

13 $\sin x-x^2-x$, $\cos x-2x-1$, $\cos x$, $0,\ <$

14 $e^x-\sin x-1$, $e^x-\cos x,\ 1,\ -1,\ 1$, $>$, 증가, $>$

15 $3e^{-\frac{4}{3}}$

16 7

17 $-\dfrac{1}{e^2}$

18 $0<a\le e$

19 $e\left(\dfrac{e}{2}-1\right)$

20 $2e-2$

2I 평면 운동에서의
속도와 가속도 본문 104쪽

01 (1) $6t+1,\ 6t+1$, $\quad 6t+1,\ 10$
   (2) $6,\ 6,\ 6,\ 2$

02 $\dfrac{\sqrt{5}}{4}$

03 $\sqrt{10}$

04 π

05 $\dfrac{4\sqrt{5}}{5}$

06 $(2,\ 0)$

07 2

08 ②

01 $-3,\ -3,\ -3,\ -\dfrac{1}{2x^2}$

02 $5\ln|x|+C$

03 $\dfrac{2}{5}x^2\sqrt{x}+\dfrac{2}{3}x\sqrt{x}+C$

04 $\dfrac{1}{2}x^2+\ln|x|+C$

05 $\dfrac{1}{2}x^2-4x-\dfrac{3}{x}+C$

06 $5x+3\ln|x|+C$

07 $\dfrac{1}{2}x^2+2x+C$

08 $\dfrac{3}{5}x^3\sqrt{x^2}+\dfrac{3}{4}x\sqrt[3]{x}+x+C$

09 $\dfrac{40}{3}$

10 $20\sqrt{5}+\dfrac{8}{5}$

11 $\dfrac{5}{2}$

12 $4,\ 2$

13 $e^{x-1}+C$

14 $e^x+\dfrac{2^{2x}}{\ln 2}+C$

15 $\dfrac{5^{2x}}{2\ln 5}+2\cdot\dfrac{5^x}{\ln 5}+x+C$

16 e^x+x+C

17 e^x+x+C

18 $\dfrac{3^x}{\ln 3}+x+C$

19 $3e^x+\dfrac{2^{x+1}}{\ln 2}+C$

20 $\dfrac{2}{\ln 2}+e^2-e$

21 $\dfrac{e^2}{3}+\dfrac{2}{3}e+1$

22 $f(x)=\dfrac{1}{x}-\dfrac{1}{2e^{2x}}-1$

23 $\tan x+x+C$

24 $x+\cos x+C$

25 $\tan x+C$

26 $\tan x-x+C$

27 $x+\tan x+C$

28 $\tan x-\cot x+C$

29 $6x-2\sin x-4\cos x+C$

30 $6\sin x-3\,x+C$

31 2

32 $-\sqrt{3}+\dfrac{\pi}{12}$

01 $dt,\ \dfrac{1}{4},\ \dfrac{1}{4}$

02 $\dfrac{1}{3}(x^3-1)^3+C$

03 $\dfrac{1}{2}(x^2-2x-4)^2+C$

04 $-\dfrac{1}{3}\cos^3 x+C$

05 $\dfrac{1}{2}\tan^2 x+C$

06 $e^{x^1}+C$

07 $\dfrac{1}{2}(\ln 3x)^2+C$

08 $\dfrac{1}{16}(4x+1)^4+C$

09 $\dfrac{1}{2}x^2+C$

10 $-e^{-x}+C$

11 $-\dfrac{1}{2}\cos 2x+C$

12 $\dfrac{1}{3}$

13 $\sqrt{e}-1$

14 250

15 $\sqrt{3}+1$

16 $2e^3$

17 $\dfrac{5}{6}$

18 $\dfrac{3}{2}$

19 $t=f(x),\ f'(x),\ \dfrac{1}{t},$ $\ln|t|$

20 $\ln|e^x+x|+C$

21 $\dfrac{1}{2}\ln|x^2+2x-1|+C$

22 $\ln|\ln 2x|+C$

23 $-\ln|\cos x|+C$

24 $\ln 2$

25 $2\log_3 2$

26 $2\ln 3$

01 $x\sin x+\cos x+C$

02 $-(3x+2)\cos x+3\sin x+C$

03 $x\ln x-x+C$

04 $\dfrac{e^{2x}(2x-3)}{4}+C$

05 $\dfrac{1}{2}x^2\ln x-\dfrac{1}{4}x^2+C$

06 $-\dfrac{1}{2}(2x-1)\cos 2x$ $+\dfrac{1}{2}\sin 2x+C$

07 ①

08 $\dfrac{2}{9}e^3+e^2+\dfrac{19}{9}$

09 1

10 $4\ln 2$

11 $x^2,\ 2x,\ 2xe^x,\ 2xe^x,\ 2x,$ $2,\ 2xe^x,\ 2xe^x,\ 2xe^x,$ $x^2e^x-2xe^x+2e^x+C$

12 $x(\ln x)^2-2x\ln x+2x+C$

13 $(x^2-3x-2)\sin x$ $+(2x-3)\cos x+C$

14 $\dfrac{1}{2}x^2(\ln x)^2-\dfrac{1}{2}x^2\ln x$ $+\dfrac{1}{4}x^2+C$

15 $(-x^2+2)\cos x$ $+2x\sin x+C$

16 $\dfrac{e^{2x}}{5}(\sin x+2\cos x)+C$

17 $\dfrac{e^{-x}}{2}(\sin x-\cos x)+C$

18 ③

19 $2e^2$

20 4

21 $-\dfrac{1}{\pi}$

22 0

01 $\dfrac{n(n+1)}{2},\ \dfrac{1}{4}$

02 $\dfrac{4}{3}$

03 $\dfrac{1}{3}a^2h$

01 $2,\ 4$

02 9

03 6

04 12

01 $\dfrac{112}{15}$

02 e^2-2e+1

03 $9e+2\ln 2$

04 $4-\dfrac{3}{e}$

05 $\ln 2$

06 $\dfrac{77}{2\ln 2}$

07 $3e+\dfrac{2}{\ln 2}-3$

08 $\dfrac{\pi}{2}-1$

09 $\sqrt{3}$

10 $2-\ln 3$

11 12π

12 299

13 $\dfrac{1}{3}$

14 $20\sqrt{30}-18$

15 $\dfrac{1}{2}(e^5-e)$

16 $\dfrac{4}{3}$

17 $2(e-1)$

18 $\dfrac{\pi}{9}$

19 $\dfrac{\pi}{12}$

20 $\dfrac{7}{12}\pi$

21 3

22 2

23 $2\ln 2$

24 $\ln(e+1)$

25 $\dfrac{1}{2}\ln 7$

26 $\dfrac{1}{2}\ln 2$

27 $\dfrac{1}{4}$

28 $2\ln 2-1$

29 $\dfrac{1}{2}\left(e^{\frac{\pi}{2}}-1\right)$

30 $-\dfrac{\pi}{2}$

31 ④

07 정적분과 급수의 합 사이의 관계 본문 136쪽

01 $\dfrac{2}{3}$

02 2

03 4

04 $\dfrac{1}{2}(e^5-e)$

05 $\ln 2$

06 $\dfrac{1}{8}\ln 5$

07 $\dfrac{1}{3}\ln 2$

08 $2\ln 2-1$

09 2

10 $\dfrac{1}{2}$

11 $\dfrac{1}{2}e^2-\dfrac{1}{2}$

12 e^3+8

13 -1

14 $\ln 3-\ln 2$

---

15 $\dfrac{1}{2}(e^4-1)$

16 π

17 $\dfrac{1}{4}$

18 ③

08 곡선으로 둘러싸인 도형의 넓이 본문 140쪽

01 $-\sqrt{x}+1,\ \sqrt{x}-1,$
  $\dfrac{4}{3}(\sqrt{2}-1)$

02 $e-1$

03 $e-2\ln 2$

04 $2-2\ln 5+2\ln 3$

05 2

06 2

07 $e-\dfrac{1}{e}$

08 $e^y,\ e^y,\ e^y,\ e-1$

09 $2\ln 2$

10 $2e^3+1$

11 39

12 $3\sqrt[3]{4}$

13 ⑤

14 $\geq,\ \sin x-\cos x,$
  $-\cos x-\sin x,\ 2\sqrt{2}$

15 $2\sqrt{2}$

16 $\dfrac{3\sqrt{3}}{2}$

17 $\dfrac{9}{4\ln 2}$

18 9

19 $2\ln 2-1$

20 $\dfrac{1}{4}e^2$

21 4

22 $e-1$

23 $\dfrac{\pi}{2}-\dfrac{2}{\pi}$

09 입체도형의 부피

본문 145쪽

---

01 $\dfrac{A}{h^2}x^2,\ \dfrac{A}{h^2}x^2,\ \dfrac{x_3}{3},$
  $\dfrac{1}{3}Ah$

02 $\dfrac{250}{3}$

03 $\sqrt{3}\pi$

04 $\dfrac{\pi}{4}$

05 $\dfrac{625}{3}\pi$

06 $\dfrac{250\sqrt{3}}{3}$

07 $\dfrac{3}{2}$

08 $-6+6\ln 6$

09 8

10 $\sqrt{3}(e^2-1)$

11 $e+\dfrac{15}{2}$

12 $\dfrac{\pi}{2}$

10 속도와 거리 본문 148쪽

01 $4t,\ 3t,\ 4t,\ 3t,\ 5t,\ \dfrac{5}{2}t^2,$
  20

02 $\dfrac{13}{3}$

03 4

04 5π

05 $1,\ \dfrac{1}{2},\ x^2+\dfrac{1}{4x^2},$
  $x^2+\dfrac{1}{4x^2},\ \dfrac{1}{3}x^3-\dfrac{1}{4x},$
  $\dfrac{53}{6}$

06 $e-\dfrac{1}{e}$

07 3

08 ③

친절한 해설

I. 수열의 극한

01 수열의 수렴과 발산 본문 8쪽

01 n이 한없이 커질 때, 일반항 $\dfrac{1}{n}$의 값은 0에 한없이 가까워진다.

$\therefore \lim\limits_{n\to\infty}\dfrac{1}{n}=0$

02 n이 한없이 커질 때, 일반항 $\dfrac{1}{2n}$의 값은 0에 한없이 가까워진다.

$\therefore \lim\limits_{n\to\infty}\dfrac{1}{2n}=0$

03 n이 한없이 커져도 주어진 수열의 일반항의 값은 항상 2로 일정하다. 따라서 이 수열은 2로 수렴한다.

$\therefore \lim\limits_{n\to\infty}2=2$

05 n이 한없이 커질 때, 일반항 $\dfrac{n+1}{n}=1+\dfrac{1}{n}$의 값은 1에 한없이 가까워진다.

$\therefore \lim\limits_{n\to\infty}\dfrac{n+1}{n}=1$

06 n이 한없이 커질 때, 일반항 $\dfrac{n+2}{n}=1+\dfrac{2}{n}$의 값은 1에 한없이 가까워진다.

$\therefore \lim\limits_{n\to\infty}\dfrac{n+2}{n}=1$

07 n이 한없이 커질 때, 일반항 $\dfrac{(-1)^n}{n^2}$의 값은 0에 한없이 가까워진다.

$\therefore \lim\limits_{n\to\infty}\dfrac{(-1)^n}{n^2}=0$

08 n이 한없이 커질 때, 일반항 $(-1)^n\dfrac{1}{2^{n-1}}$의 값은 0에 한없이 가까워진다.

$\therefore \lim\limits_{n\to\infty}(-1)^n\dfrac{1}{2^{n-1}}=0$

09 n이 한없이 커져도 주어진 수열의 일반항의 값은 항상 -3으로 일정하다. 따라서 이 수열은 -3으로 수렴한다.

$\therefore \lim\limits_{n\to\infty}(-3)=-3$

10 n이 한없이 커질 때, 일반항 $(-1)^{n+1}\cdot5$의 값이 5와 -5의 값이 주기적으로 반복하며 진동하므로 발산한다.

12 수열 $\{-2n+3\}$은 1, -1, -3, $\cdots$이므로 음의 무한대로 발산한다.

$\therefore \lim\limits_{n\to\infty}(-2n+3)=-\infty$

13 n이 한없이 커질 때, 일반항 $2+\left(-\dfrac{1}{3}\right)^n$의 값은 2에 한없이 가까워지므로 이 수열은 수렴한다.

$\therefore \lim\limits_{n\to\infty}\left\{2+\left(-\dfrac{1}{3}\right)^n\right\}=2$

14 수열 $\{3+(-1)^n\}$은 2, 4, 2, 4, 2, $\cdots$이므로 진동한다. 즉 발산한다.

15 n이 한없이 커질 때, 일반항 $\dfrac{7}{n^2}$의 값은 0에 한없이 가까워지므로 이 수열은 수렴한다.

$\therefore \lim\limits_{n\to\infty}\dfrac{7}{n^2}=0$

16 n이 한없이 커질 때, 일반항 $\dfrac{n^2}{5n}=\dfrac{n}{5}$의 값은 양의 무한대로 발산한다.

$\therefore \lim\limits_{n\to\infty}\dfrac{n^2}{5}=\infty$

17 n이 한없이 커질 때, 일반항 $5+\left(-\dfrac{1}{2}\right)^n$의 값은 5에 한없이 가까워진다.

$\therefore \lim\limits_{n\to\infty}\left\{5+\left(-\dfrac{1}{2}\right)^n\right\}=5$

18 n이 한없이 커질 때, 일반항 $\dfrac{(-1)^n}{n^2}$의 값은 0에 한없이 가까워진다.

$\therefore \lim\limits_{n\to\infty}\left\{\dfrac{(-1)^n}{n^2}\right\}=0$

19 n이 한없이 커질 때, 일반항 n^2-n의 값은 양의 무한대로 발산한다.

$\therefore \lim\limits_{n\to\infty}\{n^2-n\}=\infty$

20 n이 한없이 커질 때, 분모 $2^n+(-1)^n$의 값이 한없이 커지므로 일반항 $\dfrac{1}{2^n+(-1)^n}$의 값은 0에 한없이 가까워진다.

$\therefore \lim\limits_{n\to\infty}\left\{\dfrac{1}{2^n+(-1)^n}\right\}=0$

21 ㄱ. $n\to\infty$일 때, $1.03^n\to\infty$

ㄴ. $n\to\infty$일 때, $(-0.9)^n\to0$

ㄷ. $n\to\infty$일 때, $\left(\dfrac{2}{5}\right)^n\to0$

ㄹ. $n\to\infty$일 때, $-n^2+3\to-\infty$

따라서 수렴하는 수열은 ㄴ, ㄷ이다.

02 수열의 극한에 대한 기본 성질 본문 10쪽

01 $\lim\limits_{n\to\infty}(2a_n+b_n)=\lim\limits_{n\to\infty}2a_n+\lim\limits_{n\to\infty}b_n$
$=2\lim\limits_{n\to\infty}a_n+\lim\limits_{n\to\infty}b_n$
$=2\cdot3+2=8$

02 $\lim\limits_{n\to\infty}(3b_n-a_n)=\lim\limits_{n\to\infty}3b_n-\lim\limits_{n\to\infty}a_n$
$=3\lim\limits_{n\to\infty}b_n-\lim\limits_{n\to\infty}a_n$
$=3\cdot2-3=3$

03 $\lim\limits_{n\to\infty}a_nb_n=\lim\limits_{n\to\infty}a_n\times\lim\limits_{n\to\infty}b_n=3\times2=6$

04 $\lim\limits_{n\to\infty}\dfrac{2a_n}{3b_n}=\dfrac{\lim\limits_{n\to\infty}2a_n}{\lim\limits_{n\to\infty}3b_n}=\dfrac{2\times3}{3\times2}=1$

05 $\lim\limits_{n\to\infty}(a_n-2b_n)^2$
$=\lim\limits_{n\to\infty}(a_n{}^2-4a_n\cdot b_n+4b_n{}^2)$
$=\lim\limits_{n\to\infty}a_n{}^2-4\lim\limits_{n\to\infty}a_n\cdot b_n+4\lim\limits_{n\to\infty}b_n{}^2$
$=\lim\limits_{n\to\infty}a_n\cdot\lim\limits_{n\to\infty}a_n-4\lim\limits_{n\to\infty}a_n\cdot\lim\limits_{n\to\infty}b_n+4\lim\limits_{n\to\infty}b_n\cdot\lim\limits_{n\to\infty}b$

$$=3\cdot3-4\cdot3\cdot2+4\cdot2\cdot2=1$$

06 $\displaystyle\lim_{n\to\infty}\frac{3a_n-b_n+5}{a_nb_n}=\frac{3\lim\limits_{n\to\infty}a_n-\lim\limits_{n\to\infty}b_n+\lim\limits_{n\to\infty}5}{\lim\limits_{n\to\infty}a_n\cdot\lim\limits_{n\to\infty}b_n}$

$$=\frac{3\cdot3-2+5}{3\cdot2}=2$$

07 ① $\displaystyle\lim_{n\to\infty}(a_n-2b_n)=2-2\times(-3)=8$

② $\displaystyle\lim_{n\to\infty}(2a_n+b_n)=2\times2+(-3)=1$

③ $\displaystyle\lim_{n\to\infty}a_nb_n=2\times(-3)=-6$

④ $\displaystyle\lim_{n\to\infty}2(a_n-b_n)=2\{2-(-3)\}=10$

⑤ $\displaystyle\lim_{n\to\infty}\frac{3a_n}{2b_n}=\frac{3\times2}{2\times(-3)}=-1$

08 $\displaystyle\lim_{n\to\infty}\left(3+\frac{5}{n}\right)=\lim_{n\to\infty}3+\lim_{n\to\infty}\frac{5}{n}$

$$=3+0=3$$

09 $\displaystyle\lim_{n\to\infty}\left(5-\frac{1}{n+2}\right)=\lim_{n\to\infty}5-\lim_{n\to\infty}\frac{1}{n+2}$

$$=5-0=5$$

10 $\displaystyle\lim_{n\to\infty}\left(\frac{3}{n}+\frac{2}{n^2}\right)=\lim_{n\to\infty}\frac{3}{n}+\lim_{n\to\infty}\frac{2}{n^2}$

$$=0+0=0$$

11 $\displaystyle\lim_{n\to\infty}\left(\frac{1}{n}-\frac{4}{n^2}\right)=\lim_{n\to\infty}\frac{1}{n}-\lim_{n\to\infty}\frac{4}{n^2}$

$$=0-0=0$$

12 $\displaystyle\lim_{n\to\infty}\left(1+\frac{2}{n}\right)\left(3-\frac{4}{n}\right)=\lim_{n\to\infty}\left(1+\frac{2}{n}\right)\times\lim_{n\to\infty}\left(3-\frac{4}{n}\right)$

$$=\left(\lim_{n\to\infty}1+\lim_{n\to\infty}\frac{2}{n}\right)\times\left(\lim_{n\to\infty}3-\lim_{n\to\infty}\frac{4}{n}\right)$$

$$=(1+0)\times(3-0)=1\times3=3$$

13 $\displaystyle\lim_{n\to\infty}\left(2-\frac{4}{n}\right)\left(3+\frac{6}{n}\right)=\lim_{n\to\infty}\left(2-\frac{4}{n}\right)\times\lim_{n\to\infty}\left(3+\frac{6}{n}\right)$

$$=\left(\lim_{n\to\infty}2-\lim_{n\to\infty}\frac{4}{n}\right)\times\left(\lim_{n\to\infty}3+\lim_{n\to\infty}\frac{6}{n}\right)$$

$$=(2-0)\times(3+0)=2\times3=6$$

14 $\displaystyle\lim_{n\to\infty}\frac{2+\dfrac{3}{n}}{5-\dfrac{4}{n}}=\frac{\lim\limits_{n\to\infty}\left(2+\dfrac{3}{n}\right)}{\lim\limits_{n\to\infty}\left(5-\dfrac{4}{n}\right)}=\frac{\lim\limits_{n\to\infty}2+\lim\limits_{n\to\infty}\dfrac{3}{n}}{\lim\limits_{n\to\infty}5-\lim\limits_{n\to\infty}\dfrac{4}{n}}$

$$=\frac{2+0}{5-0}=\frac{2}{5}$$

15 $\displaystyle\lim_{n\to\infty}\frac{1+\dfrac{3}{n^2}}{4-\dfrac{2}{n}}=\frac{\lim\limits_{n\to\infty}\left(1+\dfrac{3}{n^2}\right)}{\lim\limits_{n\to\infty}\left(4-\dfrac{2}{n}\right)}=\frac{\lim\limits_{n\to\infty}1+\lim\limits_{n\to\infty}\dfrac{3}{n^2}}{\lim\limits_{n\to\infty}4-\lim\limits_{n\to\infty}\dfrac{2}{n}}$

$$=\frac{1+0}{4-0}=\frac{1}{4}$$

16 $\displaystyle\lim_{n\to\infty}\left(\frac{2}{n}-\frac{4}{n^5}\right)=\lim_{n\to\infty}\frac{2}{n}-\lim_{n\to\infty}\frac{4}{n^5}$

$$=0-0=0$$

03 유리식의 극한 _{본문 12쪽}

01 $\displaystyle\lim_{n\to\infty}\frac{4n+1}{2n-3}=\lim_{n\to\infty}\frac{4+\dfrac{1}{n}}{2-\dfrac{3}{n}}=\frac{4+0}{2-0}=2$

02 $\displaystyle\lim_{n\to\infty}\frac{3n+2}{n^2+3n-1}=\lim_{n\to\infty}\frac{\dfrac{3}{n}+\dfrac{2}{n^2}}{1+\dfrac{3}{n}-\dfrac{1}{n^2}}=\frac{0}{1}=0$

03 $\displaystyle\lim_{n\to\infty}\frac{6n^2-2n+1}{2n^2+3}=\lim_{n\to\infty}\frac{6-\dfrac{2}{n}+\dfrac{1}{n^2}}{2+\dfrac{3}{n^2}}=\frac{6}{2}=3$

04 $\displaystyle\lim_{n\to\infty}\frac{n^3-4n+1}{4n^3-n}=\lim_{n\to\infty}\frac{1-\dfrac{4}{n^2}+\dfrac{1}{n^3}}{4-\dfrac{1}{n^2}}=\frac{1}{4}$

05 $\displaystyle\lim_{n\to\infty}\frac{2n^2+3n-2}{(n-1)(n-2)}=\lim_{n\to\infty}\frac{2n^2+3n-2}{n^2-3n+2}$

$$=\lim_{n\to\infty}\frac{2+\dfrac{3}{n}-\dfrac{2}{n^2}}{1-\dfrac{3}{n}+\dfrac{2}{n^2}}$$

$$=\frac{2+0-0}{1-0+0}=2$$

06 $\displaystyle\lim_{n\to\infty}\frac{n^2-n}{n(3n-1)}=\lim_{n\to\infty}\frac{n^2-n}{3n^2-n}$

$$=\lim_{n\to\infty}\frac{1-\dfrac{1}{n}}{3-\dfrac{1}{n}}=\frac{1}{3}$$

07 $\displaystyle\lim_{n\to\infty}\frac{(n+1)(3n-1)}{2n^2+1}=\lim_{n\to\infty}\frac{3n^2+2n-1}{2n^2+1}$

$$=\lim_{n\to\infty}\frac{3+\dfrac{2}{n}-\dfrac{1}{n^2}}{2+\dfrac{1}{n^2}}=\frac{3}{2}$$

08 $\displaystyle\lim_{n\to\infty}\frac{1+2+3+\cdots+n}{n^2-2n}=\lim_{n\to\infty}\frac{\dfrac{1}{2}n(n+1)}{n^2-2n}$

$$=\lim_{n\to\infty}\frac{\dfrac{1}{2}\cdot1\cdot\left(1+\dfrac{1}{n}\right)}{1-\dfrac{2}{n}}=\frac{1}{2}$$

09 $1^2+2^2+\cdots+n^2=\dfrac{n(n+1)(2n+1)}{6}$

$\displaystyle\lim_{n\to\infty}\frac{1^2+2^2+3^2+\cdots+n^2}{n^3}=\lim_{n\to\infty}\frac{\dfrac{n(n+1)(2n+1)}{6}}{n^3}$

$$=\lim_{n\to\infty}\frac{n(n+1)(2n+1)}{6n^3}$$

$$=\lim_{n\to\infty}\frac{1\cdot\left(1+\dfrac{1}{n}\right)\left(2+\dfrac{1}{n}\right)}{6}$$

$$=\frac{2}{6}=\frac{1}{3}$$

10 $\displaystyle\lim_{n\to\infty}\frac{(1+2+\cdots+n)^2}{(n+1)(1^2+2^2+\cdots+n^2)}$

$$=\lim_{n\to\infty}\frac{\left\{\dfrac{1}{2}n(n+1)\right\}^2}{(n+1)\dfrac{1}{6}n(n+1)(2n+1)}$$

$$=\lim_{n\to\infty}\frac{\dfrac{1}{4}n^2(n+1)^2}{(n+1)\dfrac{1}{6}n(n+1)(2n+1)}$$

$$=\lim_{n\to\infty}\frac{\frac{1}{4}n}{\frac{1}{6}(2n+1)}=\lim_{n\to\infty}\frac{\frac{1}{4}}{\frac{1}{6}\left(2+\frac{1}{n}\right)}=\frac{3}{4}$$

11
$$\lim_{n\to\infty}\frac{1+3+5+\cdots+(2n-1)}{4n^2+1}$$
$$=\lim_{n\to\infty}\frac{\sum\limits_{k=1}^{n}(2k-1)}{4n^2+1}=\lim_{n\to\infty}\frac{2\sum\limits_{k=1}^{n}k-n}{4n^2+1}$$
$$=\lim_{n\to\infty}\frac{2\cdot\frac{n(n+1)}{2}-n}{4n^2+1}=\lim_{n\to\infty}\frac{n^2}{4n^2+1}$$
$$=\lim_{n\to\infty}\frac{1}{4+\frac{1}{n^2}}=\frac{1}{4}$$

12
$$\lim_{n\to\infty}\frac{1}{n^3}\sum_{k=1}^{n}k(k+2)=\lim_{n\to\infty}\frac{1}{n^3}\left(\sum_{k=1}^{n}k^2+2\sum_{k=1}^{n}k\right)$$
$$=\lim_{n\to\infty}\frac{1}{n^3}\left\{\frac{1}{6}n(n+1)(2n+1)+n(n+1)\right\}$$
$$=\lim_{n\to\infty}\frac{1}{6}\cdot1\cdot\left(1+\frac{1}{n}\right)\left(2+\frac{1}{n}\right)+1\cdot\left(1+\frac{1}{n}\right)\frac{1}{n}$$
$$=\frac{1}{6}\cdot1\cdot1\cdot2+1\cdot1\cdot0=\frac{1}{3}$$

13
$$\lim_{n\to\infty}\left\{\left(1+\frac{1}{2}\right)\left(1+\frac{1}{3}\right)\cdots\left(1+\frac{1}{n+1}\right)\right\}^2\cdot\frac{1}{1+2+\cdots+n}$$
$$=\lim_{n\to\infty}\left(\frac{3}{2}\cdot\frac{4}{3}\cdot\frac{5}{4}\cdots\cdots\frac{n+2}{n+1}\right)^2\cdot\frac{2}{n(n+1)}$$
$$=\lim_{n\to\infty}\left(\frac{n+2}{2}\right)^2\cdot\frac{2}{n(n+1)}=\frac{1}{2}$$

○4 무리식의 극한 본문 14쪽

01 $\sqrt{n^2+5n}-n=\dfrac{\sqrt{n^2+5n}-n}{1}$ 으로 보고 분자를 유리화하면
$$\lim_{n\to\infty}(\sqrt{n^2+5n}-n)$$
$$=\lim_{n\to\infty}\frac{(\sqrt{n^2+5n}-n)(\sqrt{n^2+5n}+n)}{\sqrt{n^2+5n}+n}$$
$$=\lim_{n\to\infty}\frac{(n^2+5n)-n^2}{\sqrt{n^2+5n}+n}=\lim_{n\to\infty}\frac{5n}{\sqrt{n^2+5n}+n}$$
$$=\lim_{n\to\infty}\frac{5}{\sqrt{1+\frac{5}{n}}+1}=\frac{5}{1+1}=\frac{5}{2}$$

02
$$\lim_{n\to\infty}\sqrt{9n^2+6n}-3n$$
$$=\lim_{n\to\infty}\frac{(\sqrt{9n^2+6n}-3n)(\sqrt{9n^2+6n}+3n)}{\sqrt{9n^2+6n}+3n}$$
$$=\lim_{n\to\infty}\frac{6n}{\sqrt{9n^2+6n}+3n}=\lim_{n\to\infty}\frac{6}{\sqrt{9+\frac{6}{n}}+1}=\frac{6}{3+3}=1$$

03
$$\lim_{n\to\infty}(\sqrt{n^2+2n+3}-n)$$
$$=\lim_{n\to\infty}\frac{(\sqrt{n^2+2n+3}-n)(\sqrt{n^2+2n+3}+n)}{\sqrt{n^2+2n+3}+n}$$
$$=\lim_{n\to\infty}\frac{2n+3}{\sqrt{n^2+2n+3}+n}=\lim_{n\to\infty}\frac{2+\frac{3}{n}}{\sqrt{1+\frac{2}{n}+\frac{3}{n^2}}+1}=1$$

04 $\lim\limits_{n\to\infty}(\sqrt{n^2+1}-\sqrt{n^2-5})$

$$=\lim_{n\to\infty}\frac{(\sqrt{n^2+1}-\sqrt{n^2-5})(\sqrt{n^2+1}+\sqrt{n^2-5})}{\sqrt{n^2+1}+\sqrt{n^2-5}}$$
$$=\lim_{n\to\infty}\frac{(n^2+1)-(n^2-5)}{\sqrt{n^2+1}+\sqrt{n^2-5}}=\lim_{n\to\infty}\frac{6}{\sqrt{n^2+1}+\sqrt{n^2-5}}$$
$$=\lim_{n\to\infty}\frac{\frac{6}{n}}{\sqrt{1+\frac{1}{n^2}}+\sqrt{1-\frac{5}{n^2}}}=0$$

05
$$\lim_{n\to\infty}(\sqrt{n^2+3n}-\sqrt{n^2-n})$$
$$=\lim_{n\to\infty}\frac{(n^2+3n)-(n^2-n)}{\sqrt{n^2+3n}+\sqrt{n^2-n}}$$
$$=\lim_{n\to\infty}\frac{4n}{\sqrt{n^2+3n}+\sqrt{n^2-n}}$$
$$=\lim_{n\to\infty}\frac{4}{\sqrt{1+\frac{3}{n}}+\sqrt{1-\frac{1}{n}}}=2$$

06
$$\lim_{n\to\infty}(\sqrt{4n^2+2n-3}-2n)$$
$$=\lim_{n\to\infty}\frac{2n-3}{\sqrt{4n^2+2n-3}+2n}$$
$$=\lim_{n\to\infty}\frac{2-\frac{3}{n}}{\sqrt{4+\frac{2}{n}-\frac{3}{n^2}}+2}=\frac{1}{2}$$

07
$$\lim_{n\to\infty}\frac{1}{\sqrt{n^2+4n}-n}$$
$$=\lim_{n\to\infty}\frac{\sqrt{n^2+4n}+n}{(\sqrt{n^2+4n}-n)(\sqrt{n^2+4n}+n)}$$
$$=\lim_{n\to\infty}\frac{\sqrt{n^2+4n}+n}{(n^2+4n)-n^2}=\lim_{n\to\infty}\frac{\sqrt{n^2+4n}+n}{4n}$$
$$=\lim_{n\to\infty}\frac{\sqrt{1+\frac{4}{n}}+1}{4}=\frac{1+1}{4}=\frac{1}{2}$$

08
$$\lim_{n\to\infty}\frac{4}{n-\sqrt{n^2-3n}}$$
$$=\lim_{n\to\infty}\frac{4(n+\sqrt{n^2-3n})}{(n-\sqrt{n^2-3n})(n+\sqrt{n^2-3n})}$$
$$=\lim_{n\to\infty}\frac{4(n+\sqrt{n^2-3n})}{n^2-(n^2-3n)}=\lim_{n\to\infty}\frac{4(n+\sqrt{n^2-3n})}{3n}$$
$$=\lim_{n\to\infty}\frac{4\left(1+\sqrt{1-\frac{3}{n}}\right)}{3}=\frac{8}{3}$$

09
$$\lim_{n\to\infty}\frac{1}{\sqrt{n^2+n}-\sqrt{n^2-n}}$$
$$=\lim_{n\to\infty}\frac{\sqrt{n^2+n}+\sqrt{n^2-n}}{(\sqrt{n^2+n}-\sqrt{n^2-n})(\sqrt{n^2+n}+\sqrt{n^2-n})}$$
$$=\lim_{n\to\infty}\frac{\sqrt{n^2+n}+\sqrt{n^2-n}}{(n^2+n)-(n^2-n)}=\lim_{n\to\infty}\frac{\sqrt{n^2+n}+\sqrt{n^2-n}}{2n}$$
$$=\lim_{n\to\infty}\frac{\sqrt{1+\frac{1}{n}}+\sqrt{1-\frac{1}{n}}}{2}=\frac{2}{2}=1$$

10
$$\lim_{n\to\infty}\frac{6}{\sqrt{n^2-3n}-\sqrt{n^2-1}}$$
$$=\lim_{n\to\infty}\frac{6(\sqrt{n^2-3n}+\sqrt{n^2-1})}{(n^2-3n)-(n^2-1)}$$
$$=\lim_{n\to\infty}\frac{6(\sqrt{n^2-3n}+\sqrt{n^2-1})}{-3n+1}$$

$$=\lim_{n\to\infty}\frac{6\left(1-\dfrac{3}{n}+1-\dfrac{1}{n^2}\right)}{-3+\dfrac{1}{n}}$$

$$=\frac{6(1+1)}{-3}=-4$$

11 $\displaystyle\lim_{n\to\infty}\frac{\sqrt{5n+1}\sqrt{5n-1}+\sqrt{n+2}\sqrt{n-2}}{4n}$

$$=\lim_{n\to\infty}\frac{\sqrt{25n^2-1}+\sqrt{n^2-4}}{4n}$$

$$=\lim_{n\to\infty}\frac{\sqrt{25-\dfrac{1_2}{n}}+\sqrt{1-\dfrac{4_2}{n}}}{4}$$

$$=\frac{5+1}{4}=\frac{3}{2}$$

12 $\displaystyle\lim_{n\to\infty}\frac{2n+1}{\sqrt{9n^2+1}-n}=\lim_{n\to\infty}\frac{2+\dfrac{1}{n}}{\sqrt{9+\dfrac{1}{n^2}}-1}$

$$=\frac{2}{3-1}=1$$

05 수열의 수렴, 발산 판별 본문 16쪽

01 $\displaystyle\lim_{n\to\infty}\frac{3n^2-2n}{2n+4}=\lim_{n\to\infty}\frac{3n-2}{2+\dfrac{4}{n}}=\frac{\infty}{2}=\infty$

02 $\displaystyle\lim_{n\to\infty}\frac{1-4n-2n^3}{1+3n}=\lim_{n\to\infty}\frac{\dfrac{1}{n}-4-2n^2}{\dfrac{1}{n}+3}=\frac{-\infty}{3}=-\infty$

03 $\displaystyle\lim_{n\to\infty}\frac{2n+1}{n^2-4}=\lim_{n\to\infty}\frac{\dfrac{2}{n}+\dfrac{1}{n^2}}{1-\dfrac{4}{n^2}}=\frac{0}{1}=0$

04 $\displaystyle\lim_{n\to\infty}\frac{n^2-5}{2n+3}=\lim_{n\to\infty}\frac{n-\dfrac{5}{n}}{2+\dfrac{3}{n}}=\infty$

05 $\displaystyle\lim_{n\to\infty}\frac{2n+1}{4n+3}=\lim_{n\to\infty}\frac{2+\dfrac{1}{n}}{4+\dfrac{3}{n}}=\frac{1}{2}$

06 $\displaystyle\lim_{n\to\infty}\frac{\sqrt{n}}{\sqrt{n+3}-\sqrt{n}}=\lim_{n\to\infty}\frac{\sqrt{n}(\sqrt{n+3}+\sqrt{n})}{(\sqrt{n+3}-\sqrt{n})(\sqrt{n+3}+\sqrt{n})}$

$$=\lim_{n\to\infty}\frac{\sqrt{n}(\sqrt{n+3}+\sqrt{n})}{3}$$

$$=\frac{\infty}{3}=\infty$$

07 $\displaystyle\lim_{n\to\infty}\frac{\sqrt{9n+1}+\sqrt{4n-1}}{\sqrt{4n+1}+\sqrt{n-1}}=\lim_{n\to\infty}\frac{\sqrt{9+\dfrac{1}{n}}+\sqrt{4-\dfrac{1}{n}}}{\sqrt{4+\dfrac{1}{n}}+\sqrt{1-\dfrac{1}{n}}}$

$$=\frac{3+2}{2+1}=\frac{5}{3}$$

08 $\displaystyle\lim_{n\to\infty}\frac{4n}{\sqrt{9n^2+1}-n}=\lim_{n\to\infty}\frac{4}{\sqrt{9+\dfrac{1}{n^2}}-1}=\frac{4}{3-1}=2$

09 $\displaystyle\lim_{n\to\infty}(\sqrt{n+1}-n)$

$$=\lim_{n\to\infty}\frac{(\sqrt{n+1}-n)(\sqrt{n+1}+n)}{\sqrt{n+1}+n}=\lim_{n\to\infty}\frac{n+1-n^2}{\sqrt{n+1}+n}$$

$$=\lim_{n\to\infty}\frac{1+\dfrac{1}{n}-n}{\sqrt{\dfrac{1}{n}+\dfrac{1}{n^2}}+1}=\frac{-\infty}{1}=-\infty$$

10 $\displaystyle\lim_{n\to\infty}(\sqrt{n^2-2n}-\sqrt{n^2+2n})$

$$=\lim_{n\to\infty}\frac{(\sqrt{n^2-2n}-\sqrt{n^2+2n})(\sqrt{n^2-2n}+\sqrt{n^2+2n})}{\sqrt{n^2-2n}+\sqrt{n^2+2n}}$$

$$=\lim_{n\to\infty}\frac{n^2-2n-(n^2+2n)}{\sqrt{n^2-2n}+\sqrt{n^2+2n}}=\lim_{n\to\infty}\frac{-4n}{\sqrt{n^2-2n}+\sqrt{n^2+2n}}$$

$$=\lim_{n\to\infty}\frac{-4}{\sqrt{1-\dfrac{2}{n}}+\sqrt{1+\dfrac{2}{n}}}=\frac{-4}{2}=-2$$

06 미정계수의 결정 본문 17쪽

02 $\displaystyle\lim_{n\to\infty}\frac{an^2+bn+1}{5n-2}$ 의 극한값이 유한 확정값이므로 $a=0$

$$\lim_{n\to\infty}\frac{bn+1}{5n-2}=\lim_{n\to\infty}\frac{b+\dfrac{1}{n}}{5-\dfrac{2}{n}}=\frac{b}{5}=4$$이므로 $b=20$

$$\therefore a=0,\ b=20$$

03 $\displaystyle\lim_{n\to\infty}\frac{bn+3}{an^2-7n+5}$ 의 극한값이 유한 확정값이므로 $a=0$

$$\lim_{n\to\infty}\frac{bn+3}{-7n+5}=\lim_{n\to\infty}\frac{b+\dfrac{3}{n}}{-7+\dfrac{5}{n}}=\frac{b}{-7}=2$$이므로 $b=-14$

$$\therefore a=0,\ b=-14$$

04 $\displaystyle\lim_{n\to\infty}\frac{\sqrt{kn+1}}{n(\sqrt{n+1}-\sqrt{n-1})}$

$$=\lim_{n\to\infty}\frac{\sqrt{kn+1}(\sqrt{n+1}+\sqrt{n-1})}{n(n+1-n+1)}$$

$$=\lim_{n\to\infty}\frac{\sqrt{kn+1}(\sqrt{n+1}+\sqrt{n-1})}{2n}$$

$$=\lim_{n\to\infty}\frac{\sqrt{k+\dfrac{1}{n}}\left(\sqrt{1+\dfrac{1}{n}}+\sqrt{1-\dfrac{1}{n}}\right)}{2}$$

$$=\frac{\sqrt{k}(\sqrt{1}+\sqrt{1})}{2}=\sqrt{k}$$

$\sqrt{k}=4$이므로 $k=16$

05 $\displaystyle\lim_{n\to\infty}\frac{\sqrt{n+k}-\sqrt{n}}{\sqrt{n+2}-\sqrt{n}}$

$$=\lim_{n\to\infty}\frac{(\sqrt{n+k}-\sqrt{n})(\sqrt{n+k}+\sqrt{n})(\sqrt{n+2}+\sqrt{n})}{(\sqrt{n+2}-\sqrt{n})(\sqrt{n+2}+\sqrt{n})(\sqrt{n+k}+\sqrt{n})}$$

$$=\lim_{n\to\infty}\frac{(n+k-n)(\sqrt{n+2}+\sqrt{n})}{(n+2-n)(\sqrt{n+k}+\sqrt{n})}=\lim_{n\to\infty}\frac{k(\sqrt{n+2}+\sqrt{n})}{2(\sqrt{n+k}+\sqrt{n})}$$

$$=\frac{k}{2}\lim_{n\to\infty}\frac{\sqrt{1+\dfrac{2}{n}}+1}{\sqrt{1+\dfrac{k}{n}}+1}=\frac{k}{2}$$

$\dfrac{k}{2}=3$이므로 $k=6$

06 $\displaystyle\lim_{n\to\infty}n(\sqrt{n^2-an+1}-n)$

$$=\lim_{n\to\infty}\frac{n\{(n^2-an+1)-n^2\}}{\sqrt{n^2-an+1}+n}=\lim_{n\to\infty}\frac{-an^2+n}{\sqrt{n^2-an+1}+n}$$

$$=\lim_{n\to\infty}\frac{-an+1}{\sqrt{1-\dfrac{a}{n}+\dfrac{1}{n^2}}+1}=b$$ 이므로 $a=0$

$\lim_{n\to\infty}\dfrac{1}{\sqrt{1+\dfrac{1}{n^2}}+1}=b$ 이므로 $b=\dfrac{1}{2}$　∴ $a+b=\dfrac{1}{2}$

▢7 일반항 a^n을 포함한 식의 극한값 본문 18쪽

01 $\lim_{n\to\infty}(2a_n-5b_n)=2\lim_{n\to\infty}a_n-5\lim_{n\to\infty}b_n=-3$ 이므로
$2\lim_{n\to\infty}a_n-5\cdot3=-3$
∴ $\lim_{n\to\infty}a_n=\dfrac{-3+5\cdot3}{2}=6$

02 $\lim_{n\to\infty}\dfrac{2a_n+1}{b_n^2}=\dfrac{2\lim_{n\to\infty}a_n+\lim_{n\to\infty}1}{\lim_{n\to\infty}b_n\cdot\lim_{n\to\infty}b_n}=5$ 이므로

$\dfrac{2\lim_{n\to\infty}a_n+1}{3^2}=5$

∴ $\lim_{n\to\infty}a_n=\dfrac{5\cdot3^2-1}{2}=22$

03 $\lim_{n\to\infty}a_n=\alpha$로 놓으면 $\dfrac{2\alpha+4}{\alpha-1}=4$
$2\alpha+4=4\alpha-4$, $2\alpha=8$　∴ $\alpha=4$
∴ $\lim_{n\to\infty}a_n=4$

04 $\lim_{n\to\infty}a_n=\alpha$로 놓으면 $\dfrac{2\alpha+1}{\alpha+4}=3$
$2\alpha+1=3\alpha+12$　∴ $\alpha=-11$
∴ $\lim_{n\to\infty}a_n=-11$

05 $\lim_{n\to\infty}a_n=\alpha$로 놓으면 $\dfrac{3\alpha+5}{6-2\alpha}=2$
$3\alpha+5=12-4\alpha$　∴ $\alpha=1$
∴ $\lim_{n\to\infty}a_n=1$

06 $\lim_{n\to\infty}a_n=\alpha$로 놓으면 $\dfrac{2\alpha+6}{3\alpha+1}=2$
$2\alpha+6=6\alpha+2$, $4\alpha=4$　∴ $\alpha=1$
∴ $\lim_{n\to\infty}a_n=1$

08 $\dfrac{2a_n-1}{3a_n-2}=b_n$이라고 하면 $\lim_{n\to\infty}b_n=2$
a_n을 b_n으로 나타내면 $2a_n-1=b_n(3a_n-2)$에서
$a_n=\dfrac{2b_n-1}{3b_n-2}$
∴ $\lim_{n\to\infty}a_n=\lim_{n\to\infty}\dfrac{2b_n-1}{3b_n-2}=\dfrac{2\lim_{n\to\infty}b_n-1}{3\lim_{n\to\infty}b_n-2}=\dfrac{2\times2-1}{3\times2-2}=\dfrac{3}{4}$

[다른 풀이]
$\lim_{n\to\infty}a_n=\alpha$로 놓으면 $\dfrac{2\alpha-1}{3\alpha-2}=2$
$2\alpha-1=6\alpha-4$　∴ $\alpha=\dfrac{3}{4}$　∴ $\lim_{n\to\infty}a_n=\dfrac{3}{4}$

09 $\dfrac{2a_n+1}{a_n+1}=b_n$이라고 하면 $\lim_{n\to\infty}b_n=3$
a_n을 b_n으로 나타내면 $2a_n+1=b_n(a_n+1)$에서 $a_n=\dfrac{1-b_n}{b_n-2}$
∴ $\lim_{n\to\infty}a_n=\lim_{n\to\infty}\dfrac{1-b_n}{b_n-2}=\dfrac{1-3}{3-2}=-2$

[다른 풀이]
$\lim_{n\to\infty}a_n=\alpha$로 놓으면 $\dfrac{2\alpha+1}{\alpha+1}=3$
$2\alpha+1=3\alpha+3$　∴ $\alpha=-2$
∴ $\lim_{n\to\infty}a_n=-2$

11 $(2n+1)a_n=b_n$이라고 하면 $\lim_{n\to\infty}b_n=8$
$a_n=\dfrac{b_n}{2n+1}$이므로
$$\lim_{n\to\infty}na_n=\lim_{n\to\infty}\left(n\times\dfrac{b_n}{2n+1}\right)$$
$$=\lim_{n\to\infty}\dfrac{n}{2n+1}\times\lim_{n\to\infty}b_n=\dfrac{1}{2}\times8=4$$

[다른 풀이]
$$\lim_{n\to\infty}na_n=\lim_{n\to\infty}\left\{\dfrac{n}{2n+1}\times(2n+1)a_n\right\}$$
$$=\lim_{n\to\infty}\dfrac{n}{2n+1}\times\lim_{n\to\infty}(2n+1)a_n$$
$$=\dfrac{1}{2}\times8=4$$

12 $$\lim_{n\to\infty}na_n=\lim_{n\to\infty}\dfrac{n}{2n+1}(2n+1)a_n$$
$$=\lim_{n\to\infty}\dfrac{n}{2n+1}\times\lim_{n\to\infty}(2n+1)a_n$$
$$=\dfrac{1}{2}\times6=3$$

▢8 수열의 극한값의 대소 관계 본문 20쪽

01 $\dfrac{3n-1}{n}\leq a_n\leq\dfrac{3n+4}{n}$에서
$\lim_{n\to\infty}\dfrac{3n-1}{n}=3$, $\lim_{n\to\infty}\dfrac{3n+4}{n}=3$이므로
$\lim_{n\to\infty}a_n=3$

02 $\dfrac{4n-1}{n}<a_n<\dfrac{4n^2+3n+1}{n^2}$에서
$\lim_{n\to\infty}\dfrac{4n-1}{n}=4$, $\lim_{n\to\infty}\dfrac{4n^2+3n+1}{n^2}=4$이므로
$\lim_{n\to\infty}a_n=4$

03 $\lim_{n\to\infty}\dfrac{5n-2}{n+1}=\lim_{n\to\infty}\dfrac{5n+1}{n-2}=5$이므로
$\lim_{n\to\infty}a_n=5$　∴ $\lim_{n\to\infty}(a_n+1)=5+1=6$

04 부등식의 각 변을 n으로 나누면
$\dfrac{2n-1}{n}<a_n<\dfrac{2n+4}{n}$
$\lim_{n\to\infty}\dfrac{2n-1}{n}=\lim_{n\to\infty}\dfrac{2n+4}{n}=2$이므로
$\lim_{n\to\infty}a_n=2$

05 부등식의 각 변을 n^2으로 나누면
$\dfrac{5n^2-2n}{n^2}<a_n<\dfrac{5n^2+2n}{n^2}$
$\lim_{n\to\infty}\dfrac{5n^2-2n}{n^2}=\lim_{n\to\infty}\dfrac{5n^2+2n}{n^2}=5$이므로 $\lim_{n\to\infty}a_n=5$

06 부등식의 각 변을 $n+2$로 나누면
$\dfrac{6n-1}{n+2}<\dfrac{a_n}{n+2}<\dfrac{6n+1}{n+2}$

$$\lim_{n \to \infty} \frac{6n-1}{n+2} = \lim_{n \to \infty} \frac{6n+1}{n+2} = 6 \text{이므로} \lim_{n \to \infty} \frac{a_n}{n+2} = 6$$

07 $3n^2 + 2n < a_n < 3n^2 + 3n$의 각 변에 $\dfrac{4}{n^2+2n}$를 곱하면

$$\frac{4(3n^2+2n)}{n^2+2n} < \frac{4a_n}{n^2+2n} < \frac{4(3n^2+3n)}{n^2+2n}$$

$$\lim_{n \to \infty} \frac{4(3n^2+3n)}{n^2+2n} = \lim_{n \to \infty} \frac{4(3n^2+2n)}{n^2+2n} = 12 \text{이므로}$$

$$\lim_{n \to \infty} \frac{4a_n}{n^2+2n} = 12$$

O9 등비수열의 극한 본문 21쪽

02 공비는 $\dfrac{3}{2}$이고 $\dfrac{3}{2} > 1$이므로 발산한다.

03 공비는 1이고 $-1 < 1 \le 1$이므로 수렴한다.

04 공비는 -1.2이고 $-1.2 \le -1$이므로 진동(발산)한다.

05 공비는 2이고 $2 > 1$이므로 발산한다.

06 공비는 $-\dfrac{1}{2}$이고 $-1 < -\dfrac{1}{2} \le 1$이므로 수렴한다.

07 공비는 $-\dfrac{5}{3}$이고 $-\dfrac{5}{3} \le -1$이므로 진동(발산)한다.

08 첫째항이 $\dfrac{x}{2}$, 공비가 $\dfrac{x}{2}$이므로 주어진 등비수열이 수렴하려

면 $-1 < \dfrac{x}{2} \le 1$ $\therefore -2 < x \le 2$

09 첫째항이 $x+5$이고 공비가 $x-3$이므로 주어진 등비수열이
수렴하려면
$x+5=0$ 또는 $-1 < x-3 \le 1$
$\therefore x = -5, \ 2 < x \le 4$

10 첫째항이 x이고 공비가 $x-1$이므로 주어진 등비수열이 수렴
하려면
$x=0$ 또는 $-1 < x-1 \le 1$
$\therefore 0 \le x \le 2$
$\therefore \alpha + \beta = 2$

12 $\lim_{n \to \infty} \dfrac{3^n - 2^n}{4^n + 3^n} = \lim_{n \to \infty} \dfrac{\left(\frac{3}{4}\right)^n - \left(\frac{2}{4}\right)^n}{1 + \left(\frac{3}{4}\right)^n} = \dfrac{0-0}{1+0} = 0$

13 $\lim_{n \to \infty} \dfrac{5^n - 3^n}{5^{n+1}} = \lim_{n \to \infty} \dfrac{1 - \left(\frac{3}{5}\right)^n}{5} = \dfrac{1-0}{5} = \dfrac{1}{5}$

14 $\lim_{n \to \infty} \dfrac{3^n - 6 \cdot 4^n}{3^n + 4^n} = \lim_{n \to \infty} \dfrac{\left(\frac{3}{4}\right)^n - 6}{\left(\frac{3}{4}\right)^n + 1} = \dfrac{0-6}{0+1} = -6$

15 $\lim_{n \to \infty} \dfrac{3^n + 5^n}{2^{n+1}} = \lim_{n \to \infty} \dfrac{\left(\frac{3}{2}\right)^n + \left(\frac{5}{2}\right)^n}{2} = \dfrac{\infty + \infty}{2} = \infty$

16 $\lim_{n \to \infty} \dfrac{2 \cdot 3^{n+1} + 5}{3^n} = \lim_{n \to \infty} \dfrac{2 \cdot 3 + 5 \cdot \left(\frac{1}{3}\right)^n}{1} = 6$

17 $\lim_{n \to \infty} \dfrac{5^{n+1} + 1}{5^n + 3^n} = \lim_{n \to \infty} \dfrac{5 + \left(\frac{1}{5}\right)^n}{1 + \left(\frac{3}{5}\right)^n} = 5$

18 $\lim_{n \to \infty} \dfrac{3 \cdot 4^n - 3^n}{4^n + 3^n + 2} = \lim_{n \to \infty} \dfrac{3 - \left(\frac{3}{4}\right)^n}{1 + \left(\frac{3}{4}\right)^n + 2 \cdot \left(\frac{1}{4}\right)^n} = 3$

19 $\lim_{n \to \infty} \dfrac{a \times 6^{n+1} - 5^n}{6^n + 5^n} = \lim_{n \to \infty} \dfrac{a \times 6 - \left(\frac{5}{6}\right)^n}{1 + \left(\frac{5}{6}\right)^n} = 6a$

$6a = 4$이므로 $a = \dfrac{2}{3}$

IO r^n을 포함한 식의 극한 본문 23쪽

05 (i) $0 < r < 1$일 때, $\lim_{n \to \infty} r^n = 0$이므로

$$\lim_{n \to \infty} \frac{r^n}{1+r^n} = \frac{0}{1+0} = 0$$

(ii) $r=1$일 때, 모든 자연수 n에 대하여 $r^n = 1$이므로

$$\lim_{n \to \infty} \frac{r^n}{1+r^n} = \frac{1}{1+1} = \frac{1}{2}$$

(iii) $r > 1$일 때, $\lim_{n \to \infty} r^n = \infty$이므로 $\dfrac{1}{r^n} = 0$

$$\therefore \lim_{n \to \infty} \frac{r^n}{1+r^n} = \lim_{n \to \infty} \frac{1}{\frac{1}{r^n}+1} = \frac{1}{0+1} = 1$$

06 (i) $0 < r < 1$일 때, $\lim_{n \to \infty} r^n = 0$이므로

$$\lim_{n \to \infty} \frac{r^{n+1}-1}{r^n+1} = \frac{0-1}{1+0} = -1$$

(ii) $r=1$일 때, 모든 자연수 n에 대하여 $r^n = 1$이므로

$$\lim_{n \to \infty} \frac{r^{n+1}-1}{r^n+1} = \frac{1-1}{1+1} = 0$$

(iii) $r > 1$일 때, $\lim_{n \to \infty} r^n = \infty$이므로 $\dfrac{1}{r^n} = 0$

$$\therefore \lim_{n \to \infty} \frac{r^{n+1}-1}{r^n+1} = \lim_{n \to \infty} \frac{r - \frac{1}{r^n}}{1 + \frac{1}{r^n}} = \frac{r-0}{1+0} = r$$

II 수열의 극한의 활용 본문 24쪽

01 오른쪽 그림에서

$$S_n = \frac{1}{2} \cdot (1 + 2^n) \cdot n$$

$$= \frac{(2^n + 1)n}{2},$$

$$T_n = \frac{1}{2} \cdot (2^n - 1) \cdot n = \frac{(2^n - 1)n}{2}$$

$$\therefore \lim_{n \to \infty} \frac{T_n}{S_n} = \lim_{n \to \infty} \frac{\frac{(2^n - 1)n}{2}}{\frac{(2^n + 1)n}{2}}$$

$$= \lim_{n \to \infty} \frac{2^n - 1}{2^n + 1} = \lim_{n \to \infty} \frac{1 - \left(\frac{1}{2}\right)^n}{1 + \left(\frac{1}{2}\right)^n} = 1$$

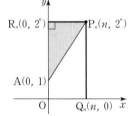

02 직선 $P_0 P_1$의 기울기가 1이므로 직선 $P_1 P_2$의 기울기는 -1
이다.

점 $P_1(1, 1)$을 지나고 기울기가 -1인 직선 P_1P_2의 방정식은
$y=-x+2$
이때, 직선 $y=-x+2$와 함수 $y=x^2$의 그래프의 교점이 점
P_2이므로 점 P_2의 x좌표는
$-x+2=x^2$에서 $(x+2)(x-1)=0$
$\therefore x=-2$ 또는 $x=1$
그런데 $P_1(1, 1)$이므로 $P_2(-2, 4)$
마찬가지 방법으로 점 P_3, P_4의 좌표를 구해 보면 $P_3(3, 9)$,
$P_4(-4, 16)$
$\overline{P_1P_1}=\sqrt{2}$, $\overline{P_1P_2}=3\sqrt{2}$, $\overline{P_2P_3}=5\sqrt{2}$, $\overline{P_3P_4}=7\sqrt{2}$, $\cdots$이므로
$l_n=\overline{P_{n-1}P_n}=(2n-1)\sqrt{2}$
$\therefore \displaystyle\lim_{n\to\infty}\frac{l_n}{n}=\lim_{n\to\infty}\frac{\sqrt{2}(2n-1)}{n}=\lim_{n\to\infty}\frac{2\sqrt{2}n-\sqrt{2}}{n}=2\sqrt{2}$

03 $y=-\dfrac{x}{n}+3$을 $y=\dfrac{2n}{x}$에 대입하면

$\dfrac{2n}{x}=-\dfrac{x}{n}+3$, $2n^2=-x^2+3nx$

$x^2-3nx+2n^2=0$, $(x-n)(x-2n)=0$

$\therefore x=n$ 또는 $x=2n$

따라서 $A_n(n, 2)$, $B_n(2n, 1)$이므로

$l_n=\sqrt{(2n-n)^2+(1-2)^2}=\sqrt{n^2+1}$

$\therefore \displaystyle\lim_{n\to\infty}(l_{n+1}-l_n)=\lim_{n\to\infty}(\sqrt{(n+1)^2+1}-\sqrt{n^2+1})$

$\qquad\qquad\qquad\quad =\lim_{n\to\infty}(\sqrt{n^2+2n+2}-\sqrt{n^2+1})$

$\qquad\qquad\qquad\quad =\lim_{n\to\infty}\dfrac{2n+1}{\sqrt{n^2+2n+2}+\sqrt{n^2+1}}$

$\qquad\qquad\qquad\quad =\dfrac{2}{1+1}=1$

04
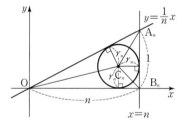

두 점의 좌표는 $A_n(n, 1)$, $B_n(n, 0)$이고, $\triangle A_nOB_n$의 내접
원의 반지름의 길이를 r_n이라 하면
$\triangle A_nOB_n=\triangle A_nOC_n+\triangle C_nOB_n+\triangle A_nC_nB_n$이므로

$\dfrac{1}{2}\cdot n\cdot 1=\dfrac{1}{2}\cdot\sqrt{n^2+1}\cdot r^n+\dfrac{1}{2}\cdot n\cdot r_n+\dfrac{1}{2}\cdot 1\cdot r_n$

$\therefore r_n=\dfrac{n}{\sqrt{n^2+1}+n+1}$

$\therefore S_n=\triangle A_nOC_n=\dfrac{1}{2}\cdot\sqrt{n^2+1}\cdot\dfrac{n}{\sqrt{n^2+1}+n+1}$

$\qquad =\dfrac{n\sqrt{n^2+1}}{2(\sqrt{n^2+1}+n+1)}$

$\therefore \displaystyle\lim_{n\to\infty}\dfrac{S_n}{n}=\lim_{n\to\infty}\dfrac{\dfrac{n\sqrt{n^2+1}}{2(\sqrt{n^2+1}+n+1)}}{n}$

$\qquad\qquad =\lim_{n\to\infty}\dfrac{\sqrt{n^2+1}}{2(\sqrt{n^2+1}+n+1)}$

$\qquad\qquad =\lim_{n\to\infty}\dfrac{\sqrt{1+\dfrac{1}{n^2}}}{2\left(\sqrt{1+\dfrac{1}{n^2}}+1+\dfrac{1}{n}\right)}=\dfrac{1}{4}$

05 $\overline{AB}$를 $1:n$으로 내분하는 점 P_n의 좌표는

$P_n\left(\dfrac{2n}{n+1}, \dfrac{1}{n+1}\right)$

$k_n=\overline{OP_n}=\sqrt{\left(\dfrac{2n}{n+1}\right)^2+\left(\dfrac{1}{n+1}\right)^2}$

$\qquad =\sqrt{\dfrac{4n^2+1}{(n+1)^2}}=\dfrac{\sqrt{4n^2+1}}{n+1}$

$l_n=\overline{AP_n}=\sqrt{\left(\dfrac{2n}{n+1}-2\right)^2+\left(\dfrac{1}{n+1}\right)^2}$

$\qquad =\sqrt{\dfrac{5}{(n+1)^2}}=\dfrac{\sqrt{5}}{n+1}$

$\therefore \displaystyle\lim_{n\to\infty}\dfrac{2n\cdot l_n}{k_n}=\lim_{n\to\infty}\dfrac{\dfrac{2\sqrt{5}n}{n+1}}{\dfrac{\sqrt{4n^2+1}}{n+1}}=\lim_{n\to\infty}\dfrac{2\sqrt{5}n}{\sqrt{4n^2+1}}$

$\qquad\qquad\qquad =\lim_{n\to\infty}\dfrac{2\sqrt{5}}{\sqrt{4+\dfrac{1}{n^2}}}=\sqrt{5}$

06 주어진 수열 $\{a_n\}$을 그래프로 나타내면 다음과 같다.

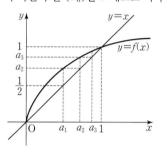

따라서 a_1, a_2, a_3, $\cdots$은 $y=x$와 $y=\sqrt{x}$의 교점 $(1, 1)$의 x좌
표에 가까이 간다. 그러므로 $\displaystyle\lim_{n\to\infty}a_n=1$이다.

07 $a_1=\sqrt{a}=a^{\frac{1}{2}}$이고, $a_{n+1}=\sqrt{a_n}$이므로

$a_2=\sqrt{a_1}=a^{\frac{1}{4}}$, $a_3=\sqrt{a_2}=a^{\frac{1}{8}}$, $a_4=\sqrt{a_3}=a^{\frac{1}{16}}$, $\cdots$,

$a_n=\sqrt{a_{n-1}}=a^{\left(\frac{1}{2}\right)^n}$

$\displaystyle\lim_{n\to\infty}\left(\dfrac{1}{2}\right)^n=0$이므로 $\displaystyle\lim_{n\to\infty}a_n=\lim_{n\to\infty}a^{\left(\frac{1}{2}\right)^n}=1$

08 n일 째 임시주차장에 놓여 있는 자동차의 수를 a_n이라고 하면

$a_{n+1}=\dfrac{3}{5}a_n+200$

이때, $\displaystyle\lim_{n\to\infty}a_n=\alpha$이면 $\displaystyle\lim_{n\to\infty}a_{n+1}=\alpha$이므로

$\displaystyle\lim_{n\to\infty}a_{n+1}=\lim_{n\to\infty}\left(\dfrac{3}{5}a_n+200\right)$에서

$\alpha=\dfrac{3}{5}\alpha+200$, $2\alpha=1000$

$\therefore \alpha=500$

즉, 임시주차장의 자동차 수용은 최소한 500대 이상이 되어야
한다.

Ⅰ2 급수의 수렴과 발산 본문 26쪽

02 첫째항부터 제n항까지의 부분합을 S_n이라고 하면

$S_n=\displaystyle\sum_{k=1}^{n}\dfrac{1}{k(k+1)}=\sum_{k=1}^{n}\left(\dfrac{1}{k}-\dfrac{1}{k+1}\right)$

$\qquad =1-\dfrac{1}{n+1}$

이때, $\displaystyle\lim_{n\to\infty}S_n=1$이므로 주어진 급수는 수렴하고, 그 합은 1

이다.

03 첫째항부터 제n항까지의 부분합을 S_n이라고 하면

$$S_n = \sum_{k=1}^{n}\left(\frac{1}{\sqrt{k}} - \frac{1}{\sqrt{k+1}}\right)$$
$$= 1 - \frac{1}{\sqrt{n+1}}$$

이때, $\lim_{n\to\infty} S_n = 1$이므로 주어진 급수는 수렴하고, 그 합은 1이다.

05 $1, \frac{1}{2}, \frac{1}{4}, \frac{1}{8}, \cdots$은 첫째항이 1, 공비가 $\frac{1}{2}$인 등비수열이고, 주어진 급수의 제n항까지의 부분합을 S_n이라고 하면

$$S_n = \frac{1-\left(\frac{1}{2}\right)^n}{1-\frac{1}{2}} = 2\left\{1-\left(\frac{1}{2}\right)^n\right\}$$
$$\therefore \lim_{n\to\infty} S_n = 2$$

06 $\frac{1}{3}, \frac{1}{9}, \frac{1}{27}, \cdots$은 첫째항이 $\frac{1}{3}$, 공비가 $\frac{1}{3}$인 등비수열이고, 주어진 급수의 제n항까지의 부분합을 S_n이라고 하면

$$S_n = \frac{\frac{1}{3}\left\{1-\left(\frac{1}{3}\right)^n\right\}}{1-\frac{1}{3}} = \frac{1}{2}\left\{1-\left(\frac{1}{3}\right)^n\right\}$$
$$\therefore \lim_{n\to\infty} S_n = \frac{1}{2}$$

07 $1, \frac{1}{3}, \frac{1}{9}, \frac{1}{27}, \cdots$은 첫째항이 1, 공비가 $\frac{1}{3}$인 등비수열이고, 주어진 급수의 제n항까지의 부분합을 S_n이라고 하면

$$S_n = \frac{1-\left(\frac{1}{3}\right)^n}{1-\frac{1}{3}} = \frac{3}{2}\left\{1-\left(\frac{1}{3}\right)^n\right\}$$
$$\therefore \lim_{n\to\infty} S_n = \frac{3}{2}$$

08 $2, \frac{2}{5}, \frac{2}{25}, \frac{2}{125}, \cdots$은 첫째항이 2, 공비가 $\frac{1}{5}$인 등비수열이고, 주어진 급수의 제n항까지의 부분합을 S_n이라고 하면

$$S_n = \frac{2\left\{1-\left(\frac{1}{5}\right)^n\right\}}{1-\frac{1}{5}} = \frac{5}{2}\left\{1-\left(\frac{1}{5}\right)^n\right\}$$
$$\therefore \lim_{n\to\infty} S_n = \frac{5}{2}$$

09 $3, \frac{3}{4}, \frac{3}{16}, \frac{3}{64}, \cdots$은 첫째항이 3, 공비가 $\frac{1}{4}$인 등비수열이고, 주어진 급수의 제n항까지의 부분합을 S_n이라고 하면

$$S_n = \frac{3\left\{1-\left(\frac{1}{4}\right)^n\right\}}{1-\frac{1}{4}} = 4\left\{1-\left(\frac{1}{4}\right)^n\right\}$$
$$\therefore \lim_{n\to\infty} S_n = 4$$

13 급수와 수열의 극한 사이의 관계 본문 28쪽

02 $\lim_{n\to\infty} a_n = \lim_{n\to\infty} (-1)^n \frac{n}{n+2} \neq 0$

$\lim_{n\to\infty} a_n \neq 0$이므로 주어진 급수는 발산한다.

03
$$\sum_{n=1}^{\infty} \frac{5}{n(n+2)} = \lim_{n\to\infty} \frac{5}{2}\left\{\left(1-\frac{1}{3}\right) + \left(\frac{1}{2}-\frac{1}{4}\right) + \left(\frac{1}{3}-\frac{1}{5}\right) + \right.$$
$$\left. \cdots + \left(\frac{1}{n-1}-\frac{1}{n+1}\right) + \left(\frac{1}{n}-\frac{1}{n+2}\right)\right\}$$
$$= \lim_{n\to\infty} \frac{5}{2}\left(1+\frac{1}{2}-\frac{1}{n+1}-\frac{1}{n+2}\right)$$
$$= \lim_{n\to\infty} \frac{5}{2} \times \frac{3}{2} = \frac{15}{4}$$

따라서 주어진 급수는 수렴한다.

05 $\sum_{n=1}^{\infty}(a_n+3)$이 수렴하므로 $\lim_{n\to\infty}(a_n+3)=0$
$$\therefore \lim_{n\to\infty} a_n = -3$$

06 $\sum_{n=1}^{\infty}(4a_n-3)$이 수렴하므로 $\lim_{n\to\infty}(4a_n-3)=0$
$$\therefore \lim_{n\to\infty} a_n = \frac{3}{4}$$

07 $\sum_{n=1}^{\infty} a_n$이 수렴하므로 $\lim_{n\to\infty} a_n = 0$
$$\therefore \lim_{n\to\infty} \frac{2a_n-3}{a_n+1} = \frac{2\cdot 0 - 3}{0+1} = -3$$

09 $\frac{a_n}{n}+1 = b_n$이라고 하면 $\sum_{n=1}^{\infty} b_n$이 수렴하므로 $\lim_{n\to\infty} b_n = 0$이다.

즉, $\lim_{n\to\infty} \frac{a_n}{n} = \lim_{n\to\infty}(b_n - 1) = -1$
$$\therefore \lim_{n\to\infty} \frac{4a_n+n}{3a_n-2n} = \lim_{n\to\infty} \frac{4\cdot\frac{a_n}{n}+1}{3\cdot\frac{a_n}{n}-2} = \frac{4\cdot(-1)+1}{3\cdot(-1)-2}$$
$$= \frac{-3}{-5} = \frac{3}{5}$$

10 $\frac{a_n}{n}+2 = b_n$이라고 하면 $\sum_{n=1}^{\infty} b_n$이 수렴하므로 $\lim_{n\to\infty} b_n = 0$

$\lim_{n\to\infty} \frac{a_n}{n} = \lim_{n\to\infty}(b_n - 2) = -2$
$$\therefore \lim_{n\to\infty} \frac{n-3a_n}{n+a_n} = \lim_{n\to\infty} \frac{1-3\cdot\frac{a_n}{n}}{1+\frac{a_n}{n}} = \frac{1-3\cdot(-2)}{1+(-2)} = -7$$

11 $\frac{3-a_n}{2} = b_n$이라고 하면 $\sum_{n=1}^{\infty} b_n$이 수렴하므로 $\lim_{n\to\infty} b_n = 0$이다.

즉, $\lim_{n\to\infty} \frac{3-a_n}{2} = 0$, $\lim_{n\to\infty}(3-a_n) = 0$
$$\therefore \lim_{n\to\infty} a_n = 3$$
$$\therefore \lim_{n\to\infty} \frac{4na_n+5}{n-3} = \lim_{n\to\infty} \frac{4a_n+\frac{5}{n}}{1-\frac{3}{n}} = 4\times 3 = 12$$

12 $\frac{a_n}{3^n}+2 = b_n$이라고 하면 $\sum_{n=1}^{\infty} b_n$이 수렴하므로 $\lim_{n\to\infty} b^n = 0$이다.

$$\therefore \lim_{n\to\infty} \frac{a_n+3^{n+1}}{3^{n-1}+2^n} = \lim_{n\to\infty} \frac{\frac{a_n}{3^n}+3}{\frac{1}{3}+\left(\frac{2}{3}\right)^n} = 9$$

13 $\sum_{n=1}^{\infty}\left(a_n - \frac{3n}{n+1}\right)$이 수렴하므로 $\lim_{n\to\infty}\left(a_n - \frac{3n}{n+1}\right) = 0$

$\lim_{n\to\infty} a_n - \lim_{n\to\infty} \frac{3n}{n+1} = 0$, $\lim_{n\to\infty} a_n - 3 = 0$ $\therefore \lim_{n\to\infty} a_n = 3$

$\sum_{n=1}^{\infty}(a_n+b_n)$이 수렴하므로 $\lim_{n\to\infty}(a_n+b_n)=0$

$\lim\limits_{n\to\infty} a_n + \lim\limits_{n\to\infty} b_n = 0$, $3 + \lim\limits_{n\to\infty} b_n = 0$ $\therefore \lim\limits_{n\to\infty} b_n = -3$

$\therefore \lim\limits_{n\to\infty} \dfrac{3-b_n}{a_n} = \dfrac{3-(-3)}{3} = 2$

14 등비급수의 수렴과 발산 본문 30쪽

02 공비는 $r=-\sqrt{2}$이므로 $|r| \geq 1$이다.
따라서 주어진 등비급수는 발산한다.

03 공비는 $r=\dfrac{3}{4}$이므로 $|r| < 1$이다.
따라서 주어진 등비급수는 수렴한다.

04 공비는 $r=-3\sqrt{3}$이므로 $|r| \geq 1$이다.
따라서 주어진 등비급수는 발산한다.

05 공비는 $r=\dfrac{1}{3}$이므로 $|r| < 1$이다.
따라서 주어진 등비급수는 수렴한다.

06 공비는 $r=\dfrac{7}{4}$이므로 $|r| \geq 1$이다.
따라서 주어진 등비급수는 발산한다.

08 (ⅰ) $x=1$일 때, 첫째항이 0이므로 0으로 수렴한다.

(ⅱ) $x \neq 1$일 때, 공비는 $\dfrac{1}{x}$이고 $-1 < \dfrac{1}{x} < 1$이면 수렴하므로
$x < -1$, $x > 1$
따라서 구하는 x의 값의 범위는
$x < -1$, $x \geq 1$

09 (ⅰ) $x-2=0$에서 $x=2$

(ⅱ) $-1 < -2x < 1$에서 $-\dfrac{1}{2} < x < \dfrac{1}{2}$

따라서 구하는 x의 값의 범위는

$x=2$ 또는 $-\dfrac{1}{2} < x < \dfrac{1}{2}$

15 등비급수의 합 본문 31쪽

01 주어진 등비급수는 첫째항이 1, 공비 $r=\dfrac{2}{3}$이다.
$|r| < 1$이므로 이 등비급수는 수렴하고
그 합은 $\dfrac{1}{1-\dfrac{2}{3}} = 3$

02 주어진 등비급수는 첫째항이 1, 공비 $r=-\sqrt{5}$이다.
$|r| > 1$이므로 이 등비급수는 발산한다.

03 주어진 등비급수는 첫째항이 1, 공비 $r=\dfrac{3}{4}$이다.
$|r| < 1$이므로 이 등비급수는 수렴하고
그 합은 $\dfrac{1}{1-\dfrac{3}{4}} = 4$

04 주어진 등비급수 $\sum\limits_{n=1}^{\infty} (-2)^n \left(\dfrac{2}{3}\right)^n = \sum\limits_{n=1}^{\infty} \left(-\dfrac{4}{3}\right)^n$은 첫째항과

공비가 모두 $-\dfrac{4}{3}$이다.

$|r| > 1$이므로 이 등비급수는 발산한다.

05 등비수열 $\left\{5\left(\dfrac{3}{4}\right)^{n-1}\right\}$의 첫째항이 5, 공비가 $\dfrac{3}{4}$이므로

$\sum\limits_{n=1}^{\infty} 5\left(\dfrac{3}{4}\right)^{n-1} = \dfrac{5}{1-\dfrac{3}{4}} = 20$

06 등비수열 $\{a_n\}$의 공비를 r라고 하면

$r = \dfrac{a_2}{a_1} = \dfrac{1}{3}$ $\therefore a_n = 3 \cdot \left(\dfrac{1}{3}\right)^{n-1}$

$(a_n)^2 = \left\{3 \cdot \left(\dfrac{1}{3}\right)^{n-1}\right\}^2 = 9 \cdot \left(\dfrac{1}{9}\right)^{n-1}$

$\therefore \sum\limits_{n=1}^{\infty} (a_n)^2 = \dfrac{9}{1-\dfrac{1}{9}} = \dfrac{81}{8}$

07 등비수열 $\{a_n\}$의 첫째항이 a_1, 공비가 $\dfrac{1}{5}$이므로

$\sum\limits_{n=1}^{\infty} a_n = \dfrac{a_1}{1-\dfrac{1}{5}} = \dfrac{5}{4} a_1$

즉, $\dfrac{5}{4} a_1 = 15$이므로 $a_1 = 12$

16 급수의 성질 본문 32쪽

02 $\sum\limits_{n=1}^{\infty} \left(\dfrac{1}{5^{n-1}} + \dfrac{5}{6^{n-1}}\right) = \sum\limits_{n=1}^{\infty} \left(\dfrac{1}{5}\right)^{n-1} + 5\sum\limits_{n=1}^{\infty} \left(\dfrac{1}{6}\right)^{n-1}$

$= \dfrac{1}{1-\dfrac{1}{5}} + \dfrac{5}{1-\dfrac{1}{6}} = \dfrac{5}{4} + 6 = \dfrac{29}{4}$

03 $\sum\limits_{n=1}^{\infty} \dfrac{2^n+3^n}{4^n} = \sum\limits_{n=1}^{\infty} \left\{\left(\dfrac{1}{2}\right)^n + \left(\dfrac{3}{4}\right)^n\right\}$

$= \sum\limits_{n=1}^{\infty} \left(\dfrac{1}{2}\right)^n + \sum\limits_{n=1}^{\infty} \left(\dfrac{3}{4}\right)^n$

$= \dfrac{\dfrac{1}{2}}{1-\dfrac{1}{2}} + \dfrac{\dfrac{3}{4}}{1-\dfrac{3}{4}} = 1 + 3 = 4$

04 $\sum\limits_{n=1}^{\infty} \dfrac{2^n+(-2)^n}{3^n} = \sum\limits_{n=1}^{\infty} \left\{\left(\dfrac{2}{3}\right)^n + \left(-\dfrac{2}{3}\right)^n\right\}$

$= \sum\limits_{n=1}^{\infty} \left(\dfrac{2}{3}\right)^n + \sum\limits_{n=1}^{\infty} \left(-\dfrac{2}{3}\right)^n$

$= \dfrac{\dfrac{2}{3}}{1-\dfrac{2}{3}} + \dfrac{-\dfrac{2}{3}}{1+\dfrac{2}{3}} = 2 - \dfrac{2}{5} = \dfrac{8}{5}$

05 $\sum\limits_{n=1}^{\infty} \left(\dfrac{2^{n+1}}{3^n} + \dfrac{4}{2^n}\right) = 2\sum\limits_{n=1}^{\infty} \left(\dfrac{2}{3}\right)^n + 4\sum\limits_{n=1}^{\infty} \left(\dfrac{1}{2}\right)^n$

$= \dfrac{\dfrac{4}{3}}{1-\dfrac{2}{3}} + \dfrac{2}{1-\dfrac{1}{2}} = 4 + 4 = 8$

06 $\sum\limits_{n=1}^{\infty} (a_n + 5b_n) = \sum\limits_{n=1}^{\infty} a_n + 5\sum\limits_{n=1}^{\infty} b_n$
$= 4 + 5 \cdot 10 = 54$

17 등비급수의 활용 본문 33쪽

02 $\overline{B_1C_1} = \dfrac{1}{2}\overline{BC} = \dfrac{1}{2}$, $\overline{B_2C_2} = \dfrac{1}{2}\overline{B_1C_1} = \left(\dfrac{1}{2}\right)^2$,

$$\overline{B_3C_3}=\frac{1}{2}\overline{B_2C_2}=\left(\frac{1}{2}\right)^3,\ \cdots$$

$$\therefore \sum_{n=1}^{\infty}\overline{B_nC_n}=\frac{1}{2}+\left(\frac{1}{2}\right)^2+\left(\frac{1}{2}\right)^3+\cdots=\frac{\frac{1}{2}}{1-\frac{1}{2}}=1$$

03 정사각형 $AA_1B_1C_1$에서 $\overline{AA_1}=\frac{1}{2}\overline{AB}=1$이므로

$$\overline{AB_1}=\sqrt{2}\,\overline{AA_1}=\sqrt{2}$$

또, 정사각형 $A_1A_2B_2C_2$에서 $\overline{A_1A_2}=\frac{1}{2}\overline{A_1B}=\frac{1}{2}$이므로

$$\overline{A_1B_2}=\sqrt{2}\,\overline{A_1A_2}=\frac{\sqrt{2}}{2}$$

같은 방법으로 하면 $\overline{A_2B_3}=\frac{\sqrt{2}}{4}$, $\overline{A_3B_4}=\frac{\sqrt{2}}{8}$, $\cdots$

따라서 구하는 값은 첫째항이 $\sqrt{2}$, 공비가 $\frac{1}{2}$인 등비급수이므로

$$\overline{AB_1}+\overline{A_1B_2}+\overline{A_2B_3}+\cdots=\frac{\sqrt{2}}{1-\frac{1}{2}}=2\sqrt{2}$$

04 $\triangle ABC$가 정삼각형이므로 $\overline{CB_1}=\frac{\sqrt{3}}{2}$

$$\text{(주어진 식)}=(\overline{B_1C_1}+\overline{B_2C_2}+\overline{B_3C_3}+\cdots)$$
$$+(\overline{CB_1}+\overline{C_1B_2}+\overline{C_2B_3}+\cdots)$$

$$=\frac{\frac{1}{2}}{1-\frac{1}{2}}+\frac{\frac{\sqrt{3}}{2}}{1-\frac{1}{2}}=1+\sqrt{3}$$

05 $\overline{OC_1}=\overline{OA}=2$이므로 정사각형 $OA_1C_1B_1$에서

$$\overline{OA_1}=\frac{1}{\sqrt{2}}\overline{OC_1}=\sqrt{2}$$

또, $\overline{OC_2}=\overline{OA_1}=\sqrt{2}$이므로

정사각형 $OA_2C_2B_2$에서 $\overline{OA_2}=\frac{1}{\sqrt{2}}\overline{OC_2}=1$

같은 방법으로 하면 $\overline{OA_3}=\frac{\sqrt{2}}{2}$, $\overline{OA_4}=\frac{1}{2}$, $\cdots$

이때, 수열 $\{S_n\}$은

$$S_1=(\sqrt{2})^2=2,\ S_2=1^2=1,\ S_3=\left(\frac{\sqrt{2}}{2}\right)^2=\frac{1}{2},\ \cdots$$

이므로 첫째항이 2이고 공비가 $\frac{1}{2}$인 등비수열이다.

따라서 $S_n=2\left(\frac{1}{2}\right)^{n-1}$이므로

$$\sum_{n=1}^{\infty}S_n=\sum_{n=1}^{\infty}2\left(\frac{1}{2}\right)^{n-1}=\frac{2}{1-\frac{1}{2}}=4$$

06 각 변의 중점을 차례로 연결하여 정사각형을 만들면 그 넓이는 $\frac{1}{2}$씩 줄어든다.

색칠한 삼각형 중 가장 큰 삼각형 4개의 넓이의 합은 $1\times\frac{1}{2}$

두 번째로 큰 삼각형 4개의 넓이의 합은 $\frac{1}{2}\times\left(\frac{1}{2}\right)^2$

따라서 색칠한 부분의 넓이의 합은 첫째항이 $\frac{1}{2}$, 공비가 $\frac{1}{4}$인 등비급수이므로

$$\frac{1}{2}+\frac{1}{2}\left(\frac{1}{4}\right)+\frac{1}{2}\left(\frac{1}{4}\right)^2+\cdots=\frac{\frac{1}{2}}{1-\frac{1}{4}}=\frac{2}{3}$$

07 첫 번째로 만들어지는 반원의 반지름의 길이는 1, 2이므로

$$S_1=\frac{1}{2}\pi\cdot1^2+\frac{1}{2}\pi\cdot2^2$$

두 번째로 만들어지는 반원의 반지름의 길이는 $\frac{2}{3},\frac{4}{3}$이므로

$$S_2=\frac{1}{2}\pi\cdot\left(\frac{2}{3}\right)^2+\frac{1}{2}\pi\cdot\left(\frac{4}{3}\right)^2$$

같은 방법으로 하면 $S_3=\frac{1}{2}\pi\cdot\left(\frac{4}{9}\right)^2+\frac{1}{2}\pi\cdot\left(\frac{8}{9}\right)^2$, $\cdots$

$$S_n=\frac{1}{2}\pi\left[\left\{1^2+\left(\frac{2}{3}\right)^2+\left(\frac{2}{3}\right)^4+\cdots\right\}\right.$$
$$\left.+\left\{2^2+2^2\left(\frac{2}{3}\right)^2+2^2\left(\frac{2}{3}\right)^4+\cdots\right\}\right]$$

$$=\frac{1}{2}\pi\left(\frac{1}{1-\frac{4}{9}}+\frac{4}{1-\frac{4}{9}}\right)=\frac{9}{2}\pi$$

08 $\triangle AB_2C_2$, $\triangle OPQ$는 한 변의 길이가 각각 2, 1인 정삼각형이다.

$\triangle OPQ$의 넓이는 $\frac{\sqrt{3}}{4}\cdot1^2=\frac{\sqrt{3}}{4}$, 부채꼴 OPQ의 넓이는

$\pi\cdot1^2\cdot\frac{60}{360}=\frac{\pi}{6}$이므로 $S_1=\frac{\pi}{6}-\frac{\sqrt{3}}{4}$

한편, $\overline{B_1C_1}:\overline{B_2C_2}=3:2$이므로 $S_1:S_2=3^2:2^2=9:4$

따라서 수열 $\{S_n\}$은 첫째항이 $\frac{\pi}{6}-\frac{\sqrt{3}}{4}$, 공비가 $\frac{S_2}{S_1}=\frac{4}{9}$인

등비수열이므로

$$\sum_{n=1}^{\infty}S_n=\frac{\frac{\pi}{6}-\frac{\sqrt{3}}{4}}{1-\frac{4}{9}}=\frac{6\pi-9\sqrt{3}}{20}$$

09 점 P의 x좌표는 다음 값에 한없이 가까워진다.

$$\overline{OP_1}-\overline{P_2P_3}+\overline{P_4P_5}-\overline{P_6P_7}+\cdots$$

$$=1-\left(\frac{9}{10}\right)^2+\left(\frac{9}{10}\right)^4-\left(\frac{9}{10}\right)^6+\cdots$$

$$=\frac{1}{1-\left(-\frac{81}{100}\right)}=\frac{100}{181}$$

또, 점 P의 y좌표는 다음 값에 한없이 가까워진다.

$$\overline{P_1P_2}-\overline{P_3P_4}+\overline{P_5P_6}-\overline{P_7P_8}+\cdots$$

$$=\frac{9}{10}-\left(\frac{9}{10}\right)^3+\left(\frac{9}{10}\right)^5-\left(\frac{9}{10}\right)^7+\cdots$$

$$=\frac{\frac{9}{10}}{1-\left(-\frac{81}{100}\right)}=\frac{90}{181}$$

따라서 점 P는 점 $\left(\frac{100}{181},\frac{90}{181}\right)$에 한없이 가까워진다.

10 점 P의 x좌표는 다음 값에 한없이 가까워진다.

$$\overline{OP_1}-\overline{P_2P_3}+\overline{P_4P_5}-\overline{P_6P_7}+\cdots$$

$$=1-\left(\frac{7}{10}\right)^2+\left(\frac{7}{10}\right)^4-\left(\frac{7}{10}\right)^6+\cdots$$

$$=\frac{1}{1-\left(-\frac{49}{100}\right)}=\frac{100}{149}$$

또, 점 P의 y좌표는 다음 값에 한없이 가까워진다.

$$\overline{\mathrm{P_1P_2}}-\overline{\mathrm{P_3P_4}}+\overline{\mathrm{P_5P_6}}-\overline{\mathrm{P_7P_8}}+\cdots$$
$$=\frac{7}{10}-\left(\frac{7}{10}\right)^3+\left(\frac{7}{10}\right)^5-\left(\frac{7}{10}\right)^7+\cdots$$
$$=\frac{\frac{7}{10}}{1-\left(-\frac{49}{100}\right)}=\frac{70}{149}$$

따라서 점 P는 점 $\left(\frac{100}{149},\ \frac{70}{149}\right)$에 한없이 가까워진다.

11 점 P_n을 $(x_n,\ y_n)$이라고 하면
$$\lim_{n\to\infty}x_n=1-\left(\frac{2}{3}\right)^2+\left(\frac{2}{3}\right)^4-\left(\frac{2}{3}\right)^6+\cdots$$
$$=\frac{1}{1-\left\{-\left(\frac{2}{3}\right)^2\right\}}=\frac{9}{13}$$
$$\lim_{n\to\infty}y_n=\frac{2}{3}-\left(\frac{2}{3}\right)^3+\left(\frac{2}{3}\right)^5-\left(\frac{2}{3}\right)^7+\cdots$$
$$=\frac{\frac{2}{3}}{1-\left\{-\left(\frac{2}{3}\right)^2\right\}}=\frac{6}{13}$$

따라서 구하는 점의 좌표는 $\left(\frac{9}{13},\ \frac{6}{13}\right)$

12 점 A_n의 좌표를 $(x_n,\ 0)$, 점 B_n의 좌표를 $(x_n,\ y_n)$으로 놓으면 $x_n=1+\frac{1}{2}+\left(\frac{1}{2}\right)^2+\left(\frac{1}{2}\right)^3+\cdots+\left(\frac{1}{2}\right)^{n-1}$
$$=\frac{1-\left(\frac{1}{2}\right)^n}{1-\frac{1}{2}}=2-\left(\frac{1}{2}\right)^{n-1}$$
$y_n=\left(\frac{1}{2}\right)^{n-1}$이므로 $\triangle\mathrm{OA}_n\mathrm{B}_n$의 넓이는
$$S_n=\frac{1}{2}\times\left\{2-\left(\frac{1}{2}\right)^{n-1}\right\}\times\left(\frac{1}{2}\right)^{n-1}=\left(\frac{1}{2}\right)^{n-1}-\frac{1}{2}\left(\frac{1}{4}\right)^{n-1}$$
$$\therefore\sum_{n=1}^{\infty}\left\{\left(\frac{1}{2}\right)^{n-1}-\frac{1}{2}\left(\frac{1}{4}\right)^{n-1}\right\}=\frac{1}{1-\frac{1}{2}}-\frac{\frac{1}{2}}{1-\frac{1}{4}}=\frac{4}{3}$$

13 (1) 알루미늄 캔 1톤에 대하여 75%가 수거되고, 그중 80%가 재활용되므로
$$a_1=(1\times0.75)\times0.8=0.6$$
$$a_2=(a_1\times0.75)\times0.8=0.6^2$$
$$\vdots$$
따라서 $a_n=0.6^n$(톤)
(2) $\sum_{n=1}^{\infty}0.6^n=\frac{0.6}{1-0.6}=1.5$(톤)

14 처음 12만 톤의 60%가 재활용되고, 재활용될 때마다 그 60%씩 다시 재활용되므로 재활용 과정을 무한히 반복할 때 사용할 수 있는 물의 양은
$$12+12\cdot\frac{3}{5}+12\cdot\left(\frac{3}{5}\right)^2+12\cdot\left(\frac{3}{5}\right)^3+\cdots$$
$$=\frac{12}{1-\frac{3}{5}}=30\text{(만 톤)}$$

15 $10000\times\frac{1}{10}+10000\times\frac{1}{10^2}+10000\times\frac{1}{10^3}+\cdots$
$$=\frac{10000\times\frac{1}{10}}{1-\frac{1}{10}}=\frac{10000}{9}$$

$\doteqdot1111.11$(원)

16 $10000\times0.72+10000\times0.72^2+10000\times0.72^3+\cdots$
$$=\frac{7200}{1-0.72}$$
$$=25714.2\times\times\times$$
따라서 재활용하여 만들어지는 캔의 최대 수는 약 25714개이다.

Ⅱ. 미분법

01 지수함수의 극한 본문 42쪽

01 $a>1$일 때 $\lim_{x\to\infty}a^x=\infty$이므로 $\lim_{x\to\infty}3^x=\infty$

02 $a>1$일 때 $\lim_{x\to-\infty}a^x=0$이므로 $\lim_{x\to-\infty}5^x=0$

03 $0<a<1$일 때 $\lim_{x\to\infty}a^x=0$이므로 $\lim_{x\to\infty}\left(\frac{1}{2}\right)^x=0$

05 $\lim_{x\to-\infty}3^x=0$이므로 $\lim_{x\to-\infty}\dfrac{3^x+1}{3^x-1}=\dfrac{0+1}{0-1}=-1$

06 분모, 분자를 5^x으로 각각 나누어 $0<a<1$일 때, $\lim_{x\to\infty}a^x=0$임을 이용한다.
$$\lim_{x\to\infty}\frac{5^{x+1}-2^x}{5^x+3^x}=\lim_{x\to\infty}\frac{5-\left(\frac{2}{5}\right)^x}{1+\left(\frac{3}{5}\right)^x}=\frac{5-0}{1+0}=5$$

07 분모, 분자를 4^x으로 각각 나누면
$$\lim_{x\to\infty}\frac{a\cdot4^x+3^x}{4^{x+1}-2^x}=\lim_{x\to\infty}\frac{a\cdot1+\left(\frac{3}{4}\right)^x}{4\cdot1-\left(\frac{1}{2}\right)^x}=\frac{a}{4}=8$$
$$\therefore a=32$$

02 로그함수의 극한 본문 43쪽

01 $a>1$일 때 $\lim_{x\to\infty}\log_a x=\infty$이므로 $\lim_{x\to\infty}\log_2 x=\infty$

02 $a>1$일 때 $\lim_{x\to0+}\log_a x=-\infty$이므로 $\lim_{x\to0+}\log_3 x=-\infty$

03 $0<a<1$일 때 $\lim_{x\to\infty}\log_a x=-\infty$이므로 $\lim_{x\to\infty}\log_{\frac{1}{5}} x=-\infty$

05 $\lim_{x\to\infty}\log_2\dfrac{4x+1}{x+2}=\log_2\left(\lim_{x\to\infty}\dfrac{4x+1}{x+2}\right)=\log_2 4$
$$=\log_2 2^2=2$$

06 $\lim_{x\to\infty}\{\log_2(12x+3)-\log_2 3x\}$
$$=\lim_{x\to\infty}\log_2\frac{12x+3}{3x}=\log_2\left(\lim_{x\to\infty}\frac{12x+3}{3x}\right)=\log_2 4=2$$

07 $\lim_{x\to\infty}\{\log_2(4x+1)-\log_2(x-1)\}$

$$=\lim_{x\to\infty}\log_2\frac{4x+1}{x-1}=\log_2\left(\lim_{x\to\infty}\frac{4x+1}{x-1}\right)=\log_2 4=2$$

08 $\displaystyle\lim_{x\to 2}\{\log_3(5x+2)-\log_3(x+2)\}$

$$=\lim_{x\to 2}\log_3\frac{5x+2}{x+2}=\log_3\left(\lim_{x\to 2}\frac{5x+2}{x+2}\right)=\log_3 3=1$$

09 $\displaystyle\lim_{x\to -2}\log_3\frac{x+1}{x^3-1}=\log_3\frac{-2+1}{-8-1}=\log_3\frac{1}{9}=-2$

$$\therefore k=-2$$

03 무리수 e와 자연로그 본문44쪽

02 $\displaystyle\lim_{x\to 0}(1+3x)^{\frac{1}{x}}=\lim_{x\to 0}\left\{(1+3x)^{\frac{1}{3x}}\right\}^3=e^3$

03 $\displaystyle\lim_{x\to 0}(1+3x)^{\frac{2}{x}}=\lim_{x\to 0}\left\{(1+3x)^{\frac{1}{3x}}\right\}^6=e^6$

04 $\displaystyle\lim_{x\to 0}(1-4x)^{\frac{1}{x}}=\lim_{x\to 0}\left\{(1-4x)^{-\frac{1}{4x}}\right\}^{-4}=e^{-4}=\frac{1}{e^4}$

05 $\displaystyle\lim_{x\to 0}(1-4x)^{-\frac{1}{2x}}=\lim_{x\to 0}\left\{(1-4x)^{-\frac{1}{4x}}\right\}^2=e^2$

06 $\displaystyle\lim_{x\to 0}(1-x)^{\frac{1}{2x}}=\lim_{x\to 0}\left\{(1-x)^{-\frac{1}{x}}\right\}^{-\frac{1}{2}}=e^{-\frac{1}{2}}=\frac{1}{\sqrt{e}}$

07 $\displaystyle\lim_{x\to\infty}\left(1+\frac{1}{x}\right)^{3x}=\lim_{x\to\infty}\left\{\left(1+\frac{1}{x}\right)^x\right\}^3=e^3$

08 $\displaystyle\lim_{x\to\infty}\left(1+\frac{1}{2x}\right)^{-x}=\lim_{x\to\infty}\left\{\left(1+\frac{1}{2x}\right)^{2x}\right\}^{-\frac{1}{2}}=e^{-\frac{1}{2}}=\frac{1}{\sqrt{e}}$

09 $\displaystyle\lim_{x\to 0}\left(1+\frac{x}{2}\right)^{-\frac{3}{x}}=\lim_{x\to 0}\left\{\left(1+\frac{x}{2}\right)^{\frac{2}{x}}\right\}^{-\frac{3}{2}}=e^{-\frac{3}{2}}$

10 $\displaystyle\lim_{x\to\infty}\left(\frac{x+1}{x}\right)^{2x}=\lim_{x\to\infty}\left\{\left(1+\frac{1}{x}\right)^x\right\}^2=e^2$

11 $\displaystyle\lim_{x\to -\infty}\left(1-\frac{2}{x}\right)^{2x}=\lim_{x\to -\infty}\left(1-\frac{2}{x}\right)^{\left(-\frac{x}{2}\right)\cdot(-4)}=e^{-4}$

[다른 풀이]
$x=-t$로 놓으면 $x\to-\infty$일 때, $t\to\infty$이므로

$$\lim_{x\to -\infty}\left(1-\frac{2}{x}\right)^{2x}=\lim_{t\to\infty}\left(1+\frac{2}{t}\right)^{-2t}=\lim_{t\to\infty}\left\{\left(1+\frac{2}{t}\right)^{\frac{t}{2}}\right\}^{-4}=e^{-4}$$

12 $\displaystyle\lim_{x\to\infty}\left(\frac{x+1}{x-1}\right)^{x-1}=\lim_{x\to\infty}\left(1+\frac{2}{x-1}\right)^{\frac{x-1}{2}\cdot 2}=e^2$

13 $\displaystyle\frac{1}{2}\left(1+\frac{1}{n}\right)\left(1+\frac{1}{n+1}\right)\left(1+\frac{1}{n+2}\right)\cdots\left(1+\frac{1}{2n}\right)$

$$=\frac{1}{2}\cdot\frac{n+1}{n}\cdot\frac{n+2}{n+1}\cdot\frac{n+3}{n+2}\cdots\frac{2n+1}{2n}$$

$$=\frac{1}{2}\cdot\frac{2n+1}{n}=\frac{2n+1}{2n}$$

따라서

$$(주어진\ 식)=\lim_{n\to\infty}\left(\frac{2n+1}{2n}\right)^n=\lim_{n\to\infty}\left(1+\frac{1}{2n}\right)^n$$

$$=\lim_{n\to\infty}\left\{\left(1+\frac{1}{2n}\right)^{2n}\right\}^{\frac{1}{2}}=e^{\frac{1}{2}}=\sqrt{e}$$

14 $\ln e^3=3\ln e=3\cdot 1=3$

16 $\ln\frac{1}{\sqrt{e}}=\ln\left(e^{-\frac{1}{2}}\right)=-\frac{1}{2}\cdot\ln e=-\frac{1}{2}$

16 $\ln\frac{1}{e^3}+5=\ln e^{-3}+5=-3+5=2$

17 $e^{\frac{1}{2}\ln 4}=e^{\ln 4^{\frac{1}{2}}}=e^{\ln 2}=2^{\ln e}=2$

18 $e^{\ln\sqrt{8}}=(\sqrt{8})^{\ln e}=\sqrt{8}=2\sqrt{2}$

20 $\displaystyle\lim_{x\to 0}\frac{\ln(1+2x)}{4x}=\frac{1}{2}\lim_{x\to 0}\frac{\ln(1+2x)}{2x}=\frac{1}{2}$

21 $\displaystyle\lim_{x\to 0}\frac{\ln(1+5x)}{x}=5\lim_{x\to 0}\frac{\ln(1+5x)}{5x}=5$

22 $\displaystyle\lim_{x\to 0}\frac{\ln(1+2x)}{\ln(1+4x)}=\frac{1}{2}\lim_{x\to 0}\frac{\ln(1+2x)}{2x}\cdot\lim_{x\to 0}\frac{4x}{\ln(1+4x)}$

$$=\frac{1}{2}$$

23 $\displaystyle\lim_{x\to 0}x\{\ln(x+1)-\ln x\}=\lim_{x\to 0}x\ln\frac{x+1}{x}$

$$=\lim_{x\to 0}x\ln\left(1+\frac{1}{x}\right)$$

$$=\lim_{x\to 0}\ln\left(1+\frac{1}{x}\right)^x$$

$$=\ln e=1$$

25 $\displaystyle\lim_{x\to 0}\frac{e^{3x}-e^x}{x}=\lim_{x\to 0}\frac{e^{3x}-1-(e^x-1)}{x}$

$$=3\lim_{x\to 0}\frac{e^{3x}-1}{3x}-\lim_{x\to 0}\frac{e^x-1}{x}=3-1=2$$

26 $\displaystyle\lim_{x\to 1}\frac{x^2-e^{x-1}}{x-1}=\lim_{x\to 1}\frac{x^2-1-(e^{x-1}-1)}{x-1}$

$$=\lim_{x\to 1}\frac{x^2-1}{x-1}-\lim_{x\to 1}\frac{e^{x-1}-1}{x-1}$$

$$=\lim_{x\to 1}(x+1)-\lim_{x\to 1}\frac{e^{x-1}-1}{x-1}\qquad \Leftarrow x-1=t\text{로}$$
$$\qquad\qquad\qquad\qquad\qquad\qquad\qquad\text{놓자.}$$

$$=2-\lim_{t\to 0}\frac{e^{x-1}}{t}=2-1=1$$

27 $\displaystyle\lim_{x\to 0}\frac{e^{4x}-2e^{2x}+1}{x\ln(x+1)}=4\lim_{x\to 0}\frac{(e^{2x}-1)^2}{(2x)^2}\cdot\frac{x}{\ln(x+1)}$

$$=4\lim_{x\to 0}\left(\frac{e^{2x}-1}{2x}\right)^2\cdot\frac{x}{\ln(x+1)}$$

$$=4\cdot 1^2\cdot 1=4$$

28 $\displaystyle\lim_{x\to 0}\frac{\ln(2x+1)}{1-e^{4x}}=\frac{1}{2}\lim_{x\to 0}\frac{\ln(2x+1)}{2x}\cdot\frac{4x}{1-e^{4x}}$

$$=\frac{1}{2}\cdot 1\cdot(-1)=-\frac{1}{2}$$

30 $\displaystyle\lim_{x\to 0}\frac{\log_3(4+x)-\log_3 4}{x}=\lim_{x\to 0}\frac{\log_3\left(1+\frac{x}{4}\right)}{x}$

$$=\lim_{x\to 0}\frac{\log_3\left(1+\frac{x}{4}\right)}{\frac{x}{4}}\cdot\frac{1}{4}=\frac{1}{\ln 3}\cdot\frac{1}{4}=\frac{1}{4\ln 3}$$

31 $\displaystyle\lim_{x\to 0}\frac{\log_5(5+x)-1}{x}=\lim_{x\to 0}\frac{\log_5\left(1+\frac{x}{5}\right)}{x}$

$$=\lim_{x\to 0}\frac{\log_5\left(1+\frac{x}{5}\right)}{\frac{x}{5}}\cdot\frac{1}{5}=\frac{1}{\ln 5}\cdot\frac{1}{5}=\frac{1}{5\ln 5}$$

32 $x-1=t$로 놓자.

$$\lim_{x \to 1} \frac{\log_2 x}{1-x} = \lim_{t \to 0} \frac{\log_4 (1+t)}{-t} = \lim_{t \to 0} \frac{\log_2 (1+t)}{t} \cdot (-1)$$
$$= -\frac{1}{\ln 2}$$

33 $\lim_{x \to 4} \frac{\log_4 (x-3)}{x-4} = \lim_{t \to 0} \frac{\log_4 (1+t)}{t} = \frac{1}{\ln 4} = \frac{1}{2\ln 2}$

35 $\lim_{x \to 0} \frac{8^x - 3^x}{x} = \lim_{x \to 0} \frac{8^x - 1 - (3^x - 1)}{x}$
$$= \lim_{x \to 0} \frac{8^x - 1}{x} - \lim_{x \to 0} \frac{3^x - 1}{x}$$
$$= \ln 8 - \ln 3 = 3\ln 2 - \ln 3$$

36 $\lim_{x \to 0} \frac{x}{7^x - 1} = \lim_{x \to 0} \frac{1}{\dfrac{7^x - 1}{x}} = \frac{1}{\ln 7}$

37 $\lim_{x \to 1} \frac{6^{x-1} - 1}{x^3 - 1} = \lim_{x \to 1} \frac{6^{x-1} - 1}{x - 1} \cdot \frac{1}{x^2 + x + 1}$
$$= \ln 6 \cdot \frac{1}{3} = \frac{1}{3} \ln 6$$

38 $\lim_{x \to 0} \frac{\{\log_2 (1+2x)\}(4^x - 1)}{x^2}$
$$= 2\lim_{x \to 0} \frac{\{\log_2 (1+2x)\}}{2x} \cdot \lim_{x \to 0} \frac{4^x - 1}{x}$$
$$= 2 \cdot \frac{1}{\ln 2} \cdot \ln 4 = 2 \cdot \frac{1}{\ln 2} \cdot 2\ln 2 = 4$$

39 $\lim_{x \to 0} \frac{e^{ax} + b}{x} = 8$에서 $x \to 0$일 때, (분모) $\to 0$이고 극한값이

존재하므로 (분자) $\to 0$이어야한다. 즉,
$e^0 + b = 0$ $\therefore b = -1$
$b = -1$을 주어진 식에 대입하면
$$\lim_{x \to 0} \frac{e^{ax} + b}{x} = \lim_{x \to 0} \frac{e^{ax} - 1}{x} = \lim_{x \to 0} \frac{e^{ax} - 1}{ax} \cdot a = a$$
$\therefore a = 8$
$\therefore a + b = 8 + (-1) = 7$

40 주어진 극한값을 구하면
$$\lim_{x \to 0} \frac{\ln(1+ax)}{x^2 + 2x} = \lim_{x \to 0} \frac{\ln(1+ax)}{ax} \cdot \frac{a}{(x+2)}$$
$$= 1 \cdot \frac{a}{2} = \frac{a}{2} = b$$
$\therefore \dfrac{a}{b} = 2$

41 $\lim_{x \to \infty} \left(\frac{x+a}{x-a} \right)^x = \lim_{x \to \infty} \left(1 + \frac{2a}{x-a} \right)^x$
$$= \lim_{x \to \infty} \left(1 + \frac{2a}{x-a} \right)^{\frac{x-a}{2a} \cdot \frac{2ax}{x-a}}$$
$$= e^{2a} = e^{20}$$
$2a = 20$
$\therefore a = 10$

42 주어진 극한값이 4인 정수가 되기 위해서
$$\lim_{x \to 0} \frac{\ln(1+x)}{x} = 1, \quad \lim_{x \to 0} \frac{e^x - 1}{x} = 1$$
의 꼴을 만들어 푼다.
또한 $x \to 0$일 때, (분모) $\to 0$이므로 (분자) $\to 0$이어야 한

다. 즉,
$e^{a \cdot 0 + b} - 1 = 0$ $\therefore b = 0$
$$\lim_{x \to 0} \frac{e^{ax+b} - 1}{\ln(1+cx)} = \lim_{x \to 0} \frac{e^{ax} - 1}{\ln(1+cx)}$$
$$= \lim_{x \to 0} \frac{e^{ax} - 1}{ax} \cdot \frac{cx}{\ln(1+cx)} \cdot \frac{a}{c}$$
$$= 1 \cdot 1 \cdot \frac{a}{c} = \frac{a}{c} = 4 \quad \therefore a = 4c$$
$$\therefore \frac{a+b}{c} = \frac{4c+0}{c} = 4$$

43 삼각형 OAB에서 $\overline{OB} = 1$이고 점 A의 y좌표가 a이므로

점 A의 x좌표는 $\dfrac{e^x - 1}{2} = a$에서

$e^x = 2a+1$, $x = \ln(2a+1)$

따라서 $S(a) = \dfrac{1}{2} \cdot 1 \cdot \ln(2a+1) = \dfrac{1}{2} \ln(2a+1)$이므로

$$\lim_{a \to 0+} \frac{S(a)}{a} = \lim_{a \to 0+} \frac{\ln(2a+1)}{2a}$$
$$= \lim_{a \to 0+} \ln(1+2a)^{\frac{1}{2a}} = \ln e = 1$$

44 두 삼각형의 넓이 S_1, S_2를 각각 구하면
$$S_1 = \frac{1}{2} \cdot 1 \cdot (a-1) = \frac{a-1}{2}$$
$$S_2 = \frac{1}{2} \cdot (e-1) \cdot \ln a = \frac{(e-1)\ln a}{2}$$

$$\lim_{a \to 1} \frac{S_1}{S_2} = \lim_{a \to 1} \frac{\dfrac{a-1}{2}}{\dfrac{(e-1)\ln a}{2}} = \lim_{a \to 1} \frac{a-1}{(e-1)\ln a}$$
$$= \lim_{t \to 0} \frac{t}{\ln(1+t)} \cdot \frac{1}{e-1} = \frac{1}{e-1}$$

45 $S(t) = \dfrac{1}{2} \overline{OA} \cdot \overline{AC} = \dfrac{1}{2} t \ln(1+t)$
$T(t) = \dfrac{1}{2} \overline{AB}(\overline{AC} + \overline{BD}) = \dfrac{1}{2} t \{\ln(1+t) + \ln(1+2t)\}$
$$\therefore \lim_{t \to 0} \frac{T(t)}{S(t)} = \lim_{t \to 0} \frac{\ln(1+t) + \ln(1+2t)}{\ln(1+t)}$$
$$= 1 + \lim_{t \to 0} \frac{\ln(1+2t)}{\ln(1+t)}$$
$$= 1 + \lim_{t \to 0} \frac{\dfrac{\ln(1+2t)}{2t} \cdot 2}{\dfrac{\ln(1+t)}{t}}$$
$$= 1 + \frac{2}{1} = 3$$

46 곡선 $y = \ln(1+10x)$ 위의 점 P의 x좌표를 t로 놓으면
$P(t, \ln(1+10t))$
각 θ는 직선 OP가 x축의 양의 방향과 이루는 각이므로
$\tan \theta = \dfrac{\ln(1+10t)}{t}$
점 P가 원점 O에 한없이 가까워지면 $t \to 0$이므로
$$\lim_{t \to 0} \tan \theta = \lim_{t \to 0} \frac{\ln(1+10t)}{t} = \lim_{t \to 0} \frac{\ln(1+10t)}{10t} \cdot 10$$
$$= 1 \cdot 10 = 10$$

08 $y'=(x^2e^x)'=(x^2)'\cdot e^x+x^2\cdot(e^x)'$
$\quad=2xe^x+x^2e^x=xe^x(x+2)$

10 $y'=(5x)'\ln x+5x(\ln x)'=5\ln x+5x\cdot\dfrac{1}{x}$
$\quad=5\ln x+5$

12 $y'=(3x-1)'\log_2 x+(3x-1)(\log_2 x)'$
$\quad=3\log_2 x+(3x-1)\cdot\dfrac{1}{x\ln 2}=3\log_2 x+\dfrac{3x-1}{x\ln 2}$

13 $y'=3x^2\cdot\ln 2x+x^3\cdot\dfrac{1}{x}$
$\quad=3x^2(\ln x+\ln 2)+x^2=x^2(3\ln x+3\ln 2+1)$

14 $y'=3(\ln x)^2\cdot(\ln x)'=\dfrac{3(\ln x)^2}{x}$

17 $y'=(e^{x+\ln 2})'=(e^x\cdot e^{\ln 2})'=2e^x$

18 $y'=(4^{2x}\cdot 4^{-1})'=\dfrac{1}{4}\cdot 4^{2x}\ln 4\cdot 2=2^{4x}\ln 2$

22 $y'=2x(e^x-1)+(x^2+4)e^x=e^x(x^2+2x+4)-2x$

25 $f'(x)=3x^2+2e^{2x}$이므로
$\quad f'(1)=3+2e^2$

26 $f'(x)=e^x(1+x)+2^x\ln 2$이므로
$\quad f'(0)=1+\ln 2$

27 $f(x)=\ln x+e^{x-2}$를 미분하면
$\quad f'(x)=\dfrac{1}{x}+e^{x-2}$이므로
$\quad f'(2)=\dfrac{1}{2}+e^{x-2}=\dfrac{3}{2}$

28 $y'=(\log_2 16x)'=(4+\log_2 x)'=\dfrac{1}{x\ln 2}$

32 곡선 $f(x)=x^3-\ln x$ 위의 점 $(1,\ 1)$에서의 접선의 기울기는 $f'(1)$과 같으므로
$\quad f'(x)=(x^3)'-(\ln x)'=3x^2-\dfrac{1}{x}$
$\quad f'(1)=3-1=2$

33 $f(x)=e^x\log_2 x-\ln x$ 위의 점 $(1,\ 0)$에서의 접선의 기울기는 $f'(1)$과 같으므로
$\quad f'(x)=e^x\left(\log_2 x+\dfrac{1}{x\ln 2}\right)-\dfrac{1}{x}$
$\quad f'(1)=e^1\left(\log_2 1+\dfrac{1}{1\cdot\ln 2}\right)-\dfrac{1}{1}=\dfrac{e}{\ln 2}-1$

34 x의 값이 1에서 e까지 변할 때의 평균변화율은
$\quad\dfrac{f(e)-f(1)}{e-1}=\dfrac{e\ln e-\ln 1}{e-1}=\dfrac{e}{e-1}$
$\quad x=a$에서의 순간변화율은 $f'(a)$이므로
$\quad f'(x)=1\cdot\ln x+x\cdot\dfrac{1}{x}=\ln x+1$
$\quad f'(a)=\ln a+1$
$\quad\therefore\ \dfrac{e}{e-1}=\ln a+1$
$\quad\ln a=\dfrac{e}{e-1}-1=\dfrac{1}{e-1}$
$\quad\therefore\ a=e^{\frac{1}{e-1}}$

35 주어진 함수를 미분하면
$\quad f'(x)=\dfrac{e^{\ln x+2}}{x}+\ln x+1$
$\quad f'(e)=\dfrac{e^{\ln e+2}}{e}+\ln e+1=e^2+2$
$\quad\therefore\ a=2,\ b=2$
따라서 구하는 값은
$\quad a+b=2+2=4$

36 $\displaystyle\lim_{x\to 1}\dfrac{f(x)-5}{x-1}=8$에서
$x\to 1$일 때, (분모) $\to 0$이고, 극한값이 존재하므로 (분자) $\to 0$이어야 한다.
즉, $\displaystyle\lim_{x\to 1}\{f(x)-5\}=0$이어야 한다.
$\quad f(1)-5=1+b-5=0\ \therefore\ b=4$
$\quad f(x)=e^{a(x-1)}+4x$를 미분하면
$\quad f'(x)=ae^{a(x-1)}+4$이고,
$\quad\displaystyle\lim_{x\to 1}\dfrac{f(x)-5}{x-1}=\lim_{x\to 1}\dfrac{f(x)-f(1)}{x-1}=f'(1)=8$
이다. 따라서
$\quad f'(1)=a+4=8\ \therefore\ a=4$
따라서 구하는 값은
$\quad a\cdot b=4\cdot 4=16$

37 $f(1)=0$이므로
$\quad\displaystyle\lim_{x\to 1}\dfrac{f(x^2)}{x-1}=\lim_{x\to 1}\dfrac{f(x^2)-f(1)}{x^2-1}\cdot(x+1)$
$\qquad=\displaystyle\lim_{x\to 1}\dfrac{f(x^2)-f(1)}{x^2-1}\cdot(x+1)=2f'(1)$
$\quad f(x)=x\log_2 x+\ln x$를 미분하면
$\quad f'(x)=\log_2 x+\dfrac{1}{\ln 2}+\dfrac{1}{x}$
$\quad\displaystyle\lim_{x\to 1}\dfrac{f(x^2)}{x-1}=2f'(1)=2\left(\log_2 1+\dfrac{1}{\ln 2}+\dfrac{1}{1}\right)=\dfrac{2}{\ln 2}+2$
$\quad\therefore\ a=2,\ b=2,\ c=2$
따라서 구하는 값은
$\quad a+b+c=2+2+2=6$

38 $f(x)=2^x+3^{x-1}$라 하면
$\quad f(2)=2^2+3^{2-1}=4+3=7$이므로
주어진 식은
$\quad\displaystyle\lim_{x\to 2}\dfrac{2^x+3^{x-1}-7}{x-2}=\lim_{x\to 2}\dfrac{f(x)-f(2)}{x-2}=f'(2)$이다.
따라서 함수 $f(x)$를 미분하여 $f'(2)$의 값을 구한다. 즉,
$\quad f'(x)=2^x\ln 2+3^{x-1}\ln 3$에서
$\quad f'(2)=2^2\ln 2+3^{2-1}\ln 3=4\ln 2+3\ln 3=k$
따라서 구하는 값은
$\quad e^k=e^{4\ln 2+3\ln 3}=e^{\ln(2^4\cdot 3^3)}=2^4\cdot 3^3=432$

39 함수 $f(x)$가 미분가능하면 함수 $f(x)$는 연속이므로
$\quad\displaystyle\lim_{x\to 2^-}f(x)=\lim_{x\to 2^+}f(x)=f(2)$에서
$\quad a\cdot 2^2+4=\ln b(2-1),$
$\quad 4a+4=\ln b\quad\cdots\cdots$ ㉠
$\quad f'(x)=\begin{cases}2ax & (x\leq 2)\\[4pt]\dfrac{1}{x}\quad 1 & (x>2)\end{cases}$

$$\lim_{x \to 2-} f'(x) = \lim_{x \to 2-} 2ax = 4a$$

$$\lim_{x \to 2+} f'(x) = \lim_{x \to 2+} \frac{1}{x-1} = 1$$

함수 $f(x)$는 $x=2$에서 미분가능하므로

$4a=1$ $\therefore a = \frac{1}{4}$

a의 값을 식 ㉠에 대입하여 b의 값을 구하면

$b = e^5$

40 함수 $f(x)$가 미분가능하면 함수 $f(x)$는 연속이므로

$\lim\limits_{x \to 1-} f(x) = \lim\limits_{x \to 1+} f(x) = f(1)$에서

$ae^{-1} = 3 - b$ ……㉠

$$f'(x) = \begin{cases} -ae^{-x} & (x \le 1) \\ 2x - b & (x > 1) \end{cases}$$

$$\lim_{x \to 1-} f'(x) = \lim_{x \to 1-} -ae^{-x} = -ae^{-1}$$

$$\lim_{x \to 1+} f'(x) = \lim_{x \to 1+} (2x - b) = 2 - b$$

함수 $f(x)$는 $x=1$에서 미분가능하므로

$-ae^{-1} = 2 - b$ ……㉡

㉠, ㉡을 연립하여 풀면

$a = \frac{e}{2}$, $b = \frac{5}{2}$

따라서 구하는 값은

$4ab = 4 \cdot \frac{e}{2} \cdot \frac{5}{2} = 5e$

O5 삼각함수의 덧셈정리 본문 54쪽

01 $\sin 225° = \sin(180° + 45°)$

$= \sin 180° \cos 45° + \cos 180° \sin 45°$

$= 0 \cdot \frac{\sqrt{2}}{2} - 1 \cdot \frac{\sqrt{2}}{2} = -\frac{\sqrt{2}}{2}$

02 $\cos 15° = \cos(45° - 30°)$

$= \cos 45° \cos 30° + \sin 45° \sin 30°$

$= \frac{\sqrt{2}}{2} \cdot \frac{\sqrt{3}}{2} + \frac{\sqrt{2}}{2} \cdot \frac{1}{2} = \frac{\sqrt{6}}{4} + \frac{\sqrt{2}}{4} = \frac{\sqrt{2}}{4}(\sqrt{3}+1)$

03 $\sin \frac{5}{12}\pi = \sin\left(\frac{\pi}{4} + \frac{\pi}{6}\right)$

$= \sin \frac{\pi}{4} \cos \frac{\pi}{6} + \cos \frac{\pi}{4} \sin \frac{\pi}{6}$

$= \frac{\sqrt{2}}{2} \cdot \frac{\sqrt{3}}{2} + \frac{\sqrt{2}}{2} \cdot \frac{1}{2}$

$= \frac{\sqrt{6}}{4} + \frac{\sqrt{2}}{4} = \frac{\sqrt{2}}{4}(\sqrt{3}+1)$

04 $\cos \frac{7}{12}\pi = \cos\left(\frac{\pi}{3} + \frac{\pi}{4}\right) = \cos \frac{\pi}{3} \cos \frac{\pi}{4} - \sin \frac{\pi}{3} \sin \frac{\pi}{4}$

$= \frac{1}{2} \cdot \frac{\sqrt{2}}{2} - \frac{\sqrt{3}}{2} \cdot \frac{\sqrt{2}}{2}$

$= \frac{\sqrt{2}}{4} - \frac{\sqrt{6}}{4} = \frac{\sqrt{2}}{4}(1 - \sqrt{3})$

05 $\tan 165° = \tan(180° - 15°) = \tan(-15°)$

$= \tan(30° - 45°)$

$= \frac{\tan 30° - \tan 45°}{1 + \tan 30° \tan 45°} = \frac{\frac{1}{\sqrt{3}} - 1}{1 + \frac{1}{\sqrt{3}} \cdot 1}$

$= \frac{1 - \sqrt{3}}{\sqrt{3} + 1} = \frac{-(\sqrt{3}-1)^2}{(\sqrt{3}+1)(\sqrt{3}-1)}$

$= \frac{-(3 + 1 - 2\sqrt{3})}{2} = -2 + \sqrt{3}$

06 $\tan \frac{19}{12}\pi = \tan\left(\pi + \frac{7}{12}\pi\right) = \tan \frac{7}{12}\pi = \tan\left(\frac{\pi}{4} + \frac{\pi}{3}\right)$

$= \frac{\tan \frac{\pi}{4} + \tan \frac{\pi}{3}}{1 - \tan \frac{\pi}{4} \tan \frac{\pi}{3}} = \frac{1 + \sqrt{3}}{1 - 1 \cdot \sqrt{3}}$

$= \frac{(1+\sqrt{3})^2}{(1-\sqrt{3})(1+\sqrt{3})} = \frac{4 + 2\sqrt{3}}{-2}$

$= -2 - \sqrt{3}$

07 $\sec \frac{7}{12}\pi = \frac{1}{\cos \frac{7}{12}\pi}$ 이므로

$\cos \frac{7}{12}\pi = \cos\left(\frac{\pi}{3} + \frac{\pi}{4}\right) = \cos \frac{\pi}{3} \cos \frac{\pi}{4} - \sin \frac{\pi}{3} \sin \frac{\pi}{4}$

$= \frac{1}{2} \cdot \frac{\sqrt{2}}{2} - \frac{\sqrt{3}}{2} \cdot \frac{\sqrt{2}}{2} = \frac{\sqrt{2}(1-\sqrt{3})}{4}$

따라서

$\sec \frac{7}{12}\pi = \frac{1}{\cos \frac{7}{12}\pi} = \frac{4}{\sqrt{2}(1-\sqrt{3})}$

$= \frac{4(1+\sqrt{3})}{\sqrt{2}(1-\sqrt{3})(1+\sqrt{3})} = \frac{4(1+\sqrt{3})}{\sqrt{2} \cdot (-2)}$

$= -\sqrt{2}(1+\sqrt{3}) = -\sqrt{2} - \sqrt{6}$

08 $\sin \alpha = \frac{1}{4}$이고, $\sin^2 \alpha + \cos^2 \alpha = 1$이므로

$\cos \alpha = \sqrt{1 - \left(\frac{1}{4}\right)^2} = -\frac{\sqrt{15}}{4} \left(\because \frac{\pi}{2} < \alpha < \pi\right)$

$\cos \beta = \frac{1}{3}$이고, $\sin^2 \beta + \cos^2 \beta = 1$이므로

$\sin \beta = \sqrt{1 - \left(\frac{1}{3}\right)^2} = \frac{2\sqrt{2}}{3} \left(\because 0 < \beta < \frac{\pi}{2}\right)$

따라서 구하는 값은

$\sin(\alpha + \beta) = \sin \alpha \cos \beta + \cos \alpha \sin \beta$

$= \frac{1}{4} \cdot \frac{1}{3} + \left(-\frac{\sqrt{15}}{4}\right) \cdot \frac{2\sqrt{2}}{3} = \frac{1}{12} - \frac{\sqrt{30}}{6}$

09 $\sin \alpha = \frac{1}{2}$이므로 $\cos \alpha = \sqrt{1 - \left(\frac{1}{2}\right)^2} = \frac{\sqrt{3}}{2}$,

$\cos \beta = \frac{1}{3}$이므로 $\sin \beta = \sqrt{1 - \left(\frac{1}{3}\right)^2} = \frac{2\sqrt{2}}{3}$

$(\because \alpha, \beta$는 예각$)$

따라서 구하는 값은

$\sin(\alpha + \beta) = \sin \alpha \cos \beta + \cos \alpha \sin \beta$

$= \frac{1}{2} \cdot \frac{1}{3} + \frac{\sqrt{3}}{2} \cdot \frac{2\sqrt{2}}{3}$

$= \frac{1}{6} + \frac{\sqrt{6}}{3}$

10 $\sin \alpha = \frac{1}{4}$이므로 $\cos \alpha = \sqrt{1 - \left(\frac{1}{4}\right)^2} = \frac{\sqrt{15}}{4}$,

$\cos \beta = \frac{1}{2}$이므로 $\sin \beta = \sqrt{1 - \left(\frac{1}{2}\right)^2} = \frac{\sqrt{3}}{2}$ $(\because \alpha, \beta$는 예각$)$

따라서 구하는 값은

$\cos(\alpha - \beta) = \cos \alpha \cos \beta + \sin \alpha \sin \beta$

$$= \frac{\sqrt{15}}{4} \cdot \frac{1}{2} + \frac{1}{4} \cdot \frac{\sqrt{3}}{2}$$
$$= \frac{\sqrt{15}}{8} + \frac{\sqrt{3}}{8}$$

11 $\sin \alpha + \sin \beta = \frac{4}{3}$에서 양변을 제곱하면,

$(\sin \alpha + \sin \beta)^2 = \left(\frac{4}{3}\right)^2$,

$\sin^2 \alpha + 2\sin \alpha \sin \beta + \sin^2 \beta = \frac{16}{9}$ ······ ㉠

$\cos \alpha + \cos \beta = \frac{1}{2}$에서 양변을 제곱하면,

$(\cos \alpha + \cos \beta)^2 = \left(\frac{1}{2}\right)^2$,

$\cos^2 \alpha + 2\cos \alpha \cos \beta + \cos^2 \beta = \frac{1}{4}$ ······ ㉡

두 식 ㉠, ㉡에 대하여 ㉠+㉡하여 정리하면

$2 + 2(\sin \alpha \sin \beta + \cos \alpha \cos \beta) = \frac{73}{36}$,

$2\cos(\alpha - \beta) = \frac{73}{36} - 2 = \frac{1}{36}$,

$\therefore \cos(\alpha - \beta) = \frac{1}{72}$

즉, $a=1$, $b=72$이므로 구하는 값은

$a + b = 1 + 72 = 73$

12 코사인의 덧셈정리

$\cos(\alpha + \beta) = \cos \alpha \cos \beta - \sin \alpha \sin \beta$에 의해,

$\cos^2 x - \sin^2 x = \cos 2x$이다.

$\sin 2x = \frac{1}{4}$이고, $\sin^2 2x + \cos^2 2x = 1$이므로

$\cos 2x = \sqrt{1 - \sin^2 2x} = \sqrt{1 - \left(\frac{1}{4}\right)^2} = \frac{\sqrt{15}}{4} \left(\because 0 < x < \frac{\pi}{4} \right)$

따라서 구하는 값은

$\cos^2 x - \sin^2 x = \cos 2x = \frac{\sqrt{15}}{4}$

13 $x^2 - 6x - 1 = 0$의 두 근 $\tan \alpha$, $\tan \beta$에서

$\tan \alpha + \tan \beta = 6$

$\tan \alpha \times \tan \beta = -1$

$\therefore \tan(\alpha + \beta) = \frac{\tan \alpha + \tan \beta}{1 - \tan \alpha \tan \beta} = \frac{6}{1 - (-1)} = \frac{6}{2} = 3$

14 $x^2 + x - 5 = 0$의 두 근 $\tan \alpha$, $\tan \beta$에서

$\tan \alpha + \tan \beta = -1$

$\tan \alpha \times \tan \beta = -5$

$\therefore \tan(\alpha + \beta) = \frac{\tan \alpha + \tan \beta}{1 - \tan \alpha \tan \beta} = \frac{-1}{1 - (-5)} = -\frac{1}{6}$

15 $2x^2 - 5x - 3 = 0$의 두 근 $\tan \alpha$, $\tan \beta$에서

$\tan \alpha + \tan \beta = \frac{5}{2}$

$\tan \alpha \times \tan \beta = -\frac{3}{2}$

$\therefore \tan(\alpha + \beta) = \frac{\tan \alpha + \tan \beta}{1 - \tan \alpha \tan \beta} = \frac{\frac{5}{2}}{1 - \left(-\frac{3}{2}\right)} = 1$

16 두 직선 $x - 4y + 2 = 0$, $3x - y + 5 = 0$이 각각 x축의 양의 방향과 이루는 각의 크기를 α, β라 할 때, $\tan \alpha$, $\tan \beta$는 각 직선의 기울기이다. 즉,

$x - 4y + 2 = 0 \rightarrow y = \frac{1}{4}x + \frac{1}{2}$

$\therefore \tan \alpha = \frac{1}{4}$

$3x - y + 5 = 0 \rightarrow y = 3x + 5$

$\therefore \tan \beta = 3$

두 직선이 이루는 예각의 크기 θ는

$\theta = |\alpha - \beta|$이므로

$\tan \theta = \tan(|\alpha - \beta|) = |\tan(\alpha - \beta)|$

$= \left| \frac{\tan \alpha - \tan \beta}{1 + \tan \alpha \tan \beta} \right| = \left| \frac{\frac{1}{4} - 3}{1 + \frac{1}{4} \cdot 3} \right| = \left| \frac{-\frac{11}{4}}{\frac{7}{4}} \right|$

$= \left| -\frac{11}{7} \right| = \frac{11}{7}$

17 직선 $y = mx$가 x축의 양의 방향과 이루는 각을 θ라 하면 기울기는 $\tan \theta$이다. 또한 직선 $y = \frac{5}{3}x$의 기울기는 $\tan 2\theta$이다.

탄젠트의 덧셈정리를 활용하여 구하면

$\tan 2\theta = \frac{2\tan \theta}{1 - \tan^2 \theta} = \frac{5}{3}$이므로,

$2\tan \theta \times 3 = 5 \times (1 - \tan^2 \theta)$,

$5\tan^2 \theta + 6\tan \theta - 5 = 0$

이다. 위 식은 $\tan \theta$에 대한 이차방정식이므로 근의 공식을 활용하여 구하면

$\tan \theta = \frac{-3 + \sqrt{34}}{5} \left(\because 0 < \theta < \frac{\pi}{2} \right)$

18 두 점 P, Q 사이의 거리 $\overline{PQ}$는

$\overline{PQ} = \sqrt{(\cos \alpha - \cos \beta)^2 + (\sin \alpha - \sin \beta)^2}$

$= \sqrt{\cos^2 \alpha - 2\cos \alpha \cos \beta + \cos^2 \beta + \sin^2 \alpha - 2\sin \alpha \sin \beta + \sin^2 \beta}$

$= \sqrt{(\cos^2 \alpha + \sin^2 \alpha) + (\sin^2 \beta + \cos^2 \beta) - 2(\cos \alpha \cos \beta + \sin \alpha \sin \beta)}$

$= \sqrt{2 - 2\cos(\alpha - \beta)}$

이고 $\overline{PQ} = 1$이므로

$\sqrt{2 - 2\cos(\alpha - \beta)} = 1$

$2 - 2\cos(\alpha - \beta) = 1$

$2\cos(\alpha - \beta) = 1$

$\therefore \cos(\alpha - \beta) = \frac{1}{2}$

19 ∠CAB $= \alpha$라 하면 $\sin \alpha = \frac{4}{5}$, $\cos \alpha = \frac{3}{5}$

∠FAE $= \beta$라 하면 $\sin \beta = \frac{3}{5}$, $\cos \beta = \frac{4}{5}$

이때, $\theta = \alpha - \beta$이므로

$\cos \theta = \cos(\alpha - \beta) = \cos \alpha \cos \beta + \sin \alpha \sin \beta$

$= \frac{3}{5} \cdot \frac{4}{5} + \frac{4}{5} \cdot \frac{3}{5} = \frac{24}{25}$

$\therefore p + q = 25 + 24 = 49$

06 삼각함수의 합성 본문 58쪽

02 $\sqrt{(\sqrt{3})^2 + (-1)^2} = \sqrt{4} = 2$이므로

$\sqrt{3} \sin \theta - \cos \theta = 2 \left\{ \frac{\sqrt{3}}{2} \sin \theta + \left(-\frac{1}{2}\right) \cos \theta \right\}$

$- 2 \left(\cos \frac{11}{6}\pi \sin \theta + \sin \frac{11}{6}\pi \cos \theta \right)$

$$=2\sin\left(\theta+\frac{11}{6}\pi\right)$$

03 $\dfrac{\sqrt{3}}{2}\sin\theta+\dfrac{1}{2}\cos\theta=\cos\dfrac{\pi}{6}\sin\theta+\sin\dfrac{\pi}{6}\cos\theta$

$$=\sin\left(\theta+\frac{\pi}{6}\right)$$

04 $\sin\theta+\cos(\theta+30°)$

$=\sin\theta+\cos\theta\cos30°-\sin\theta\sin30°$

$=\sin\theta+\dfrac{\sqrt{3}}{2}\cos\theta-\dfrac{1}{2}\sin\theta$

$=\dfrac{1}{2}\sin\theta+\dfrac{\sqrt{3}}{2}\cos\theta$

$=\cos60°\sin\theta+\sin60°\cos\theta$

$=\sin(\theta+60°)$

05 $\cos(\theta-60°)-\cos\theta$

$=\cos\theta\cos60°+\sin\theta\sin60°-\cos\theta$

$=\dfrac{1}{2}\cos\theta+\dfrac{\sqrt{3}}{2}\sin\theta-\cos\theta$

$=\dfrac{\sqrt{3}}{2}\sin\theta-\dfrac{1}{2}\cos\theta$

$=\cos330°\sin\theta+\sin330°\cos\theta$

$=\sin(\theta+330°)$

06 $\sqrt{1^2+(-\sqrt{3})^2}=\sqrt{4}=2$이므로

$\sin x-\sqrt{3}\cos x=2\left(\dfrac{1}{2}\sin x-\dfrac{\sqrt{3}}{2}\cos x\right)$

$$=2\left(\cos\frac{5}{3}\pi\sin x+\sin\frac{5}{3}\pi\cos x\right)$$

$$=2\sin\left(x+\frac{5}{3}\pi\right)$$

$$=a\sin(x+b)$$

$\therefore a=2,\ b=\dfrac{5}{3}\pi$

따라서 구하는 값은

$$a-\frac{b}{\pi}=2-\frac{\frac{5}{3}\pi}{\pi}=2-\frac{5}{3}=\frac{1}{3}$$

07 $\sqrt{(\sqrt{3})^2+(-1)^2}=2$이므로

$\sqrt{3}\sin x-\cos x=2\left\{\dfrac{\sqrt{3}}{2}\sin x+\left(-\dfrac{1}{2}\right)\cos x\right\}$

$$=2(\sin120°\sin x+\cos120°\cos x)$$

$$=2\cos(x-120°)$$

따라서 주어진 함수 $y=\sqrt{3}\sin x-\cos x$는

$y=2\cos(x-120°)$이다.

이 함수의 그래프를 x축의 방향으로 $-120°$만큼 평행이동하면 $y=2\cos x$의 그래프와 일치한다.

$\therefore a=-120°$

08 $2\sin\left(x+\dfrac{\pi}{3}\right)=2\left(\sin x\cos\dfrac{\pi}{3}+\cos x\sin\dfrac{\pi}{3}\right)$

$$=\sin x+\sqrt{3}\cos x$$

이므로

$y=2\sin\left(x+\dfrac{\pi}{3}\right)-2\sin x+1$

$=\sin x+\sqrt{3}\cos x-2\sin x+1$

$=-\sin x+\sqrt{3}\cos x+1$

또한 $\sqrt{(-1)^2+(\sqrt{3})^2}=2$이므로

$y=-\sin x+\sqrt{3}\cos x+1$

$=2\left\{\left(-\dfrac{1}{2}\right)\sin x+\dfrac{\sqrt{3}}{2}\cos x\right\}+1$

$=2\left(\cos\dfrac{2}{3}\pi\sin x+\sin\dfrac{2}{3}\pi\cos x\right)+1$

$=2\sin\left(x+\dfrac{2}{3}\pi\right)+1$

이때, $-1\le\sin\left(x+\dfrac{2}{3}\pi\right)\le1$이므로

$-1\le2\sin\left(x+\dfrac{2}{3}\pi\right)+1\le3$

$\therefore M=3,\ m=-1$

따라서 구하는 값은 $Mm=3\cdot(-1)=-3$

09 $\cos\left(x+\dfrac{\pi}{3}\right)=\cos x\cos\dfrac{\pi}{3}-\sin x\sin\dfrac{\pi}{3}$

$$=\frac{1}{2}\cos x-\frac{\sqrt{3}}{2}\sin x$$

이므로

$y=2\cos x-\cos\left(x+\dfrac{\pi}{3}\right)$

$=2\cos x-\left(\dfrac{1}{2}\cos x-\dfrac{\sqrt{3}}{2}\sin x\right)$

$=\dfrac{3}{2}\cos x+\dfrac{\sqrt{3}}{2}\sin x$

또한 $\sqrt{\left(\dfrac{3}{2}\right)^2+\left(\dfrac{\sqrt{3}}{2}\right)^2}=\sqrt{3}$이므로

$y=\dfrac{3}{2}\cos x+\dfrac{\sqrt{3}}{2}\sin x=\sqrt{3}\left(\dfrac{\sqrt{3}}{2}\cos x+\dfrac{1}{2}\sin x\right)$

$=\sqrt{3}\left(\sin\dfrac{\pi}{3}\cos x+\cos\dfrac{\pi}{3}\sin x\right)=\sqrt{3}\sin\left(x+\dfrac{\pi}{3}\right)$

$-1\le\sin\left(x+\dfrac{\pi}{3}\right)\le1$이므로

$-\sqrt{3}\le\sqrt{3}\sin\left(x+\dfrac{\pi}{3}\right)\le\sqrt{3}$

$\therefore M=\sqrt{3},\ m=-\sqrt{3}$

따라서 구하는 값은 $Mm=\sqrt{3}\cdot(-\sqrt{3})=-3$

10 $y=\sin x+\sqrt{a}\cos x$

$=\sqrt{1+a}\sin(x+\alpha)$

$\left(\text{단},\ \sin\alpha=\dfrac{\sqrt{a}}{\sqrt{1+a}},\ \cos\alpha=\dfrac{1}{\sqrt{1+a}}\right)$

$-1\le\sin(x+\alpha)\le1$이므로

$-\sqrt{1+a}\le\sqrt{1+a}\sin(x+\alpha)\le\sqrt{1+a}$

이때, 최댓값이 6이라 하였으므로

$\sqrt{1+a}=6$

$1+a=36$

$\therefore a=35$

11 $\sin^2 x=1-\cos^2 x$,

$\cos2x=\cos^2 x-\sin^2 x=2\cos^2 x-1$

이므로

$y=2\sin^3 x+\sin x\cos2x+2\cos x$

$=2\sin x(1-\cos^2 x)+\sin x(2\cos^2 x-1)+2\cos x$

$=2\sin x-2\sin x\cos^2 x+2\sin x\cos^2 x-\sin x+2\cos x$

$=\sin x+2\cos x$

$=\sqrt{5}\sin(x+\alpha)\left(\text{단},\ \sin\alpha=\dfrac{2}{\sqrt{5}},\ \cos\alpha=\dfrac{1}{\sqrt{5}}\right)$

$-1 \leq \sin(x+\alpha) \leq 1$이므로

$-\sqrt{5} \leq \sqrt{5}\sin(x+\alpha) \leq \sqrt{5}$

따라서 최댓값은 $\sqrt{5}$이다.

12 $0 < \theta < \dfrac{\pi}{2}$, $\sin\theta = \dfrac{1}{4}$이므로

$\cos\theta = \sqrt{1-\sin^2\theta} = \sqrt{1-\left(\dfrac{1}{4}\right)^2} = \dfrac{\sqrt{15}}{4}$

$\sin(x+\theta) = \sin x \cos\theta + \cos x \sin\theta$

$\qquad\qquad = \dfrac{\sqrt{15}}{4}\sin x + \dfrac{1}{4}\cos x$

$\sin(x-\theta) = \sin x \cos\theta - \cos x \sin\theta$

$\qquad\qquad = \dfrac{\sqrt{15}}{4}\sin x - \dfrac{1}{4}\cos x$

따라서 주어진 함수는

$f(x) = \sin(x+\theta)\sin(x-\theta)$

$\qquad = \left(\dfrac{\sqrt{15}}{4}\sin x + \dfrac{1}{4}\cos x\right)\left(\dfrac{\sqrt{15}}{4}\sin x - \dfrac{1}{4}\cos x\right)$

$\qquad = \left(\dfrac{\sqrt{15}}{4}\sin x\right)^2 - \left(\dfrac{1}{4}\cos x\right)^2$

$\qquad = \dfrac{15}{16}\sin^2 x - \dfrac{1}{16}\cos^2 x$

$\qquad = \dfrac{15}{16}\sin^2 x - \dfrac{1}{16}(1-\sin^2 x)$

$\qquad = \sin^2 x - \dfrac{1}{16}$

$-1 \leq \sin x \leq 1$에서

$0 \leq \sin^2 x \leq 1$, $-\dfrac{1}{16} \leq \sin^2 x - \dfrac{1}{16} \leq \dfrac{15}{16}$

$f(x) = \sin(x+\theta)\sin(x-\theta)$의 최솟값 k는 $-\dfrac{1}{16}$이다.

$\therefore 32k = 32\cdot\left(-\dfrac{1}{16}\right) = -2$

13 ∠APB는 원의 지름에 대한 원주각이므로 $\alpha + \beta = \dfrac{\pi}{2}$이다.

$3\sin\alpha + 4\sin\beta = 3\sin\alpha + 4\sin\left(\dfrac{\pi}{2}-\alpha\right)$

$\qquad\qquad = 3\sin\alpha + 4\left(\sin\dfrac{\pi}{2}\cos\alpha - \cos\dfrac{\pi}{2}\sin\alpha\right)$

$\qquad\qquad = 3\sin\alpha + 4\cos\alpha$

$\qquad\qquad = 5\sin(\alpha+\theta)$ $\left(단,\ \cos\theta = \dfrac{3}{5},\ \sin\theta = \dfrac{4}{5}\right)$

$\sin\theta > 0$, $\cos\theta > 0$이므로 $0 < \theta < \dfrac{\pi}{2}$ (θ=제1사분면)

이때, $0 < \alpha < \dfrac{\pi}{2}$이므로 $0 < \alpha+\theta < \pi$, $0 < \sin(\alpha+\theta) \leq 1$

$\therefore 0 < 5\sin(\alpha+\theta) \leq 5$

$3\sin\alpha + 4\sin\beta$의 최댓값은 5이다.

☉7 삼각함수의 극한 _{본문 61쪽}

01 $y = \sin x$는 모든 실수 x에 대하여 연속인 함수이므로

$\displaystyle\lim_{x\to\frac{\pi}{3}}\sin x = \sin\dfrac{\pi}{3} = \dfrac{\sqrt{3}}{2}$

02 $y = \cos x$는 모든 실수 x에 대하여 연속인 함수이므로

$\displaystyle\lim_{x\to\frac{\pi}{4}}\cos x = \cos\dfrac{\pi}{4} = \dfrac{\sqrt{2}}{2}$

03 $y = \tan x$는 $-\dfrac{\pi}{2} < x < \dfrac{\pi}{2}$의 범위에서 연속인 함수이고 $\dfrac{\pi}{6}$이 이 구간에 속하므로

$\displaystyle\lim_{x\to\frac{\pi}{6}}\tan x = \tan\dfrac{\pi}{6} = \dfrac{\sqrt{3}}{3}$

05 $x \neq 0$인 모든 실수 x에 대하여 $\left|\cos\dfrac{1}{x}\right| \leq 1$이므로

$\left|\tan x \cos\dfrac{1}{x}\right| \leq |\tan x|$,

$-|\tan x| \leq \tan x \cos\dfrac{1}{x} \leq |\tan x|$

이때, $\displaystyle\lim_{x\to 0}(-|\tan x|) = \lim_{x\to 0}|\tan x| = 0$이므로

$\displaystyle\lim_{x\to 0}\tan x \cos\dfrac{1}{x} = 0$

06 $x \neq 0$인 모든 실수 x에 대하여 $\left|\sin\dfrac{1}{x^2}\right| \leq 1$이므로

$\left|\sin x \sin\dfrac{1}{x^2}\right| \leq |\sin x|$,

$-|\sin x| \leq \sin x \sin\dfrac{1}{x^2} \leq |\sin x|$

이때, $\displaystyle\lim_{x\to 0}(-|\sin x|) = \lim_{x\to 0}|\sin x| = 0$이므로

$\displaystyle\lim_{x\to 0}\sin x \sin\dfrac{1}{x^2} = 0$

08 $\displaystyle\lim_{x\to 0}\dfrac{\tan x}{2x} = \dfrac{1}{2}\lim_{x\to 0}\dfrac{\sin x}{x}\cdot\dfrac{1}{\cos x}$

$\qquad\qquad = \dfrac{1}{2}\lim_{x\to 0}\dfrac{\sin x}{x}\cdot\lim_{x\to 0}\dfrac{1}{\cos x}$

$\qquad\qquad = \dfrac{1}{2}\cdot 1\cdot\dfrac{1}{1} = \dfrac{1}{2}$

10 $\displaystyle\lim_{x\to 0}\dfrac{\tan 3x}{x} = \lim_{x\to 0}3\cdot\dfrac{\tan 3x}{3x}$

$\qquad\qquad = 3\lim_{x\to 0}\dfrac{\tan 3x}{3x}$

$\qquad\qquad = 3\cdot 1 = 3$

12 $\pi - x = t$로 놓으면 $x \to \pi$일 때, $t \to 0$이므로

$\displaystyle\lim_{x\to\pi}\dfrac{\tan 3x}{\pi-x} = \lim_{t\to 0}\dfrac{\tan 3(\pi-t)}{t} = \lim_{t\to 0}\dfrac{\tan(3\pi-3t)}{t}$

$\qquad\qquad = \lim_{t\to 0}\dfrac{-\tan 3t}{t} = -3\lim_{t\to 0}\dfrac{\tan 3t}{3t} = -3$

13 $x - \dfrac{\pi}{2} = t$로 놓으면 $x \to \dfrac{\pi}{2}$일 때, $t \to 0$이므로

$\displaystyle\lim_{x\to\frac{\pi}{2}}\dfrac{x-\dfrac{\pi}{2}}{\cos x} = \lim_{t\to 0}\dfrac{t}{\cos\left(\dfrac{\pi}{2}+t\right)} = \lim_{t\to 0}\dfrac{t}{-\sin t} = -1$

15 $\displaystyle\lim_{x\to 0}\dfrac{1-\cos x}{x\sin x} = \lim_{x\to 0}\dfrac{(1-\cos x)(1+\cos x)}{x\sin x(1+\cos x)}$

$\qquad\qquad = \lim_{x\to 0}\dfrac{1-\cos^2 x}{x\sin x(1+\cos x)}$

$\qquad\qquad = \lim_{x\to 0}\dfrac{\sin^2 x}{x\sin x(1+\cos x)}$

$\qquad\qquad = \lim_{x\to 0}\left(\dfrac{\sin x}{x}\cdot\dfrac{\sin x}{\sin x}\cdot\dfrac{1}{1+\cos x}\right)$

$$=1 \cdot 1 \cdot \frac{1}{2} = \frac{1}{2}$$

16 $x-\pi=t$로 놓으면 $x \to \pi$일 때, $t \to 0$이므로
$$\lim_{x \to \pi} \frac{\cos x+1}{x-\pi} = \lim_{t \to 0} \frac{\cos(\pi+t)+1}{t} = \lim_{t \to 0} \frac{-\cos t+1}{t}$$
$$= \lim_{t \to 0} \frac{(1-\cos t)(1+\cos t)}{t(1+\cos t)}$$
$$= \lim_{t \to 0} \frac{1-\cos^2 t}{t(1+\cos t)} = \lim_{t \to 0} \frac{\sin^2 t}{t(1+\cos t)}$$
$$= \lim_{t \to 0} \left(\frac{\sin t}{t} \cdot \frac{\sin t}{1+\cos t} \right) = 1 \cdot \frac{0}{2} = 0$$

17 극한값이 존재하고 (분자) $\to$ 0이므로
(분모) $\to$ 0이어야 한다. 즉,
$$\lim_{x \to 0} \sin(ax+b) = \sin b = 0$$
$$\therefore b = 0 \left(\because 0 \le b < \frac{\pi}{2} \right)$$
주어진 극한값을 풀면
$$\lim_{x \to 0} \frac{\tan x}{\sin ax} = \lim_{x \to 0} \left(\frac{\tan x}{x} \cdot \frac{ax}{\sin ax} \cdot \frac{x}{ax} \right)$$
$$= 1 \cdot 1 \cdot \frac{1}{a} = \frac{1}{a} = \frac{1}{3}$$
$$\therefore a = 3$$
따라서 구하는 값은
$$a+b = 3+0 = 3$$

18 극한값이 존재하고 (분모) $\to$ 0이므로
(분자) $\to$ 0이어야 한다. 즉,
$$\lim_{x \to 0} (a-2\cos x) = a-2 = 0$$
$$\therefore a = 2$$
주어진 극한값을 풀면
$$\lim_{x \to 0} \frac{a-2\cos x}{x \tan x} = \lim_{x \to 0} \frac{2-2\cos x}{x \tan x}$$
$$= \lim_{x \to 0} \frac{2(1-\cos x)(1+\cos x)}{x \tan x(1+\cos x)}$$
$$= \lim_{x \to 0} \frac{2(1-\cos^2 x)}{x \tan x(1+\cos x)}$$
$$= \lim_{x \to 0} \frac{2\sin^2 x}{x \tan x(1+\cos x)}$$
$$= \lim_{x \to 0} \left(2 \cdot \frac{\sin^2 x}{x^2} \cdot \frac{x}{\tan x} \cdot \frac{1}{1+\cos x} \right)$$
$$= 2 \cdot 1 \cdot 1 \cdot \frac{1}{2} = 1 = b$$

따라서 구하는 값은
$$a+b = 2+1 = 3$$

19 $\angle AOC = \theta$이므로
$\angle BOD = \theta$ ($\because \overline{AB} /\!/ \overline{CD}$)
$\therefore \angle COD = \pi-2\theta$
그림에서 도형 OBDC의 넓이
$S(\theta)$는
$$S(\theta) = (부채꼴 BOD의 넓이) + (삼각형 COD의 넓이)$$
$$= \frac{1}{2} \cdot 6^2 \cdot \theta + \frac{1}{2} \cdot 6^2 \cdot \sin(\pi-2\theta)$$
$$= 18(\theta + \sin 2\theta)$$
$$\therefore \lim_{\theta \to 0+} \frac{S(\theta)}{\theta} = \lim_{\theta \to 0+} \frac{18(\theta + \sin 2\theta)}{\theta}$$

$$= 18 \lim_{\theta \to 0+} \left(1 + \frac{\sin 2\theta}{2\theta} \cdot 2 \right)$$
$$= 18(1+2) = 54$$

20 원의 반지름의 길이를 r라
하자. $\angle APQ = \theta$에서
$\angle AOQ = 2\theta$,
$\angle AOB = 2\angle AOQ = 4\theta$
호 AQB에 대한 중심각의
크기가 4θ이므로
$\stackrel{\frown}{AQB} = 4r\theta$
직각삼각형 AOH에서
$\overline{AH} = r \sin 2\theta$이므로 $\overline{AB} = 2r \sin 2\theta$
$$\therefore \lim_{\theta \to 0+} \frac{\stackrel{\frown}{AQB}}{\overline{AB}} = \lim_{\theta \to 0+} \frac{4r\theta}{2r \sin 2\theta} = \lim_{\theta \to 0+} \frac{2\theta}{\sin 2\theta} = 1$$

○8 삼각함수의 미분 본문 65쪽

01 $y' = (x^2 + \sin x)'$
$$= (x^2)' + (\sin x)'$$
$$= 2x + \cos x$$

02 $y' = (x^3 + \cos x)'$
$$= (x^3)' + (\cos x)'$$
$$= 3x^2 - \sin x$$

03 $y' = (3x - 2\cos x)'$
$$= (3x)' - (2\cos x)'$$
$$= 3 - (-2\sin x)$$
$$= 3 + 2\sin x$$

04 $y' = (3\sin x - \cos x)'$
$$= (3\sin x)' - (\cos x)'$$
$$= 3\cos x - (-\sin x)$$
$$= 3\cos x + \sin x$$

05 $y' = (x \cos^2 x + 5)'$
$$= (x)' \cdot \cos^2 x + x \cdot (\cos^2 x)' + (5)'$$
$$= 1 \cdot \cos^2 x + x \cdot 2\cos x \cdot (\cos x)' + 0$$
$$= \cos^2 x - 2x \sin x \cos x$$

06 $y' = (\sin x \cos x)'$
$$= (\sin x)' \cdot \cos x + \sin x \cdot (\cos x)'$$
$$= \cos x \cdot \cos x + \sin x \cdot (-\sin x)$$
$$= \cos^2 x - \sin^2 x$$

07 $y' = (e^x - \cos x)'$
$$= (e^x)' - (\cos x)'$$
$$= e^x - (-\sin x)$$
$$= e^x + \sin x$$

08 $y' = (2\ln x + 4\cos x)'$
$$= (2\ln x)' + (4\cos x)'$$
$$= \frac{2}{x} - 4\sin x$$

09 $f'(x) = (x^2+1)' \cdot \sin x + (x^2+1) \cdot (\sin x)'$
$$= 2x \cdot \sin x + (x^2+1) \cdot \cos x$$
이므로 $x=0$일 때 $f'(0)$의 값을 구하면

$$f'(0)=2\cdot0\cdot\sin0+(0^2+1)\cdot\cos 0$$
$$=0+1\cdot1=1$$

10 $f'(x)=2\sqrt{3}\sin x+2\sqrt{3}\,x\cos x-3\sin x$이므로

$$f'\left(\frac{\pi}{3}\right)=2\sqrt{3}\sin\frac{\pi}{3}+2\sqrt{3}\cdot\frac{\pi}{3}\cos\frac{\pi}{3}-3\sin\frac{\pi}{3}$$
$$=2\sqrt{3}\cdot\frac{\sqrt{3}}{2}+2\sqrt{3}\cdot\frac{\pi}{3}\cdot\frac{1}{2}-3\cdot\frac{\sqrt{3}}{2}$$
$$=3+\frac{\sqrt{3}}{3}\pi-\frac{3\sqrt{3}}{2}=3-\frac{3\sqrt{3}}{2}+\frac{\sqrt{3}}{3}\pi$$

11 $\sin\left(\frac{\pi}{2}+x\right)=\cos x$, $\sin(\pi+x)=-\sin x$이므로,

$$f(x)=\sin\left(\frac{\pi}{2}+x\right)+\sin(\pi+x)=\cos x-\sin x$$
$$f'(x)=-\sin x-\cos x$$
$$f'\left(\frac{\pi}{4}\right)=-\sin\frac{\pi}{4}-\cos\frac{\pi}{4}=-\frac{\sqrt{2}}{2}-\frac{\sqrt{2}}{2}=-\sqrt{2}$$

12 $x=0$에서 미분가능하면 $x=0$에서 연속이므로

$$f(0)=\lim_{x\to0-}\sin x=\lim_{x\to0+}(ax+b)$$
$$0=a\cdot0+b \quad \therefore b=0$$
$$f(x)=\begin{cases}\sin x & (-1<x<0) \\ ax & (0\le x<1)\end{cases}$$ 를 미분하면
$$f'(x)=\begin{cases}\cos x & (-1<x<0) \\ a & (0\le x<1)\end{cases}$$

또, $x=0$에서 미분가능하므로 $x=0$에서 $f'(x)$의 좌극한과 우극한이 같아야 하므로

$$\lim_{x\to0-}\cos x=\lim_{x\to0+}a \quad \therefore a=1$$

따라서 구하는 값은

$$a+b=1+0=1$$

13 $x=0$에서 미분가능하면 $x=0$에서 연속이므로

$$f(0)=\lim_{x\to0-}(x^2+ax+2)=\lim_{x\to0+}b\cos x$$
즉, $2=b\cdot1 \quad \therefore b=2$
$$f(x)=\begin{cases}x^2+ax+2 & (x<0) \\ 2\cos x & (x\ge0)\end{cases}$$ 를 미분하면
$$f'(x)=\begin{cases}2x+a & (x<0) \\ -2\sin x & (x\ge0)\end{cases}$$

또, $x=0$에서 미분가능하므로 $x=0$에서 $f'(x)$의 좌극한과 우극한이 같아야 하므로

$$\lim_{x\to0-}(2x+a)=\lim_{x\to0+}(-2\sin x) \quad \therefore a=0$$

따라서 구하는 값은

$$a+b=0+2=2$$

○9 함수의 몫의 미분법 본문 67쪽

01 $y'=-\dfrac{(x)'}{x^2}=-\dfrac{1}{x^2}$

02 $y'=-\dfrac{(x^3)'}{(x^3)^2}=-\dfrac{3x^2}{x^6}=-\dfrac{3}{x^4}$

03 $y'=\dfrac{(3x+1)'(x+5)-(3x+1)(x+5)'}{(x+5)^2}$
$$=\dfrac{3\cdot(x+5)-(3x+1)\cdot1}{(x+5)^2}=\dfrac{14}{(x+5)^2}$$

04 $y'=\dfrac{(x-5)'(x^2+x)-(x-5)(x^2+x)'}{(x^2+x)^2}$
$$=\dfrac{1\cdot(x^2+x)-(x-5)\cdot(2x+1)}{(x^2+x)^2}$$
$$=\dfrac{-x^2+10x+5}{(x^2+x)^2}=\dfrac{-x^2+10x+5}{x^2(x+1)^2}$$

05 $y'=\dfrac{(x^2-4)'(2x+3)-(x^2-4)(2x+3)'}{(2x+3)^2}$
$$=\dfrac{2x\cdot(2x+3)-(x^2-4)\cdot2}{(2x+3)^2}=\dfrac{2(x^2+3x+4)}{(2x+3)^2}$$

06 주어진 함수를 미분하면

$$f'(x)=\dfrac{(x^2)'(3x^2+4)-x^2(3x^2+4)'}{(3x^2+4)^2}$$
$$=\dfrac{2x\cdot(3x^2+4)-x^2\cdot6x}{(3x^2+4)^2}=\dfrac{8x}{(3x^2+4)^2}$$

이때, $x=2$에서의 순간변화율은

$$f'(2)=\dfrac{8\cdot2}{(3\cdot2^2+4)^2}=\dfrac{1}{16}$$

07 $y'=-\dfrac{(e^x)'}{(e^x)^2}=-\dfrac{e^x}{e^{2x}}=-\dfrac{1}{e^x}$

08 $y'=-\dfrac{(\ln x)'}{(\ln x)^2}=-\dfrac{\frac{1}{x}}{(\ln x)^2}=-\dfrac{1}{x(\ln x)^2}$

09 $y'=\dfrac{(x)'(\ln x)-x(\ln x)'}{(\ln x)^2}$
$$=\dfrac{\ln x-x\cdot\frac{1}{x}}{(\ln x)^2}=\dfrac{\ln x-1}{(\ln x)^2}$$

10 $y'=\dfrac{(e^x-1)'(e^x+1)-(e^x-1)(e^x+1)'}{(e^x+1)^2}$
$$=\dfrac{e^x(e^x+1)-(e^x-1)e^x}{(e^x+1)^2}$$
$$=\dfrac{e^{2x}+e^x-e^{2x}+e^x}{e^{2x}+2e^x+1}=\dfrac{2e^x}{e^{2x}+2e^x+1}$$

11 $y'=\dfrac{(x+5)'e^x-(x+5)(e^x)'}{(e^x)^2}=\dfrac{e^x-(x+5)e^x}{e^{2x}}$
$$=\dfrac{1-(x+5)}{e^x}=\dfrac{-x-4}{e^x}$$

12 $y'=\left(\dfrac{x}{\ln x}\right)'+(e^x)'+(x^2)'=\dfrac{\ln x-1}{(\ln x)^2}+e^x+2x$

13 물질 A의 양 y g을 시간 x에 대하여 미분하면

$$y'=\dfrac{5e^x-5xe^x}{e^{2x}}=\dfrac{5-5x}{e^x}$$

이때, $x=2$일 때의 순간변화율은

$$y'_{x=2}=\dfrac{5-5\cdot2}{e^2}=-\dfrac{5}{e^2}$$

14 $y'=(\tan x)'+(\sin x)'=\sec^2 x+\cos x$

15 $y'=(e^x)'\cdot\tan x+e^x\cdot(\tan x)'=e^x\tan x+e^x\sec^2 x$
$$=e^x(\tan x+\sec^2 x)$$

16 $y'=(x^2)'\cdot\tan x+x^2\cdot(\tan x)'=2x\tan x+x^2\sec^2 x$

17 $y'=(\sin x)'\cdot\tan x+\sin x\cdot(\tan x)'$
$$=\cos x\cdot\tan x+\sin x\cdot\sec^2 x$$

$$=\cos x \cdot \frac{\sin x}{\cos x}+\sin x \cdot \frac{1}{\cos^2 x}$$

$$=\sin x+\frac{\sin x}{\cos x}\cdot\frac{1}{\cos x}$$

$$=\sin x+\tan x \cdot \sec x$$

18 $y'=(5\tan x)'-(3x)'=5\sec^2 x-3$

19 $y'=(\tan x)'\cdot e^{-x}+\tan x \cdot (e^{-x})'$

$$=\sec^2 x \cdot e^{-x}+\tan x \cdot(-e^{-x})$$

$$=\frac{\sec^2 x}{e^x}-\frac{\tan x}{e^x}$$

20 $f(x)=\dfrac{\sin x+\cos x}{\cos x}=\dfrac{\sin x}{\cos x}+\dfrac{\cos x}{\cos x}=\tan x+1$이므로

$$f'(x)=(\tan x+1)'=\sec^2 x$$

$x=\dfrac{\pi}{3}$일 때, 미분계수를 구하면

$$f'\left(\frac{\pi}{3}\right)=\sec^2\frac{\pi}{3}=2^2=4$$

IO 합성함수의 미분법 본문 70쪽

02 $u=2x^2+3x+1$로 놓으면 $y=u^2$에서

$$\frac{du}{dx}=4x+3,\ \frac{dy}{du}=2u$$이므로

$$\frac{dy}{dx}=\frac{dy}{du}\cdot\frac{du}{dx}=2u\cdot(4x+3)$$

$$=2(2x^2+3x+1)(4x+3)$$

$$=2(x+1)(2x+1)(4x+3)$$

03 $u=5x+1$로 놓으면 $y=u^2-3u+4$에서

$$\frac{du}{dx}=5,\ \frac{dy}{du}=2u-3$$이므로

$$\frac{dy}{dx}=\frac{dy}{du}\cdot\frac{du}{dx}=(2u-3)\cdot 5$$

$$=10u-15=10(5x+1)-15$$

$$=50x+10-15=50x-5$$

04 $u=3x+2$로 놓으면 $y=\dfrac{1}{u^2}$에서

$$\frac{du}{dx}=3,\ \frac{dy}{du}=-\frac{2}{u^3}$$이므로

$$\frac{dy}{dx}=\frac{dy}{du}\cdot\frac{du}{dx}=\left(-\frac{2}{u^3}\right)\cdot 3$$

$$=\left(-\frac{2}{(3x+2)^3}\right)\cdot 3=-\frac{6}{(3x+2)^3}$$

05 $u=x^4+5$로 놓으면 $y=\dfrac{3}{u}$에서

$$\frac{du}{dx}=4x^3,\ \frac{dy}{du}=-\frac{3}{u^2}$$이므로

$$\frac{dy}{dx}=\frac{dy}{du}\cdot\frac{du}{dx}=\left(-\frac{3}{u^2}\right)\cdot 4x^3$$

$$=\left(-\frac{3}{(x^4+5)^2}\right)\cdot 4x^3=-\frac{12x^3}{(x^4+5)^2}$$

06 $u=x-\dfrac{1}{x}$로 놓으면 $y=u^2+2u$에서

$$\frac{du}{dx}=1+\frac{1}{x^2},\ \frac{dy}{du}=2u+2$$이므로

$$\frac{dy}{dx}=\frac{dy}{du}\cdot\frac{du}{dx}=(2u+2)\cdot\left(1+\frac{1}{x^2}\right)$$

$$=\left\{2\left(x-\frac{1}{x}\right)+2\right\}\cdot\left(1+\frac{1}{x^2}\right)=2x+2+\frac{2}{x^2}-\frac{2}{x^3}$$

07 $u=3x+5$로 놓으면 $y=e^u$에서

$$\frac{dy}{dx}=\frac{dy}{du}\cdot\frac{du}{dx}=(e^u)'\cdot(3x+5)'$$

$$=e^u\cdot 3=3e^{3x+5}$$

08 $u=3x+6$으로 놓으면 $y=\ln|u|$에서

$$\frac{dy}{dx}=\frac{dy}{du}\cdot\frac{du}{dx}=(\ln|u|)'\cdot(3x+6)'$$

$$=\frac{1}{u}\cdot 3=\frac{3}{3x+6}=\frac{1}{x+2}$$

09 $u=\sin x$로 놓으면 $y=2^u$에서

$$\frac{dy}{dx}=\frac{dy}{du}\cdot\frac{du}{dx}=(2^u)'\cdot(\sin x)'$$

$$=2^u\ln 2\cdot\cos x=2^{\sin x}\ln 2\cos x$$

10 두 함수 $f(x)$, $g(x)$를 미분하면

$$f'(x)=2ax,\ g'(x)=3$$

이때, 합성함수 $y=f(g(x))$의 도함수를 구하면

$$y'=\{f(g(x))\}'=f'(g(x))\cdot g'(x)$$

$$=2a(3x+1)\cdot 3=6a(3x+1)$$

이고, 문제에서 $y'=3x+1$이라 하였으므로

$$6a=1 \qquad \therefore a=\frac{1}{6}$$

11 $u=x^2-5x$로 놓으면 $y=\log_5 u$에서

$$\frac{dy}{dx}=\frac{dy}{du}\cdot\frac{du}{dx}=(\log_5 u)'\cdot(x^2-5x)'$$

$$=\left(\frac{1}{u}\cdot\frac{1}{\ln 5}\right)\cdot(2x-5)=\frac{2x-5}{(x^2-5x)\ln 5}$$

$$\therefore f'(7)=\frac{2\cdot 7-5}{(7^2-5\cdot 7)\ln 5}=\frac{9}{14\ln 5}$$

12 $(a^x)'=a^x\ln a$이므로 $f(x)=2^{\tan x}+\cos x$를 미분하면

$$f'(x)=2^{\tan x}\ln 2\sec^2 x-\sin x$$

$$\therefore f'\left(\frac{\pi}{4}\right)=2^{\tan\frac{\pi}{4}}\ln 2\sec^2\frac{\pi}{4}-\sin\frac{\pi}{4}$$

$$=2^1\cdot\ln 2\cdot(\sqrt{2})^2-\frac{\sqrt{2}}{2}$$

$$=4\ln 2-\frac{\sqrt{2}}{2}$$

13 $f(3x-2)=e^x+x^2+\ln|x|$를 미분하면

$$\{f(3x-2)\}'=(e^x+x^2+\ln|x|)'$$

$$f'(3x-2)\cdot 3=e^x+2x+\frac{1}{x}$$

$$f'(3x-2)=\frac{e^x}{3}+\frac{2}{3}x+\frac{1}{3x}$$

위의 도함수 $f'(3x-2)$에 대하여 $f'(4)$의 값은 $x=2$일 때이다.
즉,

$$f'(4)=f'(3\cdot 2-2)=\frac{e^2}{3}+\frac{2}{3}\cdot 2+\frac{1}{3\cdot 2}=\frac{e^2}{3}+\frac{3}{2}$$

$$\therefore f'(4)=\frac{e^2}{3}+\frac{3}{2}$$

14 $u=2x+3$으로 놓으면 $y=\sin u$에서

$$\frac{dy}{dx}=\frac{dy}{du}\cdot\frac{du}{dx}=\cos u\cdot 2=2\cos(2x+3)$$

15 $u=\cos x$로 놓으면 $y=u^3$에서

$$\frac{dy}{dx}=\frac{dy}{du}\cdot\frac{du}{dx}=3u^2\cdot(-\sin x)=-3\sin x\cos^2 x$$

16 $u=3x-4$로 놓으면 $y=\tan u$에서

$$\frac{dy}{dx}=\frac{dy}{du}\cdot\frac{du}{dx}=\sec^2 u\cdot 3=3\sec^2(3x-4)$$

17 $f(x)=\tan^2 x$를 미분하면

$$f'(x)=2\tan x(\tan x)'=2\tan x\cdot\sec^2 x$$

$$\therefore f'\left(\frac{\pi}{3}\right)=2\tan\frac{\pi}{3}\sec^2\frac{\pi}{3}=2\cdot\sqrt{3}\cdot(2)^2=8\sqrt{3}$$

18 $y'=\left(x^{-\frac{3}{2}}\right)'=-\frac{3}{2}\cdot x^{-\frac{3}{2}-1}=-\frac{3}{2}x^{-\frac{5}{2}}$

$$=-\frac{3}{2}\cdot\frac{1}{x^2\sqrt{x}}=-\frac{3}{2x^2\sqrt{x}}$$

19 $y'=(2\sqrt{x^3})'=\left(2x^{\frac{3}{2}}\right)'=2\cdot\frac{3}{2}x^{\frac{3}{2}-1}=3x^{\frac{1}{2}}=3\sqrt{x}$

20 $y'=(x\sqrt{6x})'=\left(\sqrt{6}x^{\frac{3}{2}}\right)'=\sqrt{6}\cdot\frac{3}{2}x^{\frac{3}{2}-1}=\frac{3\sqrt{6x}}{2}$

21 $y'=(\ln|x^2|)'=\frac{(x^2)'}{x^2}=\frac{2x}{x^2}=\frac{2}{x}$

22 $y'=\frac{(x^3+5x-4)'}{x^3+5x-4}=\frac{3x^2+5}{x^3+5x-4}$

23 $y'=\frac{(x^3-1)'}{x^3-1}\cdot\frac{1}{\ln 2}=\frac{3x^2}{(x^3-1)\ln 2}$

24 $y=f(f(x))$를 미분하면

$$y'=f'(f(x))\cdot f'(x)$$

또한 $f(x)=\ln x$의 도함수는

$f'(x)=\frac{1}{x}$이므로

$$y'=f'(f(x))\cdot f'(x)=\frac{1}{\ln x}\cdot\frac{1}{x}=\frac{1}{x\ln x}$$

따라서 $x=e^2$에서의 미분계수는

$$y'_{x=e^2}=\frac{1}{e^2\ln e^2}=\frac{1}{2e^2}$$

26 양변의 절댓값에 자연로그를 취하면

$$\ln|f(x)|=\ln\left|\frac{(x+1)(x-2)^2}{x+3}\right|$$

$$=\ln|x+1|+2\ln|x-2|-\ln|x+3|$$

이 식의 양변을 x에 대하여 미분하면

$$\frac{f'(x)}{f(x)}=\frac{1}{x+1}+\frac{2}{x-2}-\frac{1}{x+3}$$

$$=\frac{(x-2)(x+3)+2(x+1)(x+3)-(x+1)(x-2)}{(x+1)(x-2)(x+3)}$$

$$=\frac{2x^2+10x+2}{(x+1)(x-2)(x+3)}$$

$$\therefore f'(x)=f(x)\cdot\frac{2x^2+10x+2}{(x+1)(x-2)(x+3)}$$

$$=\frac{(x+1)(x-2)^2}{x+3}\cdot\frac{2x^2+10x+2}{(x+1)(x-2)(x+3)}$$

$$=\frac{2(x-2)(x^2+5x+1)}{(x+3)^2}$$

27 양변의 절댓값에 자연로그를 취하면

$$\ln|f(x)|=\ln|x^{\sin x}|=\sin x\ln x$$

이 식의 양변을 x에 대하여 미분하면

$$\frac{f'(x)}{f(x)}=\cos x\ln x+\frac{\sin x}{x}$$

따라서

$$f'(x)=f(x)\left(\cos x\ln x+\frac{\sin x}{x}\right)$$

$$=x^{\sin x}\left(\cos x\ln x+\frac{\sin x}{x}\right)$$

28 양변의 절댓값에 자연로그를 취하면

$$\ln|f(x)|=\ln\left|\frac{(x-1)\sqrt{x-4}}{x+5}\right|$$

$$=\ln|x-1|+\frac{1}{2}\ln|x-4|-\ln|x+5|$$

이 식의 양변을 x에 대하여 미분하면

$$\frac{f'(x)}{f(x)}=\frac{1}{x-1}+\frac{1}{2(x-4)}-\frac{1}{x+5}$$

$$=\frac{x^2+16x-53}{2(x-4)(x-1)(x+5)}$$

$$\therefore f'(x)=f(x)\cdot\frac{x^2+16x-53}{2(x-4)(x-1)(x+5)}$$

$$=\frac{(x-1)\sqrt{x-4}}{x+5}\cdot\frac{x^2+16x-53}{2(x-4)(x-1)(x+5)}$$

$$=\frac{x^2+16x-53}{2(x+5)^2\sqrt{x-4}}$$

따라서 $x=5$에서의 미분계수는

$$f'(x)=\frac{5^2+16\cdot 5-53}{2(5+5)^2\sqrt{5-4}}=\frac{52}{200}=\frac{13}{50}$$

Ⅱ 매개변수로 나타낸 함수의 미분법 본문 75쪽

02 $\frac{dx}{dt}=-1$, $\frac{dy}{dt}=6t$이므로

$$\frac{dy}{dx}=\frac{\dfrac{dy}{dt}}{\dfrac{dx}{dt}}=\frac{6t}{-1}=-6t$$

03 $\frac{dx}{dt}=2t$, $\frac{dy}{dt}=1-\frac{1}{t^2}$이므로

$$\frac{dy}{dx}=\frac{\dfrac{dy}{dt}}{\dfrac{dx}{dt}}=\frac{1-\dfrac{1}{t^2}}{2t}=\frac{t^2-1}{2t^3}$$

04 $\frac{dx}{d\theta}=-4\sin\theta$, $\frac{dy}{d\theta}=3\cos\theta$이므로

$$\frac{dy}{dx}=\frac{\dfrac{dy}{d\theta}}{\dfrac{dx}{d\theta}}=\frac{3\cos\theta}{-4\sin\theta}=-\frac{3}{4}\cot\theta$$

따라서 $\theta=\frac{\pi}{6}$일 때,

$$\frac{dy}{dx}는 -\frac{3}{4}\cot\frac{\pi}{6}=-\frac{3}{4}\times\sqrt{3}=-\frac{3\sqrt{3}}{4}$$

05 $\lim_{h\to 0}\frac{f(3+3h)-f(3)}{h}=3\lim_{h\to 0}\frac{f(3+3h)-f(3)}{3h}$

$$=3f'(3) \qquad\qquad \cdots\cdots\text{㉠}$$

$$\frac{dx}{dt}=2t+2,\ \frac{dy}{dt}=3t^2$$

$$\therefore f'(x)=\frac{dy}{dx}=\frac{3t^2}{2t+2} \qquad \cdots\cdots \text{ⓛ}$$

한편, $x=3$일 때 t의 값을 구하면

$t^2+2t=3$에서 $t^2+2t-3=0$ $\qquad \therefore t=1 \ (\because t>0)$

따라서 ㉠, ㉡에서 $\displaystyle\lim_{h\to0}\frac{f(3+3h)-f(3)}{h}=3f'(3)=\frac{9}{4}$

06 $\dfrac{dx}{dt}=3t^2$, $\dfrac{dy}{dt}=1+\dfrac{2}{t^3}$이므로

$$\frac{dy}{dx}=\frac{\dfrac{dy}{dt}}{\dfrac{dx}{dt}}=\frac{1+\dfrac{2}{t^3}}{3t^2}=\frac{t^3+2}{3t^5} \ (t\neq0)$$

$9=t^3+1$에서 $t=2$

따라서 주어진 곡선 위의 한 점 $\left(9, \dfrac{7}{4}\right)$에서의 접선의 기울기는 $\dfrac{8+2}{3\times2^5}=\dfrac{5}{48}$

12 **음함수의 미분법** 본문 76쪽

02 양변을 x에 대하여 미분하면

$$\frac{d}{dx}(x^2)+\frac{d}{dx}(3y^2)=\frac{d}{dx}(4xy)$$

$$2x+6y\frac{dy}{dx}=4y+4x\frac{dy}{dx}$$

$$(4x-6y)\frac{dy}{dx}=2x-4y$$

$$\therefore \frac{dy}{dx}=\frac{2x-4y}{4x-6y}=\frac{x-2y}{2x-3y} \ (\text{단}, \ 2x-3y\neq0)$$

03 $x^{\frac{2}{3}}+y^{\frac{2}{3}}=1$의 양변을 x에 대하여 미분하면

$$\frac{d}{dx}\left(x^{\frac{2}{3}}\right)+\frac{d}{dx}\left(y^{\frac{2}{3}}\right)=\frac{d}{dx}(1)$$

$$\frac{2}{3}x^{-\frac{1}{3}}+\frac{2}{3}y^{-\frac{1}{3}}\frac{dy}{dx}=0, \ \frac{1}{\sqrt[3]{x}}+\frac{1}{\sqrt[3]{y}}\times\frac{dy}{dx}=0$$

$$\therefore \frac{dy}{dx}=-\frac{\sqrt[3]{y}}{\sqrt[3]{x}} \ (\text{단}, \ x\neq0)$$

04 양변을 x에 대하여 미분하면

$$\frac{d}{dx}(y^4)-\frac{d}{dx}(3x^2)=\frac{d}{dx}(2xy^2)$$

$$4y^3\frac{dy}{dx}-6x=2y^2+4xy\frac{dy}{dx}$$

$$(4y^3-4xy)\frac{dy}{dx}=2y^2+6x$$

$$\frac{dy}{dx}=\frac{y^2+3x}{2y^3-2xy} \ (\text{단}, \ 2y^3-2xy\neq0)$$

따라서 곡선 $y^4-3x^2-2xy^2$ 위의 점 $(1, \sqrt3)$에서의 접선의 기울기는

$$\frac{dy}{dx}=\frac{(\sqrt3)^2+3\times1}{2\times(\sqrt3)^3-2\times1\times\sqrt3}=\frac{\sqrt3}{2}$$

05 점 (e, a)는 곡선 $\dfrac{e^y}{x}=\ln x$ 위의 점이므로

$$\frac{e^a}{e}=\ln e, \ e^a=e \qquad \therefore a=1$$

$\dfrac{e^y}{x}=\ln x$에서 $e^y=x\ln x$

양변을 x에 대하여 미분하면

$$\frac{d}{dx}(e^y)=\frac{d}{dx}(x\ln x)$$

$$e^y\times\frac{dy}{dx}=\ln x+1, \ \frac{dy}{dx}=\frac{\ln x+1}{e^y}$$

곡선 $\dfrac{e^y}{x}=\ln x$ 위의 점 (e, a)에서의 접선의 기울기는 이 식에 $x=e$, $y=1$을 대입한 값과 같다.

$$\frac{\ln e+1}{e}=\frac{2}{e}=b \qquad \therefore ab=1\times\frac{2}{e}=\frac{2}{e}$$

13 **역함수의 미분법** 본문 77쪽

02 함수 $f(x)$에 대하여

도함수는 $f'(x)=2x$, 역함수는 $g(x)=\sqrt{x-1}$이다.

따라서 역함수의 도함수 $g'(x)$는

$$g'(x)=\frac{1}{f'(g(x))}=\frac{1}{2\sqrt{x-1}}$$

04 양변을 y에 대하여 미분하면

$$\frac{dx}{dy}=6y-1$$

$$\therefore \frac{dy}{dx}=\frac{1}{\dfrac{dx}{dy}}=\frac{1}{6y-1} \ \left(\text{단}, \ y\neq\frac{1}{6}\right)$$

05 $y=\sqrt[4]{4x-1}$에서 $y^4=4x-1$이므로

$$x=\frac{1}{4}y^4+\frac{1}{4}$$

양변을 y에 대하여 미분하면 $\dfrac{dx}{dy}=y^3$

$$\therefore \frac{dy}{dx}=\frac{1}{\dfrac{dx}{dy}}=\frac{1}{y^3}=\frac{1}{\sqrt[4]{(4x-1)^3}} \ \left(\text{단}, \ x\neq\frac{1}{4}\right)$$

07 $f(1)=2$이므로 $g(2)=1$이다.

또 $f'(1)=3f(1)=3\cdot2=6$이므로

$$g'(2)=\frac{1}{f'(g(2))}=\frac{1}{f'(1)}=\frac{1}{6}$$

08 $g(1)=a$라고 하면 $f(a)=1$

즉, $\tan a=1$이므로 $a=\dfrac{\pi}{4}$

따라서 $g(1)=\dfrac{\pi}{4}$이고, $f'(x)=\sec^2x$이므로

$$g'(1)=\frac{1}{f'(g(1))}=\frac{1}{f'\left(\dfrac{\pi}{4}\right)}=\frac{1}{2}$$

09 $g(4)=a$라고 하면 $f(a)=4$

즉, $f(a)=a^2+4a-8=4$이므로

$a^2+4a-12=0$, $(a+6)(a-2)=0$

$\therefore a=2 \ (\because a\geq-2)$

따라서 $g(4)=2$이고, $f'(x)=2x+4$이므로

$$\therefore g'(4)=\frac{1}{f'(2)}=\frac{1}{8}$$

10 $g(16)=a$라고 하면 $f(a)=16$

즉, $f(a)=a^2+2a-8=16$이므로

$a^2+2a-24=0$, $(a-4)(a+6)=0$

$\therefore a=4 \ (\because a \geq -1)$

따라서 $g(16)=4$이고, $f'(x)=2x+2$이므로

$\therefore g'(16)=\dfrac{1}{f'(4)}=\dfrac{1}{10}$

11 $g(3)=a$라고 하면 $f(a)=3$

즉, $f(a)=a^3+3a-1=3$이므로

$a^2+3a-4=0, \ (a-1)(a^2+a+4)=0$

$\therefore a=1$

따라서 $g(3)=1$이고, $f'(x)=3x^2+3$이므로

$\therefore g'(3)=\dfrac{1}{f'(1)}=\dfrac{1}{6}$

12 $g(e)=a$라고 하면 $f(a)=e$

즉, $f(a)=e^a+\ln a=e$ $\quad \therefore a=1$

따라서 $g(e)=1$이고, $f'(x)=e^x+\dfrac{1}{x}$이므로

$g'(e)=\dfrac{1}{f'(1)}=\dfrac{1}{e^1+\dfrac{1}{1}}=\dfrac{1}{e+1}$

13 $g\left(\dfrac{1}{2}\right)=a$라고 하면 $f(a)=\dfrac{1}{2}$

즉, $f(a)=\sin 2a=\dfrac{1}{2}$ $\quad \therefore a=\dfrac{\pi}{12}$

따라서 $g\left(\dfrac{1}{2}\right)=\dfrac{\pi}{12}$이고, $f'(x)=2\cos 2x$이므로

$g'\left(\dfrac{1}{2}\right)=\dfrac{1}{f'\left(\dfrac{\pi}{12}\right)}=\dfrac{1}{2\cdot\dfrac{\sqrt{3}}{3}}=\dfrac{1}{\sqrt{3}}=\dfrac{\sqrt{3}}{3}$

14 $f(x)=\ln\sqrt{\dfrac{1+x}{1-x}}=\dfrac{1}{2}\{\ln(1+x)-\ln(1-x)\}$

$f'(x)=\dfrac{1}{2}\left(\dfrac{1}{x+1}-\dfrac{-1}{1-x}\right)=\dfrac{1}{2}\left(\dfrac{1-x+1+x}{1-x^2}\right)$

$=\dfrac{1}{2}\cdot\dfrac{2}{1-x^2}=\dfrac{1}{1-x^2}$

$\therefore f'\left(\dfrac{2}{3}\right)=\dfrac{1}{1-\left(\dfrac{2}{3}\right)^2}=\dfrac{1}{\dfrac{5}{9}}=\dfrac{9}{5}$

한편, $g(0)=a$라고 하면 $f(a)=0$이므로

$\ln\sqrt{\dfrac{1+a}{1-a}}=0, \ \sqrt{\dfrac{1+a}{1-a}}=1 \quad \therefore a=0$

즉, $g(0)=0$이므로

$g'(0)=\dfrac{1}{f'(g(0))}=\dfrac{1}{f'(0)}=\dfrac{1}{1}=1$

따라서 구하는 값은

$f'\left(\dfrac{2}{3}\right)-g'(0)=\dfrac{9}{5}-1=\dfrac{4}{5}$

15 $x=2y^3+y^2-3$의 양변을 y에 대하여 미분하면

$\dfrac{dx}{dy}=6y^2+2y$

$\therefore \dfrac{dy}{dx}=\dfrac{1}{\dfrac{dx}{dy}}=\dfrac{1}{6y^2+2y} \left(\text{단, } y\neq 0, y\neq -\dfrac{1}{3}\right)$

따라서 주어진 극한값을 구하면

$\displaystyle\lim_{y\to 1}\dfrac{dy}{dx}=\lim_{y\to 1}\dfrac{1}{6y^2+2y}=\dfrac{1}{8}$

16 $\displaystyle\lim_{x\to 1}\dfrac{g(x)-2}{x-1}=3$에서 $x\to 1$일 때, (분모) $\to 0$이고 극한값

이 존재하므로 (분자) $\to 0$이어야 한다. 즉,

$\displaystyle\lim_{x\to 1}\{g(x)-2\}=0$이므로 $g(1)-2=0$

$\therefore g(1)=2$

또한 $g(1)=2$이므로 $f(2)=1$

$\displaystyle\lim_{x\to 1}\dfrac{g(x)-2}{x-1}=\lim_{x\to 1}\dfrac{g(x)-g(1)}{x-1}=g'(1)=3$

$f(x)$의 역함수가 $g(x)$이므로 $g(f(x))=x$

양변을 x에 대하여 미분하면 $g'(f(x))\cdot f'(x)=1$

$\therefore f'(x)=\dfrac{1}{g'(f(x))}$

따라서 $f'(2)=\dfrac{1}{g'(f(2))}=\dfrac{1}{g'(1)}=\dfrac{1}{3}$

17 $f'(x)=e^x+(x-4)e^x=e^x(x-3)$이므로

곡선 $y=g(x)$의 점 $(e^5, 5)$에서 접선의 기울기는

$g'(e^5)=\dfrac{1}{f'(g(e^5))}=\dfrac{1}{f'(5)}=\dfrac{1}{2e^5}$

14 이계도함수 <small>본문 **80**쪽</small>

02 $y'=1\cdot(x+1)^2+x\cdot 2(x+1)$

$=(x^2+2x+1)+(2x^2+2x)$

$=3x^2+4x+1$

$y''=6x+4$

03 $y'=\dfrac{-(x^2+4)'}{(x^2+4)^2}=\dfrac{-2x}{(x^2+4)^2}$

$y''=\dfrac{(-2x)'(x^2+4)^2-(-2x)\{(x^2+4)^2\}'}{(x^2+4)^4}$

$=\dfrac{-2(x^2+4)^2+2x\cdot 2(x^2+4)\cdot 2x}{(x^2+4)^4}$

$=\dfrac{(x^2+4)\{-2(x^2+4)+8x^2\}}{(x^2+4)^4}=\dfrac{2(3x^2-4)}{(x^2+4)^3}$

04 $y'=\left(\dfrac{e^x-e^{-x}}{2}\right)'=\dfrac{e^x+e^{-x}}{2}$

$y''=\left(\dfrac{e^x+e^{-x}}{2}\right)'=\dfrac{e^x-e^{-x}}{2}$

05 $y'=(x^2\ln x)'=(x^2)'\ln x+x^2(\ln x)'$

$=2x\ln x+x$

$y''=(2x\ln x+x)'=(2x)'\ln x+2x(\ln x)'+(x)'$

$=2\ln x+2+1=2\ln x+3$

06 $y'=(\sin^2 x)'=2\sin x\cdot(\sin x)'$

$=2\sin x\cos x$

$y''=(2\sin x)'\cdot\cos x+2\sin x\cdot(\cos x)'$

$=2\cos^2 x-2\sin^2 x=2(\cos^2 x-\sin^2 x)$

07 $y'=(\sqrt{3x+1})'=\dfrac{1}{2}(3x+1)^{\frac{1}{2}-1}\cdot(3x+1)'$

$=\dfrac{3}{2}\cdot\dfrac{1}{\sqrt{3x+1}}=\dfrac{3}{2\sqrt{3x+1}}$

$y''=\left(\dfrac{3}{2\sqrt{3x+1}}\right)'=\dfrac{3}{2}\cdot\left(-\dfrac{1}{2}\right)(3x+1)^{-\frac{1}{2}}\cdot(3x+1)'$

$=-\dfrac{9}{4}\cdot(3x+1)^{-\frac{3}{2}}=-\dfrac{9}{4}\cdot\dfrac{1}{(3x+1)\sqrt{3x+1}}$

$=-\dfrac{9}{4(3x+1)\sqrt{3x+1}}$

$$y''_{x=1} = -\frac{9}{4(3\cdot1+1)\sqrt{3\cdot1+1}} = -\frac{9}{32}$$

08 $y' = \left(\dfrac{\log_2 x}{x}\right)' = \dfrac{1}{x\ln 2}\cdot\dfrac{1}{x} + \log_2 x\cdot\left(-\dfrac{1}{x^2}\right)$

$\qquad = \dfrac{1}{x^2}\left(\dfrac{1}{\ln 2} - \log_2 x\right)$

$\quad y'' = (-2)\dfrac{1}{x^3}\left(\dfrac{1}{\ln 2} - \log_2 x\right) + \dfrac{1}{x^2}\cdot\left(-\dfrac{1}{x\ln 2}\right)$

$\qquad = \dfrac{1}{x^3}\left(2\log_2 x - \dfrac{3}{\ln 2}\right)$

$\quad y''_{x=1} = \dfrac{1}{1^3}\left(2\log_2 1 - \dfrac{3}{\ln 2}\right) = -\dfrac{3}{\ln 2}$

09 $y' = \left(\sin\dfrac{\pi}{3}x + \cos\dfrac{\pi}{2}x\right)'$

$\qquad = \cos\dfrac{\pi}{3}x\cdot\left(\dfrac{\pi}{3}x\right)' - \sin\dfrac{\pi}{2}x\cdot\left(\dfrac{\pi}{2}x\right)'$

$\qquad = \dfrac{\pi}{3}\cos\dfrac{\pi}{3}x - \dfrac{\pi}{2}\sin\dfrac{\pi}{2}x$

$\quad y'' = \left(\dfrac{\pi}{3}\cos\dfrac{\pi}{3}x - \dfrac{\pi}{2}\sin\dfrac{\pi}{2}x\right)'$

$\qquad = -\dfrac{\pi^2}{9}\sin\dfrac{\pi}{3}x - \dfrac{\pi^2}{4}\cos\dfrac{\pi}{2}x$

$\quad y''_{x=1} = -\dfrac{\pi^2}{9}\sin\dfrac{\pi}{3} - \dfrac{\pi^2}{4}\cos\dfrac{\pi}{2}$

$\qquad = -\dfrac{\pi^2}{9}\cdot\dfrac{\sqrt{3}}{2} - \dfrac{\pi^2}{4}\cdot 0 = -\dfrac{\sqrt{3}}{18}\pi^2$

10 $f'(x) = (e^{2x})' = 2e^{2x}$이므로

$\quad f'(\ln 2) = 2e^{2\ln 2} = 2e^{\ln 4} = 2\cdot4^{\ln e} = 8$

$\quad f''(x) = (2e^{2x})' = 2(e^{2x})' = 4e^{2x}$이므로

$\quad f''(\ln 2) = 4e^{2\ln 2} = 4e^{\ln 4} = 4\cdot4^{\ln e} = 16$

$\quad \therefore f'(\ln 2) + f''(\ln 2) = 8 + 16 = 24$

11 $f'(x) = (xe^{2x} + x\ln x)' = 1\cdot e^{2x} + x\cdot2e^{2x} + 1\cdot\ln x + x\cdot\dfrac{1}{x}$

$\qquad = e^{2x}(1+2x) + \ln x + 1$

$\quad$이므로

$\quad f'(1) = e^{2\cdot1}(1+2\cdot1) + \ln 1 + 1 = 3e^2 + 1$

$\quad f''(x) = 2e^{2x}(1+2x) + e^{2x}\cdot2 + \dfrac{1}{x} = 2e^{2x}(2+2x) + \dfrac{1}{x}$

$\quad$이므로

$\quad f''(1) = 2e^{2\cdot1}(2+2\cdot1) + \dfrac{1}{1} = 8e^2 + 1$

$\quad \therefore f'(1) - f''(1) = (3e^2+1) - (8e^2+1) = -5e^2$

12 $f'(x) = (\sin x + \cos x)' = \cos x - \sin x$이므로

$\quad f'\left(\dfrac{\pi}{3}\right) = \cos\dfrac{\pi}{3} - \sin\dfrac{\pi}{3} = \dfrac{1}{2} - \dfrac{\sqrt{3}}{2} = \dfrac{1-\sqrt{3}}{2}$

$\quad f''(x) = (\cos x - \sin x)' = -\sin x - \cos x$이므로

$\quad f''\left(\dfrac{\pi}{3}\right) = -\sin\dfrac{\pi}{3} - \cos\dfrac{\pi}{3} = -\dfrac{\sqrt{3}}{2} - \dfrac{1}{2} = \dfrac{-\sqrt{3}-1}{2}$

$\quad \therefore f'\left(\dfrac{\pi}{3}\right)\cdot f''\left(\dfrac{\pi}{3}\right) = \left(\dfrac{1-\sqrt{3}}{2}\right)\cdot\left(\dfrac{-\sqrt{3}-1}{2}\right)$

$\qquad = -\dfrac{(1-\sqrt{3})(1+\sqrt{3})}{4} = \dfrac{1}{2}$

---

15 접선의 방정식 본문 82쪽

02 $f(x) = e^{x-1} + 1$이라고 하면

$\quad f'(x) = e^{x-1}$

$\quad$점 $(1, 2)$에서의 접선의 기울기는

$\quad f'(1) = e^{1-1} = e^0 = 1$

$\quad$이므로 접선의 방정식은

$\quad y - 2 = 1(x-1) \qquad \therefore y = x+1$

03 $f(x) = \ln(x+1)$이라고 하면

$\quad f'(x) = \dfrac{1}{x+1}$

$\quad$점 $(3, \ln 4)$에서의 접선의 기울기는

$\quad f'(3) = \dfrac{1}{3+1} = \dfrac{1}{4}$

$\quad$이므로 접선의 방정식은

$\quad y - \ln 4 = \dfrac{1}{4}(x-3) \qquad \therefore y = \dfrac{1}{4}x + \ln 4 - \dfrac{3}{4}$

04 $f(x) = \sin x + \cos x$라고 하면

$\quad f'(x) = \cos x - \sin x$

$\quad$점 $\left(\dfrac{3}{4}\pi, 0\right)$에서의 접선의 기울기는

$\quad f'\left(\dfrac{3}{4}\pi\right) = \cos\dfrac{3}{4}\pi - \sin\dfrac{3}{4}\pi = \left(-\dfrac{\sqrt{2}}{2}\right) - \dfrac{\sqrt{2}}{2} = -\sqrt{2}$

$\quad$이므로 접선의 방정식은

$\quad y - 0 = (-\sqrt{2})\left(x - \dfrac{3}{4}\pi\right) \qquad \therefore y = -\sqrt{2}x + \dfrac{3\sqrt{2}}{4}\pi$

05 $f(x) = \ln 2x$라고 하면

$\quad f'(x) = (\ln 2x)' = (\ln 2 + \ln x)' = \dfrac{1}{x}$

$\quad$점 $(e, \ln 2 + 1)$에서의 접선의 기울기는 $f'(e) = \dfrac{1}{e}$이므로

$\quad$접선의 방정식은

$\quad y - (\ln 2 + 1) = \dfrac{1}{e}(x-e),\ y = \dfrac{1}{e}x - 1 + \ln 2 + 1$

$\quad \therefore y = \dfrac{1}{e}x + \ln 2$

07 $f(x) = \sqrt{2x}$라고 하면

$\quad f'(x) = \left((2x)^{\frac{1}{2}}\right)' = \dfrac{1}{2}(2x)^{-\frac{1}{2}}\cdot(2x)' = \dfrac{1}{\sqrt{2x}}$

$\quad$접점의 좌표를 $(a, \sqrt{2a})$라고 하면 접선의 기울기가 4이므로

$\quad f'(a) = \dfrac{1}{\sqrt{2a}} = 4$에서 $a = \dfrac{1}{32}$

$\quad$따라서 접점의 좌표는 $\left(\dfrac{1}{32}, \sqrt{2\cdot\dfrac{1}{32}}\right) = \left(\dfrac{1}{32}, \dfrac{1}{4}\right)$이므로

$\quad$구하는 접선의 방정식은

$\quad y - \dfrac{1}{4} = 4\left(x - \dfrac{1}{32}\right)$

$\quad \therefore y = 4x + \dfrac{1}{8}$

08 $f(x) = \ln(x+5)$라고 하면

$\quad f'(x) = \dfrac{1}{x+5}$

$\quad$접점의 좌표를 $(a, \ln(a+5))$라고 하면 접선의 기울기가 $\dfrac{1}{2}$

$\quad$이므로

$f'(a)=\dfrac{1}{a+5}=\dfrac{1}{2}$에서 $a=-3$

따라서 접점의 좌표는 $(-3,\ \ln 2)$이므로 구하는 접선의 방정식은

$y-\ln 2=\dfrac{1}{2}(x+3)$

$\therefore y=\dfrac{1}{2}x+\dfrac{3}{2}+\ln 2$

09 $f(x)=\cos 2x$라고 하면
$f'(x)=(\cos 2x)'=-\sin 2x\cdot(2x)'=-2\sin 2x$
접점의 좌표를 $(a,\ \cos 2a)$라고 하면 접선의 기울가가 -1이므로
$f'(a)=-2\sin 2a=-1$에서
$\sin 2a=\dfrac{1}{2},\ 2a=\dfrac{\pi}{6}\qquad\therefore a=\dfrac{\pi}{12}$

따라서 접점의 좌표는 $\left(\dfrac{\pi}{12},\ \dfrac{\sqrt{3}}{2}\right)$이므로 구하는 접선의 방정식은

$y-\dfrac{\sqrt{3}}{2}=-\left(x-\dfrac{\pi}{12}\right)\qquad\therefore y=-x+\dfrac{\pi+6\sqrt{3}}{12}$

10 $f(x)=e^{x+1}$이라고 하면 $f'(x)=e^{x+1}$

$x+4y-1=0$에서 $y=-\dfrac{1}{4}x+\dfrac{1}{4}$이므로

이것과 수직인 접선 $y=ax+b$의 기울기는 4이다.
접점의 좌표를 $(t,\ e^{t+1})$이라고 하면 기울기가 4이므로
$f'(t)=e^{t+1}=4\qquad\therefore t=\ln 4-1$
따라서 접점의 좌표는 $(\ln 4-1,\ 4)$이므로 접선의 방정식은
$y-4=4\{x-(\ln 4-1)\}\therefore y=4x-4\ln 4+8$
$\therefore a=4,\ b=-4\ln 4+8$
따라서 구하는 값은
$4\ln a+b=4\ln 4+(-4\ln 4+8)=8$

11 $f(x)=x+\sin x$라고 하면
$f'(x)=1+\cos x$
접점의 좌표를 $(t,\ t+\sin t)$라고 하면 접선 $y=x+a$의 기울기가 1이므로
$f'(t)=1+\cos t=1,\ \cos t=0\qquad\therefore t=\dfrac{\pi}{2}\ (\because 0\le x\le\pi)$

따라서 접점의 좌표는 $\left(\dfrac{\pi}{2},\ \dfrac{\pi}{2}+1\right)$이므로

$y-\left(\dfrac{\pi}{2}+1\right)=\left(x-\dfrac{\pi}{2}\right)\therefore y=x+1$

따라서 $y=x+1$에서 구하는 a의 값은
$a=1$

13 $f(x)=e^{x-1}$이라고 하면
$f'(x)=e^{x-1}$
접점의 좌표를 $(a,\ e^{a-1})$이라고 하면 $x=a$에서 접선의 기울기는 $f'(a)=e^{a-1}$이므로 접선의 방정식은
$y-e^{a-1}=e^{a-1}(x-a)$,
$y=e^{a-1}x-ae^{a-1}+e^{a-1}$
이 접선이 점 $(1,\ 0)$을 지나므로 대입하면
$0=e^{a-1}\cdot 1-ae^{a-1}+e^{a-1}$,
$e^{a-1}(2-a)=0$
$\therefore a=2$
따라서 접선의 방정식은
$y=e^{2-1}x-2\cdot e^{2-1}+e^{2-1}$

$\therefore y=ex-e$

14 $f(x)=\ln(x-2)$라고 하면

$f'(x)=\dfrac{1}{x-2}$

접점의 좌표를 $(a,\ \ln(a-2))$라고 하면 $x=a$에서의 접선의 기울기는

$f'(a)=\dfrac{1}{a-2}$

이므로 접선의 방정식은

$y-\ln(a-2)=\dfrac{1}{a-2}(x-a)$,

$y=\dfrac{1}{a-2}x-\dfrac{a}{a-2}+\ln(a-2)$

이 접선이 점 $(2,\ -1)$을 지나므로 대입하면

$-1=\dfrac{1}{a-2}\cdot 2-\dfrac{a}{a-2}+\ln(a-2)$

양변에 $a-2$를 곱하면 (단, $a\ne 2$)
$-(a-2)=2-a+(a-2)\ln(a-2)$,
$(a-2)\ln(a-2)=0$
$\therefore a=3\ (\because a\ne 2)$
따라서 접선의 방정식은
$y=x-3$

15 $f(x)=\dfrac{2}{x}$라고 하면 $f'(x)=-\dfrac{2}{x^2}$

접점의 좌표를 $\left(t,\ \dfrac{2}{t}\right)$라고 하면 $x=t$에서 접선의 기울기는

$f'(t)=-\dfrac{2}{t^2}$

이므로 접선의 방정식은

$y-\dfrac{2}{t}=-\dfrac{2}{t^2}(x-t),\ y=-\dfrac{2}{t^2}x+\dfrac{4}{t}$

이 접선이 점 $(0,\ 4)$를 지나므로 대입하면

$4=-\dfrac{2}{t^2}\cdot 0+\dfrac{4}{t}\qquad\therefore t=1$

따라서 접선의 방정식은
$y=-2x+4\qquad\therefore a=-2,\ b=4$
$\therefore a^2+b^2=(-2)^2+4^2=20$

16 $f(x)=\dfrac{\ln x}{x}$라고 하면

$f'(x)=\dfrac{1-\ln x}{x^2}$

접점의 좌표를 $\left(t,\ \dfrac{\ln t}{t}\right)$라고 하면 $x=t$에서 접선의 기울기

는 $f'(t)=\dfrac{1-\ln t}{t^2}$

이므로 접선의 방정식은

$y-\dfrac{\ln t}{t}=\dfrac{1-\ln t}{t^2}(x-t),\ y=\dfrac{1-\ln t}{t^2}x+\dfrac{2\ln t-1}{t}$

이 접선이 원점 $(0,\ 0)$을 지나므로

$0=\dfrac{1-\ln x}{t^2}\cdot 0+\dfrac{2\ln t-1}{t}\qquad\therefore t=\sqrt{e}$

따라서 접선의 방정식은

$y=\dfrac{1}{2e}x$

이 직선이 점 $(c,\ a)$를 지나므로

$$a = \frac{1}{2e} \cdot e = \frac{1}{2}$$

16 이계도함수와 함수의 극대·극소 본문 86쪽

02 함수 $f(x) = x - e^x$에서
$f'(x) = 1 - e^x$
$f'(x) = 0$에서 $x = 0$
$f'(x)$의 부호를 조사하여 함수 $f(x)$의 증가와 감소를 표로 나타내면 다음과 같다.

x	$\cdots$	0	$\cdots$
$f'(x)$	$+$	0	$-$
$f(x)$	↗	-1	↘

따라서 함수 $f(x)$는 $x = 0$에서 극댓값 -1을 갖는다.

03 함수 $f(x) = x \ln x$에서
$$f'(x) = \ln x + x \cdot \frac{1}{x} = \ln x + 1$$
$f'(x) = 0$에서 $x = \frac{1}{e}$

$f'(x)$의 부호를 조사하여 함수 $f(x)$의 증가와 감소를 표로 나타내면 다음과 같다.

x	(0)	$\cdots$	$\frac{1}{e}$	$\cdots$
$f'(x)$		$-$	0	$+$
$f(x)$		↘	$-\frac{1}{e}$	↗

따라서 함수 $f(x)$는 $x = \frac{1}{e}$에서 극솟값 $-\frac{1}{e}$을 갖는다.

04 $f'(x) = e^x \cos x - e^x \sin x = -e^x(\sin x - \cos x)$
$$= -\sqrt{2} \, e^x \sin\left(x - \frac{\pi}{4}\right)$$
$f'(x) = 0$에서 $x = \frac{\pi}{4}$ 또는 $x = \frac{5}{4}\pi$

x	0	$\cdots$	$\frac{\pi}{4}$	$\cdots$	$\frac{5}{4}\pi$	$\cdots$	2π
$f'(x)$		$+$	0	$-$	0	$+$	
$f(x)$	1	↗	$\frac{\sqrt{2}}{2}e^{\frac{\pi}{4}}$	↘	$-\frac{\sqrt{2}}{2}e^{\frac{5}{4}\pi}$	↗	$e^{2\pi}$

따라서 $x = \frac{\pi}{4}$에서 극댓값 $\frac{\sqrt{2}}{2}e^{\frac{\pi}{4}}$, $x = \frac{5}{4}\pi$에서 극솟값 $-\frac{\sqrt{2}}{2}e^{\frac{5}{4}\pi}$을 갖는다.

05 $f(x) = \frac{x}{x^2+4}$에서 $f'(x) = \frac{-x^2+4}{(x^2+4)^2}$
$f'(x) = 0$에서 $x = -2$ 또는 $x = 2$

x	$\cdots$	-2	$\cdots$	2	$\cdots$
$f'(x)$	$-$	0	$+$	0	$-$
$f(x)$	↘	$-\frac{1}{4}$	↗	$\frac{1}{4}$	↘

따라서 함수 $f(x)$는 $x = 2$에서 극댓값 $\frac{1}{4}$을 갖고, $x = -2$에서 극솟값 $-\frac{1}{4}$을 갖는다.

[오른쪽]

$\therefore a = 2,\ b = -2,\ k = -\frac{1}{4}$
따라서 구하는 값은
$$a + b - 12k = 2 + (-2) - 12 \cdot \left(-\frac{1}{4}\right) = 3$$

06 $f'(x) = \frac{(2x+a)(x-1) - (x^2+ax+b) \cdot 1}{(x-1)^2}$
$$= \frac{x^2 - 2x - a - b}{(x-1)^2}$$
이고, 함수 $f(x)$는 $x = 3$에서 극값 -1을 가지므로
$f(3) = \frac{9 + 3a + b}{2} = -1$에서 $3a + b = -11$ ⋯⋯ ㉠
$f'(3) = \frac{9 - 6 - a - b}{4} = 0$에서 $a + b = 3$ ⋯⋯ ㉡
㉠, ㉡을 연립하여 풀면 $a = -7,\ b = 10$
따라서 구하는 값은
$a + 2b = (-7) + 2 \cdot 10 = 13$

07 $f'(x) = \left(\ln 2 + \ln x + \frac{a}{x} - 3x\right)' = \frac{1}{x} - \frac{a}{x^2} - 3$
$$= \frac{-3x^2 + x - a}{x^2}$$

이고 함수 $f(x)$가 극댓값과 극솟값을 모두 가지려면 이차방정식 $-3x^2 + x - a = 0$이 $x > 0$에서 서로 다른 두 실근을 가져야 한다.
(i) 이차방정식 $-3x^2 + x - a = 0$의 판별식을 D라고 하면
$$D = 1 - 12a > 0 \quad \therefore a < \frac{1}{12}$$
(ii) 근과 계수의 관계에 의하여
$$(두 근의 합) = \frac{1}{3} > 0$$
$$(두 근의 곱) = \frac{a}{3} > 0 \qquad \therefore a > 0$$
(i), (ii)에서 a의 값의 범위는 $0 < a < \frac{1}{12}$이므로
$a = 0,\ \beta = \frac{1}{12}$
따라서 구하는 값은
$$24(\beta - a) = 24\left(\frac{1}{12} - 0\right) = 2$$

09 $f'(x) = \frac{1 - \ln x}{x^2}$이므로 $f'(x) = 0$에서 $x = e$
$f''(x) = \frac{2\ln x - 3}{x^3}$이므로 $f''(e) = \frac{2\ln e - 3}{e^3} = -\frac{1}{e^3} < 0$
따라서 함수 $f(x)$는 $x = e$에서 극댓값 $f(e) = \frac{1}{e}$을 갖는다.

10 $f'(x) = \frac{1}{x} + 2x - 3$이므로 $f'(x) = 0$에서
$$\frac{1}{x} + 2x - 3 = \frac{1 + 2x^2 - 3x}{x} = \frac{(2x-1)(x-1)}{x} = 0$$
$$\therefore x = \frac{1}{2} \text{ 또는 } x = 1$$
$f''(x) = -\frac{1}{x^2} + 2$이므로
(i) $x = \frac{1}{2}$일 때, $f''\left(\frac{1}{2}\right) = -\frac{1}{\left(\frac{1}{2}\right)^2} + 2 = -2 < 0$
(ii) $x = 1$일 때, $f''(1) = -\frac{1}{1^2} + 2 = 1 > 0$

따라서 함수 $f(x)$는

$x=\dfrac{1}{2}$에서 극댓값 $f\left(\dfrac{1}{2}\right)=-\ln 2-\dfrac{5}{4}$를 갖고,

$x=1$에서 극솟값 $f(1)=-2$를 갖는다.

11 $f'(x)=(x^2+2x)e^x$이므로 $f'(x)=0$에서

$x(x+2)e^x=0$ ∴ $x=-2$ 또는 $x=0$

$f''(x)=(x^2+4x+2)e^x$이므로

(ⅰ) $x=-2$일 때, $f''(-2)=-2e^{-2}<0$

(ⅱ) $x=0$일 때, $f''(0)=2>0$

따라서 함수 $f(x)$는

$x=-2$에서 극댓값 $f(-2)=\dfrac{4}{e^2}$를 갖고

$x=0$에서 극솟값 $f(0)=0$을 갖는다.

12 $f(x)=x-\sqrt{x-1}$에서

$x-1\geq0$이므로 $x\geq1$

$f'(x)=1-\dfrac{1}{2\sqrt{x-1}}$이므로 $f'(x)=0$에서

$1-\dfrac{1}{2\sqrt{x-1}}=0$, $2\sqrt{x-1}=1$, $4(x-1)=1$

∴ $x=\dfrac{5}{4}$

$f''(x)=\left(1-\dfrac{1}{2}(x-1)^{-\frac{1}{2}}\right)'=\dfrac{1}{4(x-1)\sqrt{x-1}}$이므로

$x=\dfrac{5}{4}$일 때, $f''\left(\dfrac{5}{4}\right)=2>0$

따라서 함수 $f(x)$는 $x=\dfrac{5}{4}$에서

극솟값 $f\left(\dfrac{5}{4}\right)=\dfrac{5}{4}-\sqrt{\dfrac{5}{4}-1}=\dfrac{3}{4}$을 갖는다.

∴ $p=4$, $q=3$

∴ $|p+q|=|4+3|=7$

13 $f(x)=x+2\cos x$이므로

$f'(x)=1-2\sin x$

$f'(x)=0$에서 $x=\dfrac{\pi}{6}$ 또는 $x=\dfrac{5}{6}\pi$

$f''(x)=-2\cos x$이므로

$f''\left(\dfrac{\pi}{6}\right)=-2\cos\dfrac{\pi}{6}=-\sqrt{3}<0$

$f''\left(\dfrac{5}{6}\pi\right)=-2\cos\dfrac{5}{6}\pi=\sqrt{3}>0$

따라서 함수 $f(x)$의 극댓값은 $f\left(\dfrac{\pi}{6}\right)$, 극솟값은 $f\left(\dfrac{5}{6}\pi\right)$이다.

∴ $p-q=f\left(\dfrac{\pi}{6}\right)-f\left(\dfrac{5}{6}\pi\right)$

$=\left(\dfrac{\pi}{6}+2\cos\dfrac{\pi}{6}\right)-\left(\dfrac{5}{6}\pi+2\cos\dfrac{5}{6}\pi\right)$

$=\left(\dfrac{\pi}{6}+\sqrt{3}\right)-\left(\dfrac{5}{6}\pi-\sqrt{3}\right)$

$=-\dfrac{2}{3}\pi+2\sqrt{3}$

17 곡선의 오목과 볼록 본문 89쪽

02 $f(x)=-x^4+2x^3-3$이라고 하면

$f'(x)=-4x^3+6x^2$,

$f''(x)=-12x^2+12x=-12x(x-1)$

$f''(x)=0$에서 $x=0$ 또는 $x=1$

이때,

$x<0$ 또는 $x>1$이면 $f''(x)<0$,

$0<x<1$이면 $f''(x)>0$

따라서 곡선 $y=f(x)$는 구간 $(-\infty, 0)$, $(1, \infty)$에서 위로 볼록하고, 구간 $(0, 1)$에서 아래로 볼록하다.

03 $f(x)=x+2\sin x$라고 하면

$f'(x)=1+2\cos x$,

$f''(x)=-2\sin x$

$f''(x)=0$에서 $x=\pi$ ($∵ 0<x<2\pi$)

이때,

$0<x<\pi$이면 $f''(x)<0$,

$\pi<x<2\pi$이면 $f''(x)>0$

따라서 곡선 $y=f(x)$는 구간 $(0, \pi)$에서 위로 볼록하고, 구간 $(\pi, 2\pi)$에서 아래로 볼록하다.

04 $f(x)=xe^x$이라고 하면

$f'(x)=e^x+xe^x=e^x(x+1)$,

$f''(x)=e^x(x+1)+e^x=e^x(x+2)$

$f''(x)=0$에서 $x=-2$

이때,

$x<-2$이면 $f''(x)<0$, $x>-2$이면 $f''(x)>0$

따라서 곡선 $y=f(x)$는 구간 $(-\infty, -2)$에서 위로 볼록하고, 구간 $(-2, \infty)$에서 아래로 볼록하다.

06 $f(x)=\sin x+\cos x$라고 하면

$f'(x)=\cos x-\sin x$, $f''(x)=-\sin x-\cos x$

$f''(x)=0$에서 $x=\dfrac{3}{4}\pi$

이때, $x=\dfrac{3}{4}\pi$의 좌우에서 $f''(x)$의 부호를 조사하면

$x<\dfrac{3}{4}\pi$이면 $f''(x)<0$,

$x>\dfrac{3}{4}\pi$이면 $f''(x)>0$이므로

$\left(\dfrac{3}{4}\pi, f\left(\dfrac{3}{4}\pi\right)\right)$, 즉 $\left(\dfrac{3}{4}\pi, 0\right)$은 곡선 $y=\sin x+\cos x$의 변곡점이다.

07 $f(x)=e^x\sin x$라고 하면

$f'(x)=e^x(\sin x+\cos x)$, $f''(x)=2e^x\cos x$

$f''(x)=0$에서 $x=\dfrac{\pi}{2}$ ($∵ 0<x<\pi$)

$0<x<\dfrac{\pi}{2}$이면 $f''(x)>0$,

$\dfrac{\pi}{2}<x<\pi$이면 $f''(x)<0$

이므로 $\left(\dfrac{\pi}{2}, f\left(\dfrac{\pi}{2}\right)\right)$, 즉 $\left(\dfrac{\pi}{2}, e^{\frac{\pi}{2}}\right)$은 $y=e^x\sin x$ ($0<x<\pi$)의 변곡점이다.

09 $f(x)=\ln(x^2+2)^2=2\ln(x^2+2)$에서

$f'(x)=\dfrac{4x}{x^2+2}$

$f''(x)=\dfrac{4(x^2+2)-4x\cdot2x}{(x^2+2)^2}=\dfrac{4(2-x^2)}{(x^2+2)^2}$

$=\dfrac{4(\sqrt{2}-x)(\sqrt{2}+x)}{(x^2+2)^2}$

$f''(x)=0$에서 $x=-\sqrt{2}$ 또는 $x=\sqrt{2}$

이때, $x=-\sqrt{2}$와 $x=\sqrt{2}$의 좌우에서 $f''(x)$의 부호가 바뀌므

로 변곡점의 좌표는
$(-\sqrt{2}, 4\ln 2)$, $(\sqrt{2}, 4\ln 2)$
따라서 두 변곡점 사이의 거리는
$\sqrt{2}-(-\sqrt{2})=2\sqrt{2}$

10 $f'(x)=\dfrac{2\cdot(x^2+1)'}{x^2+1}=\dfrac{4x}{x^2+1}$,

$f''(x)=\dfrac{4(x^2+1)-4x\cdot 2x}{(x^2+1)^2}=\dfrac{-4(x^2-1)}{(x^2+1)^2}$

$\qquad=\dfrac{-4(x+1)(x-1)}{(x^2+1)^2}$

$f''(x)=0$에서 $x=-1$ 또는 $x=1$
이때, $x=-1$과 $x=1$의 좌우에서 $f''(x)$의 부호가 바뀌므로 변곡점의 좌표는
$(-1, 2\ln 2)$, $(1, 2\ln 2)$
따라서 두 변곡점 사이의 거리는
$1-(-1)=2$

11 $f(x)=x^2+\dfrac{1}{x}$이라고 하면

$f'(x)=2x-\dfrac{1}{x^2}$, $f''(x)=2+\dfrac{2}{x^3}$

$f''(x)=0$에서 $x=-1$
이때, $x=-1$의 좌우에서 $f''(x)$의 부호가 바뀌므로 변곡점의 좌표는
$(-1, f(-1))=(-1, 0)$
따라서 변곡점 $(-1, 0)$을 지나고 기울기가 1인 직선의 방정식은
$y=x+1$ $\therefore a=1$

12 $f(x)=3xe^{-2x}$이라고 하면
$f'(x)=3\cdot e^{-2x}+3x\cdot(-2e^{-2x})=(3-6x)e^{-2x}$
$f''(x)=-6\cdot e^{-2x}+(3-6x)\cdot(-2e^{-2x})=12(x-1)e^{-2x}$
$f''(x)=0$에서 $x=1$
이때, $x=1$의 좌우에서 $f''(x)$의 부호가 바뀌므로 변곡점의 좌표는 $(1, f(1))$이고, 접선의 기울기는
$f'(1)=(3-6\cdot 1)e^{-2\cdot 1}=-3\cdot e^{-2}=-\dfrac{3}{e^2}$

13 $f(x)=(\ln ax)^2$이라고 하면

$f'(x)=\dfrac{2\ln ax}{x}$,

$f''(x)=\dfrac{\dfrac{2}{x}\cdot x-2\ln ax\cdot 1}{x^2}=\dfrac{2-2\ln ax}{x^2}$

$f''(x)=0$에서 $x=\dfrac{e}{a}$

따라서 변곡점의 좌표는 $\left(\dfrac{e}{a}, f\left(\dfrac{e}{a}\right)\right)=\left(\dfrac{e}{a}, 1\right)$이고, 변곡점은 직선 $y=ex$ 위에 있으므로

$1=e\cdot\dfrac{e}{a}$ $\therefore a=e^2$

14 $f(x)=\dfrac{1}{2}x^4-4x^3+9x^2-3$이라고 하면
$f'(x)=2x^3-12x^2+18x$
$f''(x)=6x^2-24x+18=6(x-1)(x-3)$
$f''(x)=0$에서 $x=1$ 또는 $x=3$
이때, $x=1$과 $x=3$의 좌우에서 $f''(x)$의 부호가 바뀌므로 변

곡점의 좌표는 $\left(1, \dfrac{5}{2}\right)$, $\left(3, \dfrac{21}{2}\right)$

따라서 삼각형 PQR의 무게중심의 좌표는

$\left(\dfrac{1+3-1}{3}, \dfrac{\dfrac{5}{2}+\dfrac{21}{2}-1}{3}\right)=(1, 4)$

15 곡선 $y=f(x)$의 개형은 다음과 같다.

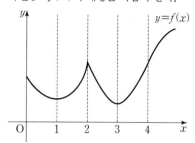

ㄱ. 닫힌구간 $[0, 5]$에서 함수 $f(x)$의 극값은 3개이다. (거짓)
ㄴ. 닫힌구간 $[0, 5]$에서 함수 $f(x)$의 변곡점은 1개이다. (참)
ㄷ. 열린구간 $(2, 4)$에서 곡선 $y=f(x)$는 아래로 볼록이다. (참)

18 **함수의 그래프의 개형** 본문 92쪽

01 (1) $x^2+1\ne 0$이므로 정의역은 실수 전체의 집합이다.

(2) $f(-x)=\dfrac{1}{x^2+1}=f(x)$이므로 그래프는 y축에 대하여 대칭이다.

(3) $f(0)=1$이므로 y축과의 교점은 $(0, 1)$이다.

(4)~(5) $f'(x)=\dfrac{-2x}{(x^2+1)^2}$, $f''(x)=\dfrac{6x^2-2}{(x^2+1)^3}$

$f'(x)=0$에서 $x=0$

$f''(x)=0$에서 $x=\pm\dfrac{\sqrt{3}}{3}$

함수 $f(x)$의 증가와 감소, 오목과 볼록을 표로 나타내면 다음과 같다.

x	$\cdots$		$\cdots$	0	$\cdots$		$\cdots$
$f'(x)$	+	+	+	0	$-$	$-$	$-$
$f''(x)$	+	0	$-$	$-$	$-$	0	+
$f(x)$	$\smallfrown$	$\dfrac{3}{4}$ 변곡점	$\smallfrown$	1 극대	$\smallfrown$	$\dfrac{3}{4}$ 변곡점	$\smallfrown$

(6) $\displaystyle\lim_{x\to\infty}\dfrac{1}{x^2+1}=0$, $\displaystyle\lim_{x\to-\infty}\dfrac{1}{x^2+1}=0$이므로 x축이 점근선이다.

따라서 함수 $f(x)=\dfrac{1}{x^2+1}$의 그래프는 그림과 같다.

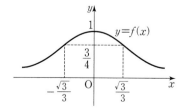

02 (1) $x^2+1>0$이므로 정의역은 실수 전체의 집합이다.

(2) $f(-x)=\ln(x^2+1)=f(x)$이므로 그래프는 y축에 대하여 대칭이다.

(3) $f(0)=0$이므로 좌표축과의 교점은 $(0, 0)$이다.

(4)~(5) $f'(x)=\dfrac{2x}{x^2+1}$,

$f''(x)=\dfrac{2(x^2+1)-2x\cdot 2x}{(x^2+1)^2}=-\dfrac{2(x^2-1)}{(x^2+1)}$

$\qquad\quad=-\dfrac{2(x+1)(x-1)}{(x^2+1)^2}$

$f'(x)=0$에서 $x=0$

$f''(x)=0$에서 $x=-1$ 또는 $x=1$

함수 $f(x)$의 증가와 감소, 오목과 볼록을 표로 나타내면 다음과 같다.

x	$\cdots$	-1	$\cdots$	0	$\cdots$	1	$\cdots$
$f'(x)$	$-$	$-$	$-$	0	$+$	$+$	$+$
$f''(x)$	$-$	0	$+$	$+$	$+$	0	$-$
$f(x)$	$\curvearrowright$	$\ln 2$ 변곡점	$\curvearrowright$	0 극소	$\curvearrowright$	$\ln 2$ 변곡점	$\curvearrowright$

(6) $\lim\limits_{x\to\infty}f(x)=\infty$, $\lim\limits_{x\to-\infty}f(x)=\infty$

따라서 함수 $f(x)=\ln(x^2+1)$의 그래프는 그림과 같다.

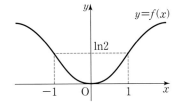

03 정의역은 실수 전체의 집합이다.

$f(x)=x^4-2x^2+1$이라고 하면 $f(-x)=f(x)$이므로 y축에 대하여 대칭인 그래프이다.

$f(0)=1$이므로 좌표축과의 교점은 $(0, 1)$이다.

$f'(x)=4x^3-4x=4x(x+1)(x-1)$,

$f''(x)=12x^2-4=4(\sqrt{3}x-1)(\sqrt{3}x+1)$

$f'(x)=0$에서 $x=-1$ 또는 $x=0$ 또는 $x=1$

$f''(x)=0$에서 $x=-\dfrac{\sqrt{3}}{3}$ 또는 $x=\dfrac{\sqrt{3}}{3}$

y축에 대하여 대칭이므로 $x\geq 0$일 때, 함수 $f(x)$의 증가와 감소, 오목과 볼록을 표로 나타내면 다음과 같다.

x	0	$\cdots$	$\dfrac{\sqrt{3}}{3}$	$\cdots$	1	$\cdots$
$f'(x)$	0	$-$	$-$	$-$	0	$+$
$f''(x)$	$-$	$-$	0	$+$	$+$	$+$
$f(x)$	1	$\curvearrowright$	$\dfrac{4}{9}$	$\curvearrowright$	0	$\curvearrowright$

따라서 함수 $y=x^4-2x^2+1$의 그래프는 그림과 같다.

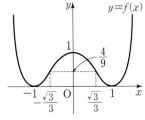

04 정의역은 실수 전체의 집합이다.

$f(x)=\dfrac{e^x-e^{-x}}{2}$라고 하면 $f(-x)=-f(x)$이므로 함수 $f(x)$의 그래프는 원점에 대하여 대칭이다.

$f(0)=0$이므로 좌표축과의 교점은 $(0, 0)$이다.

$f'(x)=\dfrac{e^x+e^{-x}}{2}$, $f''(x)=\dfrac{e^x-e^{-x}}{2}$이므로

$f'(x)=0$을 만족하는 x는 존재하지 않고,

$f''(x)=0$에서 $x=0$

원점에 대하여 대칭이므로 $x\geq 0$일 때, 함수 $f(x)$의 증가와 감소, 오목과 볼록을 표로 나타내면 다음과 같다.

x	0	$\cdots$
$f'(x)$	$+$	$+$
$f''(x)$	0	$+$
$f(x)$	0	$\curvearrowright$

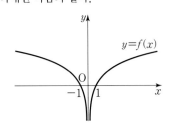

따라서 함수 $y=\dfrac{e^x-e^{-x}}{2}$의 그래프는 그림과 같다.

05 $x^2\neq 0$이므로 정의역은 $(-\infty, 0)$, $(0, \infty)$이다.

$f(x)=\ln x^2$이라고 하면 $f(-x)=f(x)$이므로 y축에 대하여 대칭이다.

$x=0$에서 정의되지 않는 함수이므로 y축과 만나는 점은 없고, $x^2=1$일 때, $f(x)=0$이므로 두 점 $(-1, 0)$, $(1, 0)$에서 x축과 만난다.

$f'(x)=\dfrac{2}{x}$, $f''(x)=-\dfrac{2}{x^2}$이므로 $f'(x)=0$, $f''(x)=0$인 경우가 없다.

y축에 대하여 대칭이므로 $x>0$일 때, 함수 $f(x)$의 증가와 감소, 오목과 볼록을 표로 나타내면 다음과 같다.

x	(0)	$\cdots$
$f'(x)$		$+$
$f''(x)$		$-$
$f(x)$		$\curvearrowright$

따라서 함수 $y=\ln x^2$의 그래프는 그림과 같다.

06 $f(x)=x-2\sin x\,(0\leq x\leq 2\pi)$라고 하면

$f'(x)=1-2\cos x$, $f''(x)=2\sin x$이므로

$f'(x)=0$에서 $\cos x=\dfrac{1}{2}$

$\therefore x=\dfrac{\pi}{3}$ 또는 $x=\dfrac{5}{3}\pi\ (\because 0\leq x\leq 2\pi)$

$f''(x)=0$에서 $\sin x=0$

$\therefore x=0$ 또는 $x=\pi$ 또는 $x=2\pi$

$0\leq x\leq 2\pi$일 때, 함수 $f(x)$의 증가와 감소, 오목과 볼록을 표로 나타내면 다음과 같다.

x	0	$\cdots$	$\dfrac{\pi}{3}$	$\cdots$	π	$\cdots$	$\dfrac{5}{3}\pi$	$\cdots$	2π
$f'(x)$	$-$	$-$	0	$+$	$+$	$+$	0	$-$	$-$
$f''(x)$	0	$+$	$+$	$+$	0	$-$	$-$	$-$	0
$f(x)$	0	$\curvearrowright$	$\dfrac{\pi}{3}-\sqrt{3}$	$\curvearrowright$	π	$\curvearrowright$	$\dfrac{5}{3}\pi+\sqrt{3}$	$\curvearrowright$	2π

따라서 함수
$y=x-2\sin x$
$(0\le x\le 2\pi)$의 그래프는
그림과 같다.

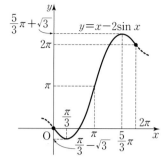

07 $x^2+1\ne0$이므로 정의역은 실수 전체의 집합이다.

$f(x)=\dfrac{2x}{x^2+1}$라고 하면 $f(-x)=-f(x)$이므로 그래프는

원점에 대하여 대칭이다.

$f(0)=0$이므로 점 $(0,0)$을 지난다.

$f'(x)=-\dfrac{2(x+1)(x-1)}{(x^2+1)^2}$,

$f''(x)=\dfrac{4x(x+\sqrt3)(x-\sqrt3)}{(x^2+1)^3}$

$f'(x)=0$에서 $x=-1$ 또는 $x=1$

$f''(x)=0$에서 $x=-\sqrt3$ 또는 $x=0$ 또는 $x=\sqrt3$

원점에 대하여 대칭이므로 $x\ge0$일 때, 함수 $f(x)$의 증가와
감소, 오목과 볼록을 표로 나타내면 다음과 같다.

x	0	$\cdots$	1	$\cdots$	$\sqrt3$	$\cdots$
$f'(x)$	+	+	0	−	−	−
$f''(x)$	0	−	−	−	0	+
$f(x)$	0 변곡점	↗	1 극대	↘	$\dfrac{\sqrt3}{2}$ 변곡점	↘

$\lim\limits_{x\to\infty}f(x)=0$, $\lim\limits_{x\to-\infty}f(x)=0$이므로 x축이 점근선이다.

따라서 함수 $y=\dfrac{2x}{x^2+1}$의 그래프는 그림과 같다.

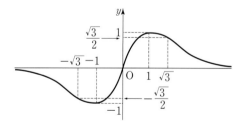

08 함수 $f(x)=x^ne^{-x}$에서
$f'(x)=nx^{n-1}e^{-x}+x^n(-e^{-x})=x^{n-1}e^{-x}(n-x)$
$f'(x)=0$에서 $x=0$ 또는 $x=n$
함수 $f(x)$의 증가, 감소를 표로 나타내면 다음과 같다.

	x	$\cdots$	0	$\cdots$	n	$\cdots$
n이 짝수	$f'(x)$	−	0	+	0	−
	$f(x)$	↘	0	↗	$\left(\dfrac{n}{e}\right)^n$	↘
n이 홀수	$f'(x)$	+	0	+	0	−
	$f(x)$	↗	0	↗	$\left(\dfrac{n}{e}\right)^n$	↘

또, $\lim\limits_{x\to\infty}f(x)=\lim\limits_{x\to\infty}x^ne^{-x}=\lim\limits_{x\to\infty}\dfrac{x^n}{e^x}=0$이므로 n이 짝수일
때, $y=f(x)$는 $x=0$에서 최솟값(극솟값) 0을 갖고 $x=n$에

서 극댓값을 갖는다.
한편, n이 홀수일 때, $x=n$에서 극댓값을 갖고 극솟값은 존
재하지 않는다.
따라서 옳은 것은 ㄱ, ㄴ이다.

09 $h(x)=f(x)+xg(x)$에서
$h(-x)=f(-x)+(-x)g(-x)=-f(x)-xg(x)$
$\qquad=-\{f(x)+xg(x)\}=-h(x)$
즉, 다항함수 $h(x)$는 원점에 대하여 대칭인 함수이다.
ㄱ. 함수 $h(x)$는 원점에 대하여 대칭이므로
$\quad h(0)=-h(0)$ $\therefore h(0)=0$ (참)
ㄴ. $h(-x)=-h(x)$의 양변을 x에 대하여 미분하면
$\quad -h'(-x)=-h'(x)$ $\therefore h'(-x)=h'(x)$ (참)
ㄷ. $h''(-x)=-h''(x)$이므로 $h''(x)$는 원점에 대하여 대칭
인 함수이다. 따라서 $x=1$에서 극댓값 1을 가지면,
$x=-1$에서 극솟값 -1을 갖는다.
두 함수 $y=h''(x)$와 $y=x$는 적어도 세 점 $(-1,-1)$, $(0,$
$0)$, $(1,1)$에서 만나므로 방정식 $h''(x)-x=0$의 실근은
적어도 3개이다. (참)
따라서 옳은 것은 ㄱ, ㄴ, ㄷ이다.

19 함수의 최대 · 최소 본문 95쪽

01 $f'(x)=3x^2-6x=3x(x-2)$
$f'(x)=0$에서 $x=0$ 또는 $x=2$

x	-2	$\cdots$	0	$\cdots$	2	$\cdots$	3
$f'(x)$		+	0	−	0	+	
$f(x)$	-19	↗	1	↘	-3	↗	1

따라서 함수 $f(x)$는 $x=0$ 또는 $x=3$에서 최댓값 1, $x=-2$
에서 최솟값 -19를 갖는다.

02 $f'(x)=\dfrac{(x^2-x+1)-x(2x-1)}{(x^2-x+1)^2}=\dfrac{-x^2+1}{(x^2-x+1)^2}$
$\qquad=\dfrac{-(x+1)(x-1)}{(x^2-x+1)^2}$
$f'(x)=0$에서 $x=-1$ 또는 $x=1$
함수 $f(x)$의 증가, 감소를 표로 나타내면 다음과 같다.

x	-2	$\cdots$	-1	$\cdots$	1	$\cdots$	2
$f'(x)$		−	0	+	0	−	
$f(x)$	$-\dfrac{2}{7}$	↘	$-\dfrac{1}{3}$	↗	1	↘	$\dfrac{2}{3}$

따라서 함수 $f(x)$는 $x=1$에서 최댓값 1, $x=-1$에서 최솟값
$-\dfrac{1}{3}$을 갖는다.

03 $f'(x)=2x-\dfrac{x}{\sqrt{1-x^2}}=x\left(2-\dfrac{1}{\sqrt{1-x^2}}\right)$
$f'(x)=0$에서 $x=0$ 또는 $x=\dfrac{\sqrt3}{2}$

함수 $f(x)$의 증가, 감소를 표로 나타내면 다음과 같다.

x	0	$\cdots$	$\dfrac{\sqrt3}{2}$	$\cdots$	1
$f'(x)$	0	+	0	−	
$f(x)$	1	↗	$\dfrac{5}{4}$	↘	1

따라서 함수 $f(x)$는 $x=\dfrac{\sqrt{3}}{2}$에서 최댓값 $\dfrac{5}{4}$, $x=0$ 또는 $x=1$에서 최솟값 1을 갖는다.

04 $f'(x)=e^x+e^{-x}$
$f'(x)>0$이므로 함수 $f(x)$는 증가함수이다.
따라서 함수 $f(x)$는 $x=2$에서 최댓값 $e^2-\dfrac{1}{e^2}$, $x=-1$에서 최솟값 $\dfrac{1}{e}-e$를 갖는다.

05 $f'(x)=e^x+xe^x=(1+x)e^x$
$f'(x)=0$에서 $x=-1$
함수 $f(x)$의 증가, 감소를 표로 나타내면 다음과 같다.

x	-2	$\cdots$	-1	$\cdots$	1
$f'(x)$		$-$	0	$+$	0
$f(x)$	$-\dfrac{2}{e^2}$	$\searrow$	$-\dfrac{1}{e}$	$\nearrow$	e

따라서 최댓값 m은 e, 최솟값 n은 $-\dfrac{1}{e}$이므로
$mn=e\cdot\left(-\dfrac{1}{e}\right)=-1$

06 $f(x)=x\ln x+2x$라고 할 때,
$f'(x)=\ln x+x\cdot\dfrac{1}{x}+2=\ln x+3$
$f'(x)=0$에서 $x=\dfrac{1}{e^3}$
$x=\dfrac{1}{e^3}$에서의 극값을 구하면
$f\left(\dfrac{1}{e^3}\right)=\dfrac{1}{e^3}\ln\dfrac{1}{e^3}+2\cdot\dfrac{1}{e^3}=-\dfrac{3}{e^3}+\dfrac{2}{e^3}=-\dfrac{1}{e^3}$
함수 $f(x)$의 증가, 감소를 표로 나타내면 다음과 같다.

x	(0)	$\cdots$	$\dfrac{1}{e^3}$	$\cdots$	e^2
$f'(x)$		$-$	0	$+$	
$f(x)$		$\searrow$	$-\dfrac{1}{e^3}$	$\nearrow$	$4e^2$

따라서 최댓값 m은 $4e^2$, 최솟값 n은 $-\dfrac{1}{e^3}$이므로
$mn=4e^2\cdot\left(-\dfrac{1}{e^3}\right)=-\dfrac{4}{e}$

07 $f'(x)=\dfrac{1-\ln x}{x^2}$
$f'(x)=0$에서 $x=e$
함수 $f(x)$의 증가, 감소를 표로 나타내면 다음과 같다.

x	$\dfrac{1}{e^2}$	$\cdots$	e	$\cdots$	e^2
$f'(x)$		$+$	0	$-$	
$f(x)$	$-2e^2$	$\nearrow$	$\dfrac{1}{e}$	$\searrow$	$\dfrac{2}{e^2}$

따라서 최댓값 m은 $\dfrac{1}{e}$, 최솟값 n은 $-2e^2$이므로
$mn=\dfrac{1}{e}\cdot(-2e^2)=-2e$

08 $f'(x)=2\cos 2x-2\sin x$

$=2(1-2\sin^2 x)-2\sin x=-4\sin^2 x-2\sin x+2$
$=-2(\sin x+1)(2\sin x-1)$
$f'(x)=0$에서 $\sin x=-1$ 또는 $\sin x=\dfrac{1}{2}$
$\sin x=-1$이면 $x=\dfrac{3}{2}\pi$
$\sin x=\dfrac{1}{2}$이면 $x=\dfrac{\pi}{6}$ 또는 $x=\dfrac{5}{6}\pi$
함수 $f(x)$의 증가, 감소를 표로 나타내면 다음과 같다.

x	0	$\cdots$	$\dfrac{\pi}{6}$	$\cdots$	$\dfrac{5}{6}\pi$	$\cdots$	$\dfrac{3}{2}\pi$	$\cdots$	2π
$f'(x)$		$+$	0	$-$	0	$+$	0	$+$	
$f(x)$	2	$\nearrow$	$\dfrac{3\sqrt{3}}{2}$	$\searrow$	$-\dfrac{3\sqrt{3}}{2}$	$\nearrow$	0	$\nearrow$	2

따라서 최댓값 m은 $\dfrac{3\sqrt{3}}{2}$, 최솟값 n은 $-\dfrac{3\sqrt{3}}{2}$이므로
$m-n=\dfrac{3\sqrt{3}}{2}-\left(-\dfrac{3\sqrt{3}}{2}\right)=3\sqrt{3}$

09 $f'(x)=\ln x+1-\dfrac{1}{2}=\ln x+\dfrac{1}{2}$
$f'(x)=0$에서 $x=\dfrac{1}{\sqrt{e}}$
함수 $f(x)$의 증가, 감소를 표로 나타내면 다음과 같다.

x	(0)	$\cdots$	$\dfrac{1}{\sqrt{e}}$	$\cdots$
$f'(x)$		$-$	0	$+$
$f(x)$		$\searrow$	$-\dfrac{1}{\sqrt{e}}+a$	$\nearrow$

함수 $f(x)$는 $x=\dfrac{1}{\sqrt{e}}$일 때 최솟값이 0이므로
$-\dfrac{1}{\sqrt{e}}+a=0$ $\therefore a=\dfrac{1}{\sqrt{e}}$

10 $f'(x)=\ln x+1-2=\ln x-1$
$f'(x)=0$에서 $x=e$
함수 $f(x)$의 증가, 감소를 표로 나타내면 다음과 같다.

x	(0)	$\cdots$	e	$\cdots$
$f'(x)$		$-$	0	$+$
$f(x)$		$\searrow$	$-e+a$	$\nearrow$

함수 $f(x)$는 $x=e$일 때 최솟값이 $-e+a$이므로
$-e+a=3$ $\therefore a=e+3$

11 $f'(x)=a(1-2\cos 2x)$
$f'(x)=0$에서 $\cos 2x=\dfrac{1}{2}$ $\therefore x=-\dfrac{\pi}{6}$ 또는 $x=\dfrac{\pi}{6}$
함수 $f(x)$의 증가, 감소를 표로 나타내면 다음과 같다.

x	$-\dfrac{\pi}{2}$	$\cdots$	$-\dfrac{\pi}{6}$	$\cdots$	$\dfrac{\pi}{6}$	$\cdots$	$\dfrac{\pi}{2}$
$f''(x)$		$+$	0	$-$	0	$+$	
$f(x)$	$-\dfrac{\pi}{2}a$	$\nearrow$	$a\left(-\dfrac{\pi}{6}+\dfrac{\sqrt{3}}{2}\right)$	$\searrow$	$a\left(\dfrac{\pi}{6}-\dfrac{\sqrt{3}}{2}\right)$	$\nearrow$	$\dfrac{\pi}{2}a$

이때, $\dfrac{\pi}{2}a-a\left(-\dfrac{\pi}{6}+\dfrac{\sqrt{3}}{2}\right)=a\left(\dfrac{\pi}{2}+\dfrac{\pi}{6}-\dfrac{\sqrt{3}}{2}\right)>0$이므로
$\dfrac{\pi}{2}a>a\left(-\dfrac{\pi}{6}+\dfrac{\sqrt{3}}{2}\right)$
따라서 함수 $f(x)$는 $x=\dfrac{\pi}{2}$일 때 최댓값이 π이므로

$$\frac{\pi}{2}a=\pi \qquad \therefore a=2$$

12 곡선 $y=e^{-\frac{x^2}{2}}$은 y축에 대하여 대칭인 곡선이므로 직사각형도 y축 대칭이다. 제1사분면에 있는 직사각형의 꼭짓점을 $\mathrm{P}\left(a,\ e^{-\frac{a^2}{2}}\right)$이라 하고, 직사각형의 넓이를 $S(a)$라고 하면
$$S(a)=2ae^{-\frac{a^2}{2}}\ (a>0)$$
$$S'(a)=2e^{-\frac{a^2}{2}}+2ae^{-\frac{a^2}{2}}(-a)=2(1-a^2)e^{-\frac{a^2}{2}}$$
$S'(a)=0$에서 $a=1\ (\because a>0)$
함수 $S(a)$의 증가, 감소를 표로 나타내면 다음과 같다.

a	(0)	$\cdots$	1	$\cdots$
$S'(a)$		$+$	0	$-$
$S(a)$		$\nearrow$	$\dfrac{2}{\sqrt{e}}$	$\searrow$

따라서 $S(a)$의 최댓값은 $S(1)=\dfrac{2}{\sqrt{e}}$

13 곡선 $y=e^{-x}$ 위에 있는 꼭짓점의 좌표를 $(a,\ e^{-a})(a>0)$이라고 하면 직사각형의 가로의 길이는 $2a$, 세로의 길이는 e^{-a}이므로 직사각형의 넓이 $S(a)$는
$$S(a)=2ae^{-a}\ (a>0)$$
$$S'(a)=2e^{-a}-2ae^{-a}=2(1-a)e^{-a}$$
$S'(a)=0$에서 $a=1$
함수 $S(a)$의 증가, 감소를 표로 나타내면 다음과 같다.

a	(0)	$\cdots$	1	$\cdots$
$S'(a)$		$+$	0	$-$
$S(a)$		$\nearrow$	$\dfrac{2}{e}$	$\searrow$

따라서 $S(a)$의 최댓값은 $S(1)=\dfrac{2}{e}$

14 $\angle \mathrm{BOD}=\theta\left(0<\theta<\dfrac{\pi}{2}\right)$라 하고 도형 OBDC의 넓이를 $S(\theta)$라고 하면
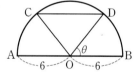
$$S(\theta)$$
$$=\frac{1}{2}\cdot 6^2\cdot\theta+\frac{1}{2}\cdot 6^2\cdot\sin(\pi-2\theta)$$
$$=18(\theta+\sin 2\theta)\left(0<\theta<\frac{\pi}{2}\right)$$
$S'(\theta)=18(1+2\cos 2\theta)$이므로 $S'(\theta)=0$에서
$$\cos 2\theta=-\frac{1}{2} \qquad \therefore \theta=\frac{\pi}{3}\left(\because 0<\theta<\frac{\pi}{2}\right)$$
함수 $S(\theta)$의 증가, 감소를 표로 나타내면 다음과 같다.

θ	(0)	$\cdots$	$\dfrac{\pi}{3}$	$\cdots$	$\left(\dfrac{\pi}{2}\right)$
$S'(a)$		$+$	0	$-$	
$S(a)$		$\nearrow$	$6\pi+9\sqrt{3}$	$\searrow$	

따라서 $S(\theta)$의 최댓값은 $S\left(\dfrac{\pi}{3}\right)=6\pi+9\sqrt{3}$

15 점 B의 좌표를 $(t,\ \sqrt{4-t^2})$이라 하고 직사각형 OABC의 넓이를 $S(t)$라고 하면
$$S(t)=t\sqrt{4-t^2}\ (0<t<2)$$
$$S'(t)=\sqrt{4-t^2}+t\cdot\frac{-2t}{2\sqrt{4-t^2}}=\frac{2(2-t^2)}{\sqrt{4-t^2}}$$
$S'(t)=0$에서 $t=\sqrt{2}\ (\because 0<t<2)$

함수 $S(t)$의 증가, 감소를 표로 나타내면 다음과 같다.

t	(0)	$\cdots$	$\sqrt{2}$	$\cdots$	(2)
$S'(t)$		$+$	0	$-$	
$S(t)$		$\nearrow$	2	$\searrow$	

따라서 $S(t)$의 최댓값은 $S(\sqrt{2})=2$

16 곡선 $f(x)=2e^{-x}$이라고 하면 $f'(x)=-2e^{-x}$
점 $\mathrm{P}(t,\ 2e^{-t})$에서의 접선의 기울기는 $f'(t)=-2e^{-t}$이므로 접선의 방정식은
$$y-2e^{-t}=-2e^{-t}(x-t)$$
이 접선이 y축과 만나는 점은 접선의 방정식에 $x=0$을 대입한다. 즉, $y=2e^{-t}(t+1)$ $\therefore \mathrm{B}(0,\ 2e^{-t}(t+1))$
또한 점 $\mathrm{P}(t,\ 2e^{-t})$에서 y축에 내린 수선의 발은 $\mathrm{A}(0,\ 2e^{-t})$이다. 삼각형 APB의 넓이를 $S(t)$라고 하면
$$S(t)=\frac{1}{2}\cdot\overline{\mathrm{AP}}\cdot\overline{\mathrm{AB}}=\frac{1}{2}\cdot t\cdot\{2e^{-t}(t+1)-2e^{-t}\}=t^2e^{-t}$$
$$S'(t)=2te^{-t}-t^2e^{-t}=te^{-t}(2-t)$$
$S'(t)=$에서 $t=2\ (\because t>0)$
함수 $S(t)$의 증가, 감소를 표로 나타내면 다음과 같다.

t	(0)	$\cdots$	2	$\cdots$
$S'(t)$		$+$	0	$-$
$S(t)$		$\nearrow$	극대	$\searrow$

$t>0$에서 $t=2$일 때, 극대이자 최대가 된다.
즉, 함수 $S(t)$는 $t=2$일 때, 최댓값을 갖는다.

20 방정식과 부등식에의 활용 본문 99쪽

01 $f(x)=e^x-x-2$라고 하면 $f'(x)=e^x-1$
$f'(x)=0$에서 $x=0$
이때, 함수 $f(x)$의 증가와 감소를 표로 나타내고 그래프를 그리면 다음과 같다.

x	$\cdots$	0	$\cdots$
$f'(x)$	$-$	0	$+$
$f(x)$	$\searrow$	-1	$\nearrow$

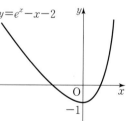

따라서 함수 $f(x)=e^x-x-2$의 그래프와 x축과의 교점이 2개이므로 방정식 $e^x-x-2=0$의 실근의 개수는 2개이다.

02 $f(x)=e^x-x+1$이라고 하면 $f'(x)=e^x-1$
$f'(x)=0$에서 $x=0$
이때, 함수 $f(x)$의 증가와 감소를 표로 나타내고 그래프를 그리면 다음과 같다.

x	$\cdots$	0	$\cdots$
$f'(x)$	$-$	0	$+$
$f(x)$	$\searrow$	2	$\nearrow$

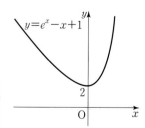

따라서 함수 $f(x)=e^x-x+1$의 그래프와 x축이 만나지 않으므로 주어진 방정식의 실근은 없다. 즉, 실근의 개수는 0개이다.

03 $f(x)=x-\cos x$로 놓으면

$f'(x)=1+\sin x\geq0$

$(\because -1\leq\sin x\leq1)$이므로

함수 $f(x)$는 실수 전체의 구간에서 증가한다.

이때, $f(0)=-1<0$,

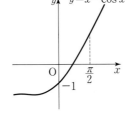

$f\left(\dfrac{\pi}{2}\right)=\dfrac{\pi}{2}>0$이므로 함수

$y=f(x)$의 그래프의 개형은 그림과 같다.

즉, 함수 $f(x)=x-\cos x$와 x축과의 교점이 1개이므로 방정식 $x-\cos x=0$의 실근의 개수는 1개이다.

04 $f(x)=\ln x-3x$라고 하면 $f'(x)=\dfrac{1}{x}-3$

$f'(x)=0$에서 $x=\dfrac{1}{3}$

$x>0$일 때, 함수 $f(x)$의 증가와 감소를 표로 나타내면 다음과 같다.

x	(0)	$\cdots$	$\dfrac{1}{3}$	$\cdots$
$f'(x)$		$+$	0	$-$
$f(x)$		↗	$-1-\ln 3$	↘

한편, $\lim\limits_{x\to0+}f(x)=-\infty$,

$\lim\limits_{x\to\infty}f(x)=-\infty$이므로 함수

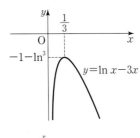

$f(x)$의 그래프는 그림과 같다.

따라서 함수 $f(x)=\ln x-3x$의 그래프는 x축과 만나지 않으므로 방정식 $\ln x-3x=0$의 실근의 개수는 0개이다.

05 $x\neq0$이므로 $e^x=kx$의 근은 곡선 $y=\dfrac{e^x}{x}$와 직선 $y=k$의 교점의 x좌표와 같다.

$f(x)=\dfrac{e^x}{x}$라고 하면 $f'(x)=\dfrac{e^x\cdot x-e^x\cdot1}{x^2}=\dfrac{e^x(x-1)}{x^2}$

$f'(x)=0$에서 $x=1$

$x>0$일 때, 함수 $f(x)$의 증가와 감소를 표로 나타내면 다음과 같다.

x	(0)	$\cdots$	1	$\cdots$
$f'(x)$		$-$	0	$+$
$f(x)$		↘	e	↗

한편, $\lim\limits_{x\to0+}f(x)=\infty$, $\lim\limits_{x\to\infty}f(x)=\infty$

이므로 함수 $f(x)$의 그래프는 그림과 같다.

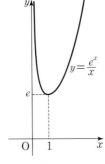

따라서 방정식 $e^x=kx$가 서로 다른 두 실근을 갖는 k의 범위는 $k>e$이다.

06 $x\neq0$이므로 $\ln x=kx$의 근은 곡선 $y=\dfrac{\ln x}{x}$와 직선 $y=k$의 교점의 x좌표와 같다

$f(x)=\dfrac{\ln x}{x}$라고 하면 $f'(x)=\dfrac{1-\ln x}{x^2}$

$f'(x)=0$에서 $x=e$

$x>0$일 때, 함수 $f(x)$의 증가와 감소를 표로 나타내면 다음과 같다.

x	(0)	$\cdots$	e	$\cdots$
$f'(x)$		$+$	0	$-$
$f(x)$		↗	$\dfrac{1}{e}$	↘

한편, $\lim\limits_{x\to0+}f(x)=-\infty$,

$\lim\limits_{x\to\infty}f(x)=0$

이므로 함수 $f(x)$의 그래프는 그림과 같다.

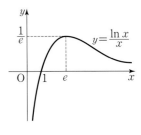

방정식 $\ln x=kx$가 서로 다른 두 실근을 가지는 k의 범위는

$0<k<\dfrac{1}{e}$이다.

07 $x-\ln x-k=0$에서 $x-\ln x=k$이므로 주어진 방정식의 근은 곡선 $y=x-\ln x$와 직선 $y=k$의 교점의 x좌표와 같다.

$f(x)=x-\ln x$라고 하면 $f'(x)=1-\dfrac{1}{x}$

$f'(x)=0$에서 $x=1$

$x>0$일 때, 함수 $f(x)$의 증가와 감소를 표로 나타내면 다음과 같다.

x	(0)	$\cdots$	1	$\cdots$
$f'(x)$		$-$	0	$+$
$f(x)$		↘	e	↗

한편, $\lim\limits_{x\to0+}f(x)=\infty$,

$\lim\limits_{x\to\infty}f(x)=\infty$

이므로 함수 $f(x)$의 그래프는 그림과 같다.

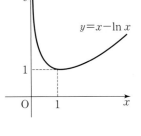

따라서 방정식 $x-\ln x-k=0$이 서로 다른 두 실근을 갖는 k의 범위는 $k>1$이다.

08 $f(x)=e^x-x$라고 하면

$f'(x)=e^x-1$

$f'(x)=0$에서 $x=0$

x	$\cdots$	0	$\cdots$
$f'(x)$	$-$	0	$+$
$f(x)$	↘	1	↗

따라서 $k>1$이면 곡선 $y=e^x-x$와 직선 $y=k$는 서로 다른 두 점에서 만난다.

09 $\ln x-x+3-n=0$에서 $\ln x-x+3=n$

$f(x)=\ln x-x+3\,(x>0)$이라고 하면 $f'(x)=\dfrac{1}{x}-1$

$f'(x)=0$에서 $x=1$

$x>0$일 때, 함수 $f(x)$의 증가, 감소를 표로 나타내면 다음과 같다.

x	(0)	$\cdots$	1	$\cdots$
$f'(x)$		$+$	0	$-$
$f(x)$		↗	2	↘

한편, $\lim_{x \to 0+} f(x) = -\infty$,

$\lim_{x \to \infty} f(x) = -\infty$이므로

함수 $y=f(x)$의 그래프는 그
림과 같다.

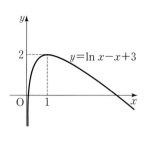

방정식 $\ln x - x + 3 = n$이 실
근을 가질 조건은 $n \le 2$

따라서 자연수 n은 1, 2로 2개
이다.

10 방정식 $\dfrac{\ln x}{x^2} = kx$에서 $x \ne 0$이므로 양변을 x로 나누면

$\dfrac{\ln x}{x^3} = k$이고 곡선 $y = \dfrac{\ln x}{x^3}$와 직선 $y=k$가 서로 다른 두 점

에서 만나기 위한 k의 값의 범위를 구한다.

$f(x) = \dfrac{\ln x}{x^3}$라고 하면

$f'(x) = \dfrac{\frac{1}{x} \cdot x^3 - \ln x \cdot 3x^2}{x^6} = \dfrac{1 - 3\ln x}{x^4}$

$f'(x) = 0$에서 $x = e^{\frac{1}{3}}$

x	(0)	$\cdots$	$e^{\frac{1}{3}}$	$\cdots$
$f'(x)$		$+$	0	$-$
$f(x)$		↗	$\dfrac{1}{3e}$	↘

한편, $\lim_{x \to 0+} f(x) = -\infty$, $\lim_{x \to \infty} f(x) = 0$이므로

$0 < k < \dfrac{1}{3e}$일 때, 곡선 $y = \dfrac{\ln x}{x^3}$와 직선 $y=k$는 서로 다른

두 점에서 만난다.

따라서 $0 < k < \dfrac{1}{3e}$일 때, 곡선 $y = \dfrac{\ln x}{x^2}$와 직선 $y=kx$도 서

로 다른 두 점에서 만난다.

11

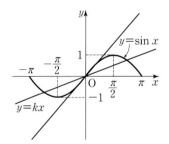

닫힌구간 $[-\pi, \pi]$에서 방정식 $\sin x = kx$가 서로 다른 세
실근을 가지려면 함수 $y = \sin x$의 그래프와 직선 $y = kx$의
교점이 3개이어야 하므로 k는 $k \ge 0$이고, 곡선 $y = \sin x$ 위의
점 $(0, 0)$에서의 접선의 기울기보다 작아야 한다. 이때,
$y = \sin x$에서 $y' = \cos x$이므로 점 $(0, 0)$에서의 접선의 기
울기는 $\cos 0 = 1$이다.

따라서 구하는 상수 k의 값의 범위는 $0 \le k < 1$

12 $y = f'(x)$의 그래프와 주어진 조건을 따라 $x \ge 0$일 때, 함수
$f(x)$의 증가, 감소를 표로 나타내면 다음과 같다.

x	0	$\cdots$	1	$\cdots$
$f'(x)$		$+$	0	$-$
$f(x)$	-2	↗	6	↘

따라서 주어진 조건을 만족하는 함수 $y = f(x)$의 그래프의 개

형은 그림과 같다.

이때, 방정식 $f(x) = k$가
서로 다른 두 실근을 가지기
위한 k의 범위는 $0 < k < 6$
이므로 $\alpha = 0$, $\beta = 6$
따라서 구하는 값은
$\alpha + \beta = 6$

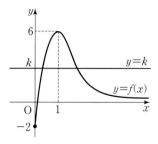

15 $f(x) = 3x \ln x + x + k\ (x > 0)$라고 하면

$f'(x) = 3\ln x + 3x \cdot \dfrac{1}{x} + 1 = 3\ln x + 4$

$f'(x) = 0$에서 $x = e^{-\frac{4}{3}}$

$x > 0$일 때, 함수 $f(x)$의 증가, 감소를 표로 나타내면 다음과
같다.

x	(0)	$\cdots$	$e^{-\frac{4}{3}}$	$\cdots$
$f'(x)$		$-$	0	$+$
$f(x)$		↗	극소	↘

$f(x)$의 최솟값은

$f\left(e^{-\frac{4}{3}}\right) = 3 \cdot e^{-\frac{4}{3}} \cdot \left(-\dfrac{4}{3}\right) + e^{-\frac{4}{3}} + k = -3e^{-\frac{4}{3}} + k$

이때 $f\left(e^{-\frac{4}{3}}\right) \ge 0$이어야 하므로

$-3e^{-\frac{4}{3}} + k \ge 0$ ∴ $k \ge 3e^{-\frac{4}{3}}$

따라서 상수 k의 최솟값은 $3e^{-\frac{4}{3}}$이다.

16 $f(x) = ex - \ln ax$라고 하면

$f'(x) = e - \dfrac{a}{ax} = e - \dfrac{1}{x}$

$f'(x) = 0$에서 $x = \dfrac{1}{e}$

$x > 0$일 때, 함수 $f(x)$의 증가, 감소를 표로 나타내면 다음과 같다.

x	(0)	$\cdots$	$\dfrac{1}{e}$	$\cdots$
$f'(x)$		$-$	0	$+$
$f(x)$		↘	극소	↗

$f(x)$의 최솟값은

$f\left(\dfrac{1}{e}\right) = e \cdot \dfrac{1}{e} - \ln\left(a \cdot \dfrac{1}{e}\right) = 1 - (\ln a - 1) = 2 - \ln a$

이므로 $x > 0$에서 $f(x) \ge 0$이려면,

$f\left(\dfrac{1}{e}\right) \ge 0$, $2 - \ln a \ge 0$, $\ln a \le 2$

∴ $0 < a \le e^2\ (\because x > 0)$

이때, $e = 2.7$이므로 $e^2 = 7.29$이고,
구하는 정수 a는 1, 2, 3, $\cdots$, 7로 7개이다.

17 $f(x) = x\ln x + x - a$로 놓으면

$f'(x) = \ln x + x \cdot \dfrac{1}{x} + 1 = \ln x + 2$

$f'(x) = 0$에서 $x = \dfrac{1}{e^2}$

$x > 0$일 때, 함수 $f(x)$의 증가, 감소를 표로 나타내면 다음과 같다.

x	(0)	$\cdots$	$\dfrac{1}{e^2}$	$\cdots$
$f'(x)$		$-$	0	$+$
$f(x)$		↘	$-\dfrac{1}{e^2} - a$	↗

함수 $f(x)$의 최솟값은 $-\dfrac{1}{e^2}-a$이므로 $f(x)\geq 0$에서

$-\dfrac{1}{e^2}-a\geq 0$, 즉 $a\leq -\dfrac{1}{e^2}$이다.

따라서 실수 a의 최댓값은 $-\dfrac{1}{e^2}$이다.

18 $f(x)=x-\ln ax$로 놓으면 $f'(x)=1-\dfrac{1}{x}$

$f'(x)=0$에서 $x=1$

$x>0$일 때, 함수 $f(x)$의 증가와 감소를 표로 나타내면 다음과 같다.

x	(0)	$\cdots$	1	$\cdots$
$f'(x)$		$-$	0	$+$
$f(x)$		$\searrow$	$1-\ln a$	$\nearrow$

함수 $f(x)$의 최솟값은 $f(1)=1-\ln a$이므로

$1-\ln a\geq 0$, 즉 $\ln a\leq 1$이다.

$\therefore 0<a\leq e$

19 $1\leq x\leq 2$이므로 $x\neq 0$이다.

따라서 $ax\leq e^x\leq \beta x$에서 x로 나누면,

$a\leq \dfrac{e^x}{x}\leq \beta$

이때, $f(x)=\dfrac{e^x}{x}$이라고 하면 $f'(x)=\dfrac{(x-1)e^x}{x^2}$

$f'(x)=0$에서 $x=1$

$1\leq x\leq 2$일 때, 함수 $f(x)$의 증가, 감소를 표로 나타내면 다음과 같다.

x	1	$\cdots$	2
$f'(x)$	0	$+$	
$f(x)$	e	$\nearrow$	$\dfrac{e^2}{2}$

최솟값은 $x=1$일 때, $f(1)=e$,

최댓값은 $x=2$일 때, $f(2)=\dfrac{e^2}{2}$

$\therefore a\leq e,\ \beta\geq \dfrac{e^2}{2}$

따라서 $\beta-a$의 최솟값은 $\dfrac{e^2}{2}-e=e\left(\dfrac{e}{2}-1\right)$

20 $f(x)=x\ln x-3x+2+k$라고 하면

$f'(x)=\ln x+1-3=\ln x-2$

$e\leq x\leq e^2$에서 $f'(x)\leq 0$이므로 함수 $f(x)$는 감소한다. 따라서 함수 $f(x)$의 최댓값은 $f(e)$이고,

$f(e)\leq 0$에서 $e\ln e-3e+2+k=-2e+2+k\leq 0$,

$-2e+2+k\leq 0$, $k\leq 2e-2$

따라서 구하는 상수 k의 최댓값은 $2e-2$

21 평면 운동에서의 속도와 가속도 본문104쪽

02 $\dfrac{dx}{dt}=\dfrac{1}{2\sqrt{t}}$, $\dfrac{dy}{dt}=\dfrac{2}{t}$이므로

속도 v는 $v=\left(\dfrac{1}{2\sqrt{t}},\ \dfrac{2}{t}\right)$

즉 시각 $t=1$에서의 속도는 $\left(\dfrac{1}{4},\ \dfrac{1}{2}\right)$

따라서 시각 $t=4$에서의 속력 $|v|$는

$|v|=\sqrt{\left(\dfrac{1}{4}\right)^2+\left(\dfrac{1}{2}\right)^2}=\dfrac{\sqrt{5}}{4}$

03 $\dfrac{dx}{dt}=1-2\cos t$, $\dfrac{dy}{dt}=1+2\sin t$이므로 속도 v는

$v=(1-2\cos t,\ 1+2\sin t)$

속력 $|v|$는

$\begin{aligned}|v|&=\sqrt{(1-2\cos t)^2+(1+2\sin t)^2}\\&=\sqrt{(1-4\cos t+4\cos^2 t)+(1+4\sin t+4\sin^2 t)}\\&=\sqrt{6-4\cos t+4\sin t}\end{aligned}$

따라서 $t=\pi$에서의 점 P의 속력은

$\sqrt{6-4\cos\pi+4\sin\pi}=\sqrt{6-4\times(-1)+4\times 0}=\sqrt{10}$

04 $\dfrac{dx}{dt}=1-\cos t$, $\dfrac{dy}{dt}=\sin t$이므로 속도 v는

$v=(1-\cos t,\ \sin t)$

속력 $|v|$는

$|v|=\sqrt{(1-\cos t)^2+\sin^2 t}=\sqrt{2-2\cos t}$

$0\leq t\leq 2\pi$에서 $-1\leq \cos t\leq 1$이므로

$0\leq 2-2\cos t\leq 4$ $\therefore 0\leq |v|\leq 2$

이때 속력 $|v|$가 최대가 되는 것은 $2-2\cos t=4$,

즉 $\cos t=-1$일 때이다.

따라서 속력이 최대가 되는 시각은 $t=\pi$이다.

05 $\dfrac{dx}{dt}=t+1$, $\dfrac{dy}{dt}=2t-2$이므로 속도 v는

$v=(t+1,\ 2t-2)$

$|v|=\sqrt{(t+1)^2+(2t-2)^2}=\sqrt{5t^2-6t+5}$

$\quad=\sqrt{5\left(t-\dfrac{3}{5}\right)^2+\dfrac{16}{5}}$

따라서 $t=\dfrac{3}{5}$일 때 점 P의 속력은 최소이고, 최솟값은

$\sqrt{\dfrac{16}{5}}=\dfrac{4\sqrt{5}}{5}$

06 $\dfrac{dx}{dt}=2$, $\dfrac{dy}{dt}=t-\dfrac{1}{t}$이므로 속도 v는 $v=\left(2,\ t-\dfrac{1}{t}\right)$

$|v|=\sqrt{2^2+\left(t-\dfrac{1}{t}\right)^2}=\sqrt{t^2+2+\dfrac{1}{t^2}}$

$\quad=\sqrt{\left(t+\dfrac{1}{t}\right)^2}=t+\dfrac{1}{t}\ (\because t>0)$

$t>0$, $\dfrac{1}{t}>0$이므로 산술평균과 기하평균의 관계에 의해

$t+\dfrac{1}{t}\geq 2\sqrt{t\times\dfrac{1}{t}}=2$

이때 등호는 $t=\dfrac{1}{t}$일 때 성립하므로

$t^2=1$ $\therefore t=1\ (\because t>0)$

따라서 점 P의 속력이 최소가 되는 순간의 속도는 시각 $t=1$일 때의 속도이므로 $v=(2,\ 0)$

07 $v=(e^t\cos t-e^t\sin t,\ e^t\sin t+e^t\cos t)$

$|v|=\sqrt{2e^{2t}(\sin^2 t+\cos^2 t)}=\sqrt{2e^{2t}}$

$\sqrt{2e^{2t_1}}=\sqrt{2e}$에서 $t_1=\dfrac{1}{2}$

$a=(-2e^t\sin t,\ 2e^t\cos t)$

$|a|=\sqrt{4e^{2t}(\sin^2 t+\cos^2 t)}=\sqrt{4e^{2t}}=2e^t$

$2e^{t_2}=2e\sqrt{e}$에서 $t_2=\dfrac{3}{2}$

$\therefore t_1+t_2=\dfrac{1}{2}+\dfrac{3}{2}=2$

08

$$\frac{dx}{dt}=e^{t}-2e^{-2t}, \quad \frac{dy}{dt}=e^{t}+2e^{-2t}$$

$$\frac{d^2x}{dt^2}=e^{t}+4e^{-2t}, \quad \frac{d^2y}{dt^2}=e^{t}-4e^{-2t}$$

점 P의 시각 t에서의 가속도는 $(e^{t}+4e^{-2t},\ e^{t}-4e^{-2t})$이므로
$t=\ln 2$에서의 가속도는 $(3,\ 1)$이고 가속도의 크기는
$\sqrt{3^2+1^2}=\sqrt{10}$

Ⅲ. 적분법

01 여러 가지 함수의 부정적분 본문112쪽

02 $\displaystyle\int\frac{5}{x}\,dx=\int 5x^{-1}\,dx=5\ln|x|+C$

03
$$\int(x\sqrt{x}+\sqrt{x})dx=\int x\sqrt{x}\,dx+\int \sqrt{x}\,dx$$
$$=\int x^{\frac{3}{2}}\,dx+\int x^{\frac{1}{2}}\,dx$$
$$=\frac{2}{5}x^{\frac{5}{2}}+\frac{2}{3}x^{\frac{3}{2}}+C$$
$$=\frac{2}{5}x^2\sqrt{x}+\frac{2}{3}x\sqrt{x}+C$$

04 $\dfrac{x^2+1}{x}=x+\dfrac{1}{x}$이므로

$$\int\frac{x^2+1}{x}\,dx=\int x\,dx+\int\frac{1}{x}\,dx$$
$$=\int x\,dx+\int x^{-1}\,dx$$
$$=\frac{1}{2}x^2+\ln|x|+C$$

05 $\dfrac{x^3-4x^2+3}{x^2}=x-4+\dfrac{3}{x^2}$이므로

$$\int\frac{x^3-4x^2+3}{x^2}\,dx=\int x\,dx-\int 4\,dx+\int\frac{3}{x^2}\,dx$$
$$=\int x\,dx-\int 4\,dx+\int 3x^{-2}\,dx$$
$$=\frac{1}{2}x^2-4x-\frac{3}{x}+C$$

06 $\dfrac{5x+3}{x}=5+\dfrac{3}{x}$이므로

$$\int\frac{5x+3}{x}\,dx=\int 5\,dx+\int\frac{3}{x}\,dx$$
$$=\int 5\,dx+\int 3x^{-1}\,dx$$
$$=5x+3\ln|x|+C$$

07
$$\int\frac{x^2-x-6}{x-3}\,dx=\int\frac{(x-3)(x+2)}{x-3}\,dx$$
$$=\int(x+2)\,dx$$
$$=\frac{1}{2}x^2+2x+C$$

08
$$\int\frac{x-1}{\sqrt[3]{x}-1}\,dx=\int\frac{(\sqrt[3]{x}-1)(\sqrt[3]{x^2}+\sqrt[3]{x}+1)}{\sqrt[3]{x}-1}\,dx$$
$$=\int(\sqrt[3]{x^2}+\sqrt[3]{x}+1)\,dx$$
$$=\int x^{\frac{2}{3}}\,dx+\int x^{\frac{1}{3}}\,dx+\int 1\,dx$$
$$=\frac{3}{5}x^{\frac{5}{3}}+\frac{3}{4}x^{\frac{4}{3}}+x+C$$
$$=\frac{3}{5}x\sqrt[3]{x^2}+\frac{3}{4}x\sqrt[3]{x}+x+C$$

09 $\left(x+\dfrac{1}{x}\right)^2=x^2+2+\dfrac{1}{x^2}$이므로

$$\int\left(x+\frac{1}{x}\right)^2\,dx=\int x^2\,dx+\int 2\,dx+\int\frac{1}{x^2}\,dx$$
$$=\frac{1}{3}x^3+2x-\frac{1}{x}+C$$

$$\therefore f(x)=\frac{1}{3}x^3+2x-\frac{1}{x}+C$$

따라서 구하는 값은
$$f(3)-f(1)$$
$$=\left(\frac{1}{3}\cdot 3^3+2\cdot 3-\frac{1}{3}+C\right)-\left(\frac{1}{3}\cdot 1^3+2\cdot 1-\frac{1}{1}+C\right)$$
$$=\frac{40}{3}$$

10 함수 $f(x)$의 도함수는 점 $(x,\ f(x))$의 접선의 기울기이다.
즉, $f'(x)=\sqrt{x}(x+3)$이고, $\sqrt{x}(x+3)=x\sqrt{x}+3\sqrt{x}$이므로

$$f(x)=\int\sqrt{x}(x+3)\,dx=\int x\sqrt{x}\,dx+\int 3\sqrt{x}\,dx$$
$$=\int x^{\frac{3}{2}}\,dx+\int 3x^{\frac{1}{2}}\,dx=\frac{2}{5}x^2\sqrt{x}+2x\sqrt{x}+C$$

이때, 곡선 $y=f(x)$는 점 $(1,\ 4)$를 지나므로 대입하면
$$f(1)=\frac{2}{5}+2+C=4 \quad \therefore C=\frac{8}{5}$$

$$\therefore f(x)=\frac{2}{5}x^2\sqrt{x}+2x\sqrt{x}+\frac{8}{5}$$

따라서 구하는 값은
$$f(5)=\frac{2}{5}\cdot(5^2)\cdot\sqrt{5}+2\cdot 5\cdot\sqrt{5}+\frac{8}{5}=20\sqrt{5}+\frac{8}{5}$$

11 $f'(x)=\begin{cases} 6\sqrt{x} & (x>1) \\ x+1 & (x<1) \end{cases}$에서

$$\int 6\sqrt{x}\,dx=6\int x^{\frac{1}{2}}\,dx=6\cdot\frac{2}{3}x^{\frac{3}{2}}+C_1=4x\sqrt{x}+C_1,$$

$$\int(x+1)\,dx=\frac{1}{2}x^2+x+C_2 \text{ (단, } C_1,\ C_2\text{는 적분상수)}$$

$$\therefore f(x)=\begin{cases} 4x\sqrt{x}+C_1 & (x>1) \\ \dfrac{1}{2}x^2+x+C_2 & (x<1) \end{cases}$$

이때, $f(4)=20$이므로
$$f(4)=4\cdot 4\sqrt{4}+C_1=32+C_1=20 \quad \therefore C_1=-12$$
함수 $f(x)$가 모든 실수 x에서 연속이므로 $x=1$에서도 연속
이다. 따라서
$$\lim_{x\to 1-}\left(\frac{1}{2}x^2+x+C_2\right)=\lim_{x\to 1+}(4x\sqrt{x}-12),$$
$$\frac{3}{2}+C_2=-8$$
$$\therefore C_2=-\frac{19}{2}$$

$$\therefore f(x)=\begin{cases}4x\sqrt{x}-12 & (x>1)\\[2mm]\dfrac{1}{2}x^2+x-\dfrac{19}{2} & (x<1)\end{cases}$$

따라서 구하는 $f(-6)$의 값은

$$f(-6)=\frac{1}{2}(-6)^2+(-6)-\frac{19}{2}=\frac{5}{2}$$

13
$$\int e^{x-1}dx=e^{-1}\int e^x dx$$
$$=e^{-1}\cdot e^x+C$$
$$=e^{x-1}+C$$

14
$$\int(e^x+2^{2x+1})dx=\int(e^x+2\cdot4^x)dx$$
$$=\int e^x dx+2\int 4^x dx$$
$$=e^x+2\cdot\frac{4^x}{\ln 4}+C$$
$$=e^x+2\cdot\frac{2^{2x}}{2\ln 2}+C$$
$$=e^x+\frac{2^{2x}}{\ln 2}+C$$

15
$$\int(5^x+1)^2dx=\int(5^{2x}+2\cdot5^x+1)dx$$
$$=\int 25^x dx+2\int 5^x dx+\int 1dx$$
$$=\frac{25^x}{\ln 25}+2\cdot\frac{5^x}{\ln 5}+x+C$$
$$=\frac{5^{2x}}{2\ln 5}+2\cdot\frac{5^x}{\ln 5}+x+C$$

16
$$\int\frac{e^{2x}-1}{e^x-1}dx=\int\frac{(e^x-1)(e^x+1)}{e^x-1}dx$$
$$=\int(e^x+1)dx$$
$$=e^x+x+C$$

17
$$\int\frac{e^{3x}+1}{e^{2x}-e^x+1}dx=\int\frac{(e^x+1)(e^{2x}-e^x+1)}{e^{2x}-e^x+1}dx$$
$$=\int(e^x+1)dx$$
$$=e^x+x+C$$

18
$$\int\frac{9^x-1}{3^x-1}dx=\int\frac{(3^x-1)(3^x+1)}{3^x-1}dx$$
$$=\int(3^x+1)dx$$
$$=\frac{3^x}{\ln 3}+x+C$$

19
$$\int(3e^x+2^{x+1})dx=3\int e^x dx+2\int 2^x dx$$
$$=3e^x+2\cdot\frac{2^x}{\ln 2}+C$$
$$=3e^x+\frac{2^{x+1}}{\ln 2}+C$$

20
$$f(x)=\int(2^x+e^x)dx=\int 2^x dx+\int e^x dx$$
$$=\frac{2^x}{\ln 2}+e^x+C$$

따라서 구하는 값은

$$f(2)-f(1)=\left(\frac{2^2}{\ln 2}+e^2+C\right)-\left(\frac{2}{\ln 2}+e+C\right)$$

$$=\frac{2}{\ln 2}+e^2-e$$

21
$$\frac{e^{3x}-1}{e^x-1}=\frac{(e^x-1)(e^{2x}+e^x+1)}{e^x-1}$$
$$=e^{2x}+e^x+1$$

이므로

$$f(x)=\int(e^{2x}+e^x+1)dx$$
$$=\frac{1}{2}e^{2x}+e^x+x+C$$

이때, $f(0)=\dfrac{1}{2}\cdot e^{2\cdot0}+e^0+0+C=2$이므로 $C=\dfrac{1}{2}$

$$\therefore f(x)=\frac{1}{2}e^{2x}+e^x+x+\frac{1}{2}$$

따라서 구하는 값은

$$\lim_{h\to0}\frac{F(1+2h)-F(1)}{3h}=\lim_{h\to0}\frac{F(1+2h)-F(1)}{2h}\cdot\frac{2}{3}$$
$$=\frac{2}{3}F'(1)=\frac{2}{3}f(1)$$
$$=\frac{2}{3}\left(\frac{1}{2}e^2+e+\frac{3}{2}\right)$$
$$=\frac{e^2}{3}+\frac{2}{3}e+1$$

22
$$f'(x)=\frac{(x-e^x)(x+e^x)}{x^2e^{2x}}=\frac{x^2-e^{2x}}{x^2e^{2x}}=\frac{1}{e^{2x}}-\frac{1}{x^2}$$

이므로

$$f(x)=\int f'(x)dx=\int\left(\frac{1}{e^{2x}}-\frac{1}{x^2}\right)dx$$
$$=\int e^{-2x}dx-\int x^{-2}dx=-\frac{1}{2}e^{-2x}+x^{-1}+C$$
$$=\frac{1}{x}-\frac{1}{2e^{2x}}+C$$

$f(1)=-\dfrac{1}{2e^2}$ 이므로

$$f(1)=1-\frac{1}{2e^2}+C=-\frac{1}{2e^2}$$

$$\therefore C=-1$$
$$\therefore f(x)=\frac{1}{x}-\frac{1}{2e^{2x}}-1$$

23
$$\frac{1+\cos^2 x}{\cos^2 x}=\frac{1}{\cos^2 x}+1=\sec^2 x+1$$이므로

$$\int\frac{1+\cos^2 x}{\cos^2 x}dx=\int(\sec^2 x+1)dx$$
$$=\int\sec^2 x\,dx+\int 1\,dx$$
$$=\tan x+x+C$$

24 $\cos^2 x=1-\sin^2 x$이므로

$$\int\frac{\cos^2 x}{1+\sin x}dx=\int\frac{1-\sin^2 x}{1+\sin x}dx$$
$$=\int\frac{(1-\sin x)(1+\sin x)}{1+\sin x}dx$$
$$=\int(1-\sin x)dx$$
$$=\int 1\,dx+\int(-\sin x)dx$$
$$=x+\cos x+C$$

25 $\dfrac{1}{1-\sin^2 x}=\dfrac{1}{\cos^2 x}=\sec^2 x$이므로

$$\int \dfrac{1}{1-\sin^2 x}dx=\int \sec^2 x\,dx$$
$$=\tan x+C$$

26 $\tan^2 x=\sec^2 x-1$이므로

$$\int \tan^2 x\,dx=\int \sec^2 x\,dx-\int 1\,dx$$
$$=\tan x-x+C$$

27 $(\cos x+\sec x)\sec x=1+\sec^2 x$이므로

$$\int (\cos x+\sec x)\sec x\,dx=\int (1+\sec^2 x)dx$$
$$=x+\tan x+C$$

28 $\sin^2 x+\cos^2 x=1$이므로

$$\int \dfrac{1}{\sin^2 x\cos^2 x}dx=\int \dfrac{\sin^2 x+\cos^2 x}{\sin^2 x\cos^2 x}dx$$
$$=\int \left(\dfrac{1}{\cos^2 x}+\dfrac{1}{\sin^2 x}\right)dx$$
$$=\int \sec^2 x\,dx+\int \csc^2 x\,dx$$
$$=\tan x-\cot x+C$$

29 $\sin^2 x+\cos^2 x=1$이므로

$$\int (1-\cos x)^2 dx+\int (2+\sin x)^2 dx$$
$$=\int (1-2\cos x+\cos^2 x)dx+\int (4+4\sin x+\sin^2 x)dx$$
$$=\int (5-2\cos x+4\sin x+\cos^2 x+\sin^2 x)dx$$
$$=\int 6\,dx-\int 2\cos x\,dx+\int 4\sin x\,dx$$
$$=6x-2\sin x-4\cos x+C$$

30 $\int (\cos x+1)^2 dx-\int (\cos x-2)^2 dx$

$$=\int (\cos^2 x+2\cos x+1)dx-\int (\cos^2 x-4\cos x+4)dx$$
$$=\int 6\cos x\,dx-\int 3\,dx$$
$$=6\sin x-3x+C$$

31 $f(x)=\int f'(x)dx$

$$=\int \sin x\,dx$$
$$=-\cos x+C$$

따라서 구하는 값은

$$f(\pi)-f(0)=(-\cos \pi+C)-(-\cos 0+C)$$
$$=2$$

32 $f'(x)=\cot^2 x$이므로

$$f(x)=\int f'(x)dx=\int \cot^2 x\,dx$$

이때, $1+\cot^2 x=\csc^2 x$에서 $\cot^2 x=\csc^2 x-1$이므로

$$f(x)=\int \cot^2 x\,dx$$
$$=\int (\csc^2 x-1)dx$$
$$=-\cot x-x+C$$

곡선 $y=f(x)$가 점 $\left(\dfrac{\pi}{4},\ -1\right)$을 지나므로

$$f\left(\dfrac{\pi}{4}\right)=-\cot \dfrac{\pi}{4}-\dfrac{\pi}{4}+C$$
$$=-1-\dfrac{\pi}{4}+C=-1$$

$$\therefore C=\dfrac{\pi}{4}$$

따라서 구하는 값은

$$f\left(\dfrac{\pi}{6}\right)=-\cot \dfrac{\pi}{6}-\dfrac{\pi}{6}+\dfrac{\pi}{4}$$
$$=-\sqrt{3}+\dfrac{\pi}{12}$$

02 치환적분법 본문 118쪽

02 $x^3-1=t$로 놓으면 $3x^2=\dfrac{dt}{dx}$

$$\int 3x^2(x^3-1)^2 dx=\int t^2\,dt$$
$$=\dfrac{1}{3}t^3+C=\dfrac{1}{3}(x^3-1)^3+C$$

03 $x^2-2x-4=t$로 놓으면 $2x-2=2(x-1)=\dfrac{dt}{dx}$

$$\int 2(x-1)(x^2-2x-4)dx$$
$$=\int t\,dt=\dfrac{1}{2}t^2+C$$
$$=\dfrac{1}{2}(x^2-2x-4)^2+C$$

04 $\cos x=t$로 놓으면 $-\sin x=\dfrac{dt}{dx}$

$$\int \sin x\cos^2 x\,dx=\int (-t^2)\,dt=-\dfrac{1}{3}t^3+C$$
$$=-\dfrac{1}{3}\cos^3 x+C$$

05 $\tan x=t$로 놓으면 $\sec^2 x=\dfrac{dt}{dx}$

$$\int \tan x\sec^2 x\,dx=\int t\,dt=\dfrac{1}{2}t^2+C$$
$$=\dfrac{1}{2}\tan^2 x+C$$

06 $x^4=t$로 놓으면 $4x^3=\dfrac{dt}{dx}$

$$\int 4x^3 e^{x^4}dx=\int e^t\,dt$$
$$=e^t+C=e^{x^4}+C$$

07 $\ln 3x=t$로 놓으면 $\dfrac{1}{x}=\dfrac{dt}{dx}$

$$\int \dfrac{\ln 3x}{x}dx=\int t\,dt=\dfrac{1}{2}t^2+C$$
$$=\dfrac{1}{2}(\ln 3x)^2+C$$

08 $4x+1=t$로 놓으면 $4=\dfrac{dt}{dx}$

$$\int (4x+1)^3 dx=\int t^3\cdot\dfrac{1}{4}dt$$
$$=\dfrac{1}{4}\int t^3 dt=\dfrac{1}{16}t^4+C$$

$$= \frac{1}{16}(4x+1)^4+C$$

09 $\sqrt{2x-8}=t$, 즉 $x=\frac{1}{2}(t^2+8)$로 놓으면 $\frac{dx}{dt}=1$

$$\int x\sqrt{2x-8}\,dx=\int \frac{1}{2}(t^2+8)\cdot t\,dt$$
$$=\int\left(\frac{1}{2}t^3+4t\right)dt$$
$$=\frac{1}{8}t^4+2t^2+C$$
$$=\frac{1}{8}(\sqrt{2x-8})^4+2(\sqrt{2x-8})^2+C$$
$$=\frac{1}{2}x^2+C$$

10 $-x=t$로 놓으면 $-1=\frac{dt}{dx}$

$$\int e^{-x}dx=\int -e^t\,dt$$
$$=-e^t+C$$
$$=-e^{-x}+C$$

11 $2x=t$로 놓으면 $2=\frac{dt}{dx}$

$$\int \sin 2x\,dx=\frac{1}{2}\int \sin t\,dt$$
$$=-\frac{1}{2}\cos t+C$$
$$=-\frac{1}{2}\cos 2x+C$$

12 함수 $f(x)=\int(1-\sin x)^2\cos x\,dx$에서

$1-\sin x=t$로 놓으면 $-\cos x=\frac{dt}{dx}$

$$\int(1-\sin x)^2\cos x\,dx$$
$$=\int(-t^2)\,dt=-\frac{1}{3}t^3+C$$
$$=-\frac{1}{3}(1-\sin x)^3+C$$

이때, $f(0)=0$이므로 $f(0)=-\frac{1}{3}+C=0$

$$\therefore C=\frac{1}{3},\ f(x)=-\frac{1}{3}(1-\sin x)^3+\frac{1}{3}$$

따라서 구하는 값은

$$f\left(\frac{\pi}{2}\right)=-\frac{1}{3}\left(1-\sin \frac{\pi}{2}\right)^3+\frac{1}{3}=\frac{1}{3}$$

13 $f(x)=\int f'(x)dx=\int e^{\sin x}\cos x$에서

$\sin x=t$로 놓으면 $\cos x=\frac{dt}{dx}$

$$\int e^{\sin x}\cos x\,dx=\int e^t\,dt=e^t+C=e^{\sin x}+C$$

이때, $f(\pi)=0$이므로 $e^{\sin \pi}+C=0$

$\therefore C=-1,\ f(x)=e^{\sin x}-1$

따라서 구하는 값은

$$f\left(\frac{\pi}{6}\right)=e^{\sin \frac{\pi}{6}}-1=\sqrt{e}-1$$

14 $f(x)=\int \frac{(\ln x)^3+2(\ln x)^2+1}{x}dx$에서

$\ln x=t$로 놓으면 $\frac{1}{x}=\frac{dt}{dx}$

$$\int \frac{(\ln x)^3+2(\ln x)^2+1}{x}dx$$
$$=\int(t^3+2t^2+1)dt=\frac{1}{4}t^4+\frac{2}{3}t^3+t+C$$
$$=\frac{1}{4}(\ln x)^4+\frac{2}{3}(\ln x)^3+\ln x+C$$

$f(e)=1$이므로

$$\frac{1}{4}(\ln e)^4+\frac{2}{3}(\ln e)^3+\ln e+C=1$$

$$\therefore C=-\frac{11}{12},\ f(x)=\frac{1}{4}(\ln x)^4+\frac{2}{3}(\ln x)^3+\ln x-\frac{11}{12}$$

$x=e^2$일 때, 함수 $f(x)$의 값은

$$f(e^2)=\frac{1}{4}(\ln e^2)^4+\frac{2}{3}(\ln e^2)^3+\ln e^2-\frac{11}{12}=\frac{125}{12}$$

따라서 구하는 값은

$$24f(e^2)=24\cdot\frac{125}{12}=250$$

15 $f(x)=\int \frac{\sec^2(\ln x)}{x}dx$에서

$\ln x=t$로 놓으면 $\frac{1}{x}=\frac{dt}{dx}$

$$\int \frac{\sec^2(\ln x)}{x}dx=\int \sec^2 t\,dt=\tan t+C=\tan(\ln x)+C$$

이때, $f(1)=1$이므로

$\tan(\ln 1)+C=1$

$\therefore C=1,\ f(x)=\tan(\ln x)+1$

따라서 구하는 값은

$$f\left(e^{\frac{\pi}{3}}\right)=\tan\left(\ln e^{\frac{\pi}{3}}\right)+1=\tan \frac{\pi}{3}+1=\sqrt{3}+1$$

16 $f(x)=\int 4xe^{x^2+2}dx$에서

$x^2+2=t$로 놓으면 $2x=\frac{dt}{dx}$

$$\int 4xe^{x^2+2}dx=2\int e^t\,dt$$
$$=2e^t+C=2e^{x^2+2}+C$$

이때, $f(0)=2e^2$이므로

$2e^2+C=2e^2$

$\therefore C=0,\ f(x)=2e^{x^2+2}$

따라서 구하는 값은

$$f(1)=2e^{1+2}=2e^3$$

17 $f'(x)=\tan x+\tan^2x+\tan^3x+\tan^4x$
$$=\tan x(1+\tan^2x)+\tan^2x(1+\tan^2x)$$
$$=\tan x\sec^2x+\tan^2x\sec^2x$$
$$=(\tan x+\tan^2x)\sec^2x$$이므로
$$f(x)=\int f'(x)dx=\int(\tan x+\tan^2x)\sec^2x\,dx$$

이때, $\tan x=t$로 놓으면 $\sec^2x=\frac{dt}{dx}$

$$\int(\tan x+\tan^2x)\sec^2x\,dx$$
$$=\int(t+t^2)dt=\frac{1}{2}t^2+\frac{1}{3}t^3+C$$
$$=\frac{1}{3}\tan^3x+\frac{1}{2}\tan^2x+C$$

$f(0)=0$이므로 $C=0$

$$\therefore f(x) = \frac{1}{3}\tan^3 x + \frac{1}{2}\tan^2 x$$

따라서 구하는 값은

$$f\left(\frac{\pi}{4}\right) = \frac{1}{3}\left(\tan\frac{\pi}{4}\right)^3 + \frac{1}{2}\left(\tan\frac{\pi}{4}\right)^2$$
$$= \frac{1}{3} + \frac{1}{2} = \frac{5}{6}$$

18 $\ln x = t$로 놓으면 $\dfrac{1}{x} = \dfrac{dt}{dx}$이고, 주어진 함수 $f(x)$는

$$\int \frac{\cos(\ln x)}{x}\,dx = \int \cos t\,dt$$
$$= \sin t + C = \sin(\ln x) + C$$

이때, $f(1) = 1$이므로

$$f(1) = \sin(\ln 1) + C = 1 \quad \therefore C = 1$$
$$\therefore f(x) = \sin(\ln x) + 1$$

따라서 구하는 값은

$$f\left(e^{\frac{\pi}{6}}\right) = \sin\left(\ln e^{\frac{\pi}{6}}\right) + 1 = \sin\frac{\pi}{6} + 1 = \frac{3}{2}$$

20
$$\int \frac{e^x + 1}{e^x + x}\,dx = \int \frac{(e^x + x)'}{e^x + x}\,dx$$
$$= \ln|e^x + x| + C$$

21
$$\int \frac{x+1}{x^2 + 2x - 1}\,dx = \frac{1}{2}\int \frac{(x^2 + 2x - 1)'}{x^2 + 2x - 1}\,dx$$
$$= \frac{1}{2}\ln|x^2 + 2x - 1| + C$$

22
$$\int \frac{1}{x\ln 2x}\,dx = \int \frac{\frac{1}{x}}{\ln 2x}\,dx$$
$$= \int \frac{(\ln 2x)'}{\ln 2x}\,dx$$
$$= \ln|\ln 2x| + C$$

23
$$\int \tan x\,dx = \int \frac{\sin x}{\cos x}\,dx$$
$$= -\int \frac{(-\sin x)}{\cos x}\,dx$$
$$= -\int \frac{(\cos x)'}{\cos x}\,dx$$
$$= -\ln|\cos x| + C$$

24 $f(x) = \displaystyle\int f'(x)\,dx = \int \dfrac{2x+1}{x^2 + x - 4}\,dx$에서

$(x^2 + x - 4)' = 2x + 1$이므로

$$\int \frac{2x+1}{x^2 + x - 4}\,dx = \int \frac{(x^2 + x - 4)'}{x^2 + x - 4}\,dx$$
$$= \ln|x^2 + x - 4| + C$$

이때, $f(2) = \ln 2$이므로

$$\ln|2^2 + 2 - 4| + C = \ln 2 \quad \therefore C = 0$$
$$\therefore f(x) = \ln|x^2 + x - 4|$$

따라서 구하는 값은

$$f(1) = \ln|1^2 + 1 - 4| = \ln 2$$

25 $f(x) = \displaystyle\int f'(x)\,dx = \int \dfrac{3^x}{3^x + 1}\,dx$에서

$(3^x + 1)' = 3^x \ln 3$이므로

$$\int \frac{3^x}{3^x + 1}\,dx = \frac{1}{\ln 3}\int \frac{3^x \ln 3}{3^x + 1}\,dx$$
$$= \frac{1}{\ln 3}\int \frac{(3^x + 1)'}{3^x + 1}\,dx$$

$$= \frac{1}{\ln 3}\cdot\ln|3^x + 1| + C$$
$$= \frac{\ln|3^x + 1|}{\ln 3} + C$$

이때, $f(0) = \log_3 2$이므로 $C = 0$

$$\therefore f(x) = \frac{\ln|3^x + 1|}{\ln 3}$$

따라서 구하는 값은

$$f(1) = \frac{\ln|3^1 + 1|}{\ln 3} = \frac{\ln 4}{\ln 3}$$
$$= 2\log_3 2$$

26 $f(x) = \displaystyle\int f'(x)\,dx$에서

$$\int \frac{2^x \ln 2}{2^x + 1}\,dx = \int \frac{(2^x + 1)'}{2^x + 1}\,dx$$
$$= \ln|2^x + 1| + C$$

이때, $f(0) = \ln|2^0 + 1| + C = \ln 2$이므로 $C = 0$

$$\therefore f(x) = \ln|2^x + 1|$$

따라서 구하는 값은

$$f(3) = \ln|2^3 + 1| = 2\ln 3$$

03 부분적분법 본문 123쪽

01 $f(x) = x$, $g'(x) = \cos x$로 놓으면

$$\int f(x)g'(x)\,dx = f(x)g(x) - \int f'(x)g(x)\,dx$$이므로

$$\int x\cos x\,dx = x\sin x - \int 1\cdot\sin x\,dx$$
$$= x\sin x + \cos x + C$$

02 $f(x) = 3x + 2$, $g'(x) = \sin x$로 놓으면

$$\int (3x+2)\sin x\,dx$$
$$= (3x+2)\cdot(-\cos x) - \int 3\cdot(-\cos x)\,dx$$
$$= -(3x+2)\cos x + 3\sin x + C$$

03 $f(x) = \ln x$, $g'(x) = 1$로 놓으면

$$\int \ln x\,dx = \ln x\cdot x - \int \frac{1}{x}\cdot x\,dx$$
$$= x\ln x - x + C$$

04 $f(x) = x - 1$, $g'(x) = e^{2x}$로 놓으면

$$\int (x-1)e^{2x}\,dx = (x-1)\cdot\frac{e^{2x}}{2} - \int 1\cdot\frac{e^{2x}}{2}\,dx$$
$$= \frac{e^{2x}(x-1)}{2} - \frac{e^{2x}}{4} + C$$
$$= \frac{e^{2x}(2x-3)}{4} + C$$

05 $f(x) = \ln x$, $g'(x) = x$로 놓으면

$$f'(x) = \frac{1}{x}, \quad g(x) = \frac{1}{2}x^2$$

$$\int x\ln x\,dx = \frac{1}{2}x^2\ln x - \int \frac{1}{x}\cdot\frac{1}{2}x^2\,dx$$
$$= \frac{1}{2}x^2\ln x - \frac{1}{2}\int x\,dx$$
$$= \frac{1}{2}x^2\ln x - \frac{1}{4}x^2 + C$$

06 $f(x)=2x-1$, $g'(x)=\sin 2x$로 놓으면

$$f'(x)=2,\ g(x)=-\frac{1}{2}\cos 2x$$

$$\int(2x-1)\sin 2x\,dx$$
$$=(2x-1)\cdot\left(-\frac{1}{2}\cos 2x\right)-\int 2\cdot\left(-\frac{1}{2}\cos 2x\right)dx$$
$$=-\frac{1}{2}(2x-1)\cos 2x+\frac{1}{2}\sin 2x+C$$

07 $f'(x)=\ln x$에서 $f(x)=\int \ln x\,dx$

$u=\ln x$, $v'=1$로 놓으면 $u'=\frac{1}{x}$, $v=x$

$$f(x)=\int \ln x\,dx=\ln x\cdot x-\int \frac{1}{x}\cdot x\,dx$$
$$=x\ln x-x+C$$

$f(e)=0$이므로
$f(e)=e\ln e-e+C=0$, $C=0$
따라서 $f(x)=x\ln x-x$이므로
$f(1)=1\cdot\ln 1-1=-1$

08 $f(x)=\ln x$, $g'(x)=x^2+4x+1$로 놓으면

$$f'(x)=\frac{1}{x},\ g(x)=\frac{1}{3}x^3+2x^2+x$$

$$\int(x^2+4x+1)\ln x\,dx$$
$$=\left(\frac{1}{3}x^3+2x^2+x\right)\cdot\ln x-\int \frac{1}{x}\cdot\left(\frac{1}{3}x^3+2x^2+x\right)dx$$
$$=\left(\frac{1}{3}x^3+2x^2+x\right)\cdot\ln x-\int\left(\frac{1}{3}x^2+2x+1\right)dx$$
$$=\left(\frac{1}{3}x^3+2x^2+x\right)\cdot\ln x-\frac{1}{9}x^3-x^2-x+C$$

이때, $f(1)=0$이므로
$$\left(\frac{1}{3}\cdot1^3+2\cdot1^2+1\right)\cdot\ln 1-\frac{1}{9}\cdot1^3-1^2-1+C=0$$

$$\therefore C=\frac{19}{9}$$

$$\therefore f(x)=\left(\frac{1}{3}x^3+2x^2+x\right)\cdot\ln x-\frac{1}{9}x^3-x^2-x+\frac{19}{9}$$

따라서 구하는 값은
$$f(e)=\left(\frac{1}{3}e^3+2e^2+e\right)\cdot\ln e-\frac{1}{9}e^3-e^2-e+\frac{19}{9}$$
$$=\frac{2}{9}e^3+e^2+\frac{19}{9}$$

09 $f(x)=\int f'(x)dx=\int x\sin x\,dx$에서

$u(x)=x$, $v'(x)=\sin x$로 놓으면
$u'(x)=1$, $v(x)=-\cos x$
$$\int x\sin x\,dx=-x\cos x-\int(-\cos x)dx$$
$$=-x\cos x+\sin x+C$$
$y=f(x)$의 그래프가 원점을 지나므로
$-0\cdot\cos 0+\sin 0+C=0$
$\therefore C=0$, $f(x)=-x\cos x+\sin x$
따라서 구하는 값은
$$f\left(\frac{\pi}{2}\right)=-\frac{\pi}{2}\cos\frac{\pi}{2}+\sin\frac{\pi}{2}=1$$

10 $x\neq 1$일 때,
$$f(x)=\int \ln x^2\,dx$$
$$=2\int \ln x\,dx$$
$$=2x\ln x-2x+C$$
함수 $f(x)$가 $x=1$에서 연속이므로 $\lim_{x\to 1}f(x)=f(1)$,
$\lim_{x\to 1}(2x\ln x-2x+C)=2$, $-2+C=2$
따라서 구하는 값은
$f(2)=4\ln 2-4+4=4\ln 2$

12 $f(x)=(\ln x)^2$, $g'(x)=1$로 놓으면

$$f'(x)=\frac{2\ln x}{x},\ g(x)=x$$

$$\int(\ln x)^2dx=x(\ln x)^2-\int \frac{2\ln x}{x}\cdot x\,dx$$
$$=x(\ln x)^2-2\int \ln x\,dx$$
$$=x(\ln x)^2-2\left\{x\ln x-\int 1\,dx\right\}$$
$$=x(\ln x)^2-2(x\ln x-x)+C$$
$$=x(\ln x)^2-2x\ln x+2x+C$$

13 $f(x)=x^2-3x$, $g'(x)=\cos x$로 놓으면
$$f'(x)=2x-3,\ g(x)=\sin x$$

$$\int(x^2-3x)\cos x\,dx$$
$$=(x^2-3x)\sin x-\int(2x-3)\sin x\,dx$$
$$=(x^2-3x)\sin x-\left\{(2x-3)(-\cos x)-\int 2(-\cos x)dx\right\}$$
$$=(x^2-3x)\sin x+(2x-3)\cos x-2\sin x+C$$
$$=(x^2-3x-2)\sin x+(2x-3)\cos x+C$$

14 $f(x)=(\ln x)^2$, $g'(x)=x$로 놓으면
$$f'(x)=\frac{2\ln x}{x},\ g(x)=\frac{1}{2}x^2$$

$$\int x(\ln x)^2dx=\frac{1}{2}x^2(\ln x)^2-\int x\ln x\,dx$$
$$=\frac{1}{2}x^2(\ln x)^2-\left\{\frac{1}{2}x^2\ln x-\int \frac{1}{2}x\,dx\right\}$$
$$=\frac{1}{2}x^2(\ln x)^2-\frac{1}{2}x^2\ln x+\frac{1}{4}x^2+C$$

15 $f(x)=x^2$, $g'(x)=\sin x$로 놓으면
$$f'(x)=2x,\ g(x)=-\cos x$$
$$\int x^2\sin x\,dx=-x^2\cos x+\int 2x\cos x\,dx$$
$$=-x^2\cos x+\left\{2x\sin x-\int 2\sin x\,dx\right\}$$
$$=-x^2\cos x+2x\sin x+2\cos x+C$$
$$=(-x^2+2)\cos x+2x\sin x+C$$

16 $f(x)=e^{2x}$, $g'(x)=\cos x$로 놓으면
$$f'(x)=2e^{2x},\ g(x)=\sin x$$
$$\int e^{2x}\cos x\,dx=e^{2x}\sin x-2\int e^{2x}\sin x\,dx \quad\cdots\cdots\ \ominus$$

한편 $\int e^{2x}\sin x\,dx$에서

$u=e^{2x}$, $v'=\sin x$라고 하면
$u'=2e^{2x}$, $v=-\cos x$이므로

$$\int e^{2x}\sin x\,dx=-e^{2x}\cos x+2\int e^{2x}\cos x\,dx \qquad \cdots\cdots ⓛ$$

㉠, ⓛ에서

$$\int e^{2x}\cos x\,dx$$

$$=e^{2x}\sin x-2\left(-e^{2x}\cos x+2\int e^{2x}\cos x\,dx\right)$$

$$=e^{2x}\sin x+2e^{2x}\cos x-4\int e^{2x}\cos x\,dx$$

$$5\int e^{2x}\cos x\,dx=e^{2x}\sin x+2e^{2x}\cos x$$

$$\therefore \int e^{2x}\cos x\,dx=\frac{e^{2x}}{5}(\sin x+2\cos x)+C$$

17 $f(x)=e^{-x}$, $g'(x)=\cos x$로 놓으면

$f'(x)=-e^{-x}$, $g(x)=\sin x$

$$\int e^{-x}\cos x\,dx=e^{-x}\sin x+\int e^{-x}\sin x\,dx$$

$$=e^{-x}\sin x+\left(-e^{-x}\cos x-\int e^{-x}\cos x\,dx\right)$$

$$2\int e^{-x}\cos x\,dx=e^{-x}\sin x-e^{-x}\cos x$$

$$\int e^{-x}\cos x\,dx=\frac{e^{-x}}{2}(\sin x-\cos x)+C$$

18 $u=\cos x$, $v'=e^x$으로 놓으면

$u'=-\sin x$, $v=e^x$

$$f(x)=\int e^x\cos x\,dx$$

$$=e^x\cos x+\int e^x\sin x\,dx \qquad \cdots\cdots ㉠$$

$\int e^x\sin x\,dx$에서

$f=\sin x$, $g'=e^x$으로 놓으면

$f'=\cos x$, $g=e^x$

$$\int e^x\sin x\,dx=e^x\sin x-\int e^x\cos x\,dx \qquad \cdots\cdots ⓛ$$

㉠, ⓛ에서

$$\int e^x\cos x\,dx=e^x\cos x+\left(e^x\sin x-\int e^x\cos x\,dx\right)$$

$$=e^x\cos x+e^x\sin x-\int e^x\cos x\,dx$$

$$\int e^x\cos x\,dx=\frac{e^x}{2}(\sin x+\cos x)+C$$

$f(x)=\dfrac{e^x}{2}(\sin x+\cos x)+C$이고

$f\left(\dfrac{\pi}{2}\right)=\dfrac{e^{\frac{\pi}{2}}}{2}$이므로

$$f\left(\frac{\pi}{2}\right)=\frac{e^{\frac{\pi}{2}}}{2}+C=\frac{e^{\frac{\pi}{2}}}{2}, \ C=0$$

따라서 $f(x)=\dfrac{e^x}{2}(\sin x+\cos x)$이므로 $f(0)=\dfrac{1}{2}$

19 $F(x)+xf(x)=F(x)+xF'(x)=\{xF(x)\}'$이므로

조건 (가)의 양변을 x에 대하여 적분하면

$$xF(x)=\int(2x+2)e^x\,dx$$

$u=2x+2$, $v'=e^x$로 놓으면

$u'=2$, $v=e^x$

$$\int(2x+2)e^x\,dx=(2x+2)e^x-\int 2e^x\,dx$$

$$=(2x+2)e^x-2e^x+C$$

$$=2xe^x+C$$

$$\therefore xF(x)=2xe^x+C$$

조건 (나)에 의해 $F(1)=2e$이므로

$F(1)=2\cdot 1\cdot e^1+C=2e$

$\therefore C=0$, $xF(x)=2xe^x$

$\therefore F(x)=2e^x$ $(\because x\neq 0)$

따라서 구하는 값은 $F(2)=2e^2$

20 $F(x)=xf(x)-x\ln x$에서 양변을 x에 대하여 미분하면

$F'(x)=f(x)+xf'(x)-\ln x-1$

$F'(x)=f(x)$이므로

$xf'(x)=\ln x+1$,

$$f'(x)=\frac{\ln x}{x}+\frac{1}{x} \ (\because x\neq 0)$$

$$f(x)=\int f'(x)\,dx=\int\left(\frac{\ln x}{x}+\frac{1}{x}\right)dx$$

$$=\int\frac{\ln x}{x}\,dx+\int\frac{1}{x}\,dx$$

이때, $\int\dfrac{\ln x}{x}\,dx$에서 $u=\ln x$, $v'=\dfrac{1}{x}$로 놓으면

$$u'=\frac{1}{x}, \ v=\ln x$$

$$\int\frac{\ln x}{x}\,dx=(\ln x)^2-\int\frac{\ln x}{x}\,dx,$$

$$2\int\frac{\ln x}{x}\,dx=(\ln x)^2$$

$$\therefore \int\frac{\ln x}{x}\,dx=\frac{(\ln x)^2}{2}$$

즉, $f(x)=\int\dfrac{\ln x}{x}\,dx+\int\dfrac{1}{x}\,dx$

$$=\frac{(\ln x)^2}{2}+\ln x+C$$

$f(1)=0$이므로 $C=0$

$$\therefore f(x)=\frac{(\ln x)^2}{2}+\ln x$$

따라서 구하는 값은

$$f(e^2)=\frac{(\ln e^2)^2}{2}+\ln e^2=4$$

21 $\{xf(x)\}'=f(x)+xf'(x)$이므로

$$xf(x)=\int\{f(x)+xf'(x)\}'\,dx=\int x\cos\,dx$$

$\int x\cos\,dx$에서

$u=x$, $v'=\cos x$로 놓으면

$u'=1$, $v=\sin x$

$$\int x\cos\,dx=x\sin x-\int\sin x\,dx$$

$$=x\sin x+\cos x+C$$

$\therefore xf(x)=x\sin x+\cos x+C$

이때, 조건 (가)에 의해 $f\left(\dfrac{\pi}{2}\right)=1$이므로

$$\frac{\pi}{2}f\left(\frac{\pi}{2}\right)=\frac{\pi}{2}\sin\frac{\pi}{2}+\cos\frac{\pi}{2}+C=\frac{\pi}{2}+C=\frac{\pi}{2}$$

$\therefore C=0$

$$\therefore f(x)=\sin x+\frac{\cos x}{x} \ (\because x\neq 0)$$

따라서 구하는 값은

$$f(\pi)=\sin\pi+\frac{\cos\pi}{\pi}=0+\frac{(-1)}{\pi}=-\frac{1}{\pi}$$

22 $\{f(x)g(x)\}'=f'(x)g(x)+f(x)g'(x)=h(x)$이므로

$$f(x)g(x)=\int h(x)\,dx$$

$f(x)=x$, $h(x)=\ln x$이므로

$$xg(x)=\int \ln x\,dx=x\ln x-x+C$$

$$\therefore xg(x)=x\ln x-x+C$$

조건 (나)에 의해 $g(1)=-1$이므로

$$g(1)=1\cdot\ln 1-1+C=-1 \qquad \therefore C=0$$

$$\therefore g(x)=\ln x-1\ (\because x\neq 0)$$

따라서 구하는 값은

$$g(e)=\ln e-1=0$$

04 구분구적법 본문 128쪽

02 오른쪽 그림에서 $(n-1)$개의 직사각형의 넓이의 합을 T_n이라고 하면

$$T_n=\sum_{k=1}^{n-1}\frac{2}{n}\cdot\frac{2k}{n}\left(2-\frac{2k}{n}\right)$$

$$=\sum_{k=1}^{n-1}\left(\frac{8k}{n^2}-\frac{8k^2}{n^3}\right)$$

$$=\frac{8}{n^2}\cdot\frac{(n-1)n}{2}$$

$$-\frac{8}{n^3}\cdot\frac{(n-1)n(2n-1)}{6}$$

$$=\frac{4(n-1)}{n}-\frac{4(n-1)(2n-1)}{3n^2}$$

따라서 구하는 도형의 넓이는

$$\lim_{n\to\infty}T_n=\lim_{n\to\infty}\left\{\frac{4(n-1)}{n}-\frac{4(n-1)(2n-1)}{3n^2}\right\}$$

$$=4-\frac{8}{3}=\frac{4}{3}$$

03 사각뿔의 높이를 n등분하여 각 분점을 지나고 밑면에 평행한 평면으로 사각뿔을 자른 다음, 다음 그림과 같이 $(n-1)$개의 사각기둥을 만든다.

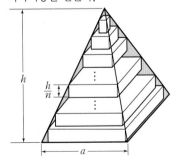

이때 각 사각기둥의 높이는 $\dfrac{h}{n}$이므로 각 사각기둥의 밑면의 한 변의 길이를 위에서부터 차례로 구하면

$$\frac{a}{n}, \frac{2a}{n}, \frac{3a}{n}, \cdots, \frac{(n-1)a}{n}$$

$(n-1)$개의 사각기둥의 부피의 합을 V_n이라고 하면

$$V_n=\left(\frac{a}{n}\right)^2\frac{h}{n}+\left(\frac{2a}{n}\right)^2\frac{h}{n}+\cdots+\left\{\frac{(n-1)a}{n}\right\}^2\frac{h}{n}$$

$$=\frac{a^2h}{n^3}\{1^2+2^2+\cdots+(n-1)^2\}$$

$$=\frac{1}{6}a^2h\left(1-\frac{1}{n}\right)\left(2-\frac{1}{n}\right)$$

따라서 구하는 부피는 $\displaystyle\lim_{n\to\infty}V_n=\frac{1}{3}a^2h$

05 정적분의 정의 본문 129쪽

02 $f(x)=x^2$으로 놓으면 정적분의 정의에서 $a=0$, $b=3$이므로

$$\Delta x=\frac{3-0}{n}=\frac{3}{n},\ x_k=0+k\Delta x=\frac{3k}{n}$$

$$f(x_k)=x_k^2=\left(\frac{3k}{n}\right)^2=\frac{9k^2}{n^2}$$

$$\therefore \int_0^3 x^2\,dx=\lim_{n\to\infty}\sum_{k=1}^{n}f(x_k)\Delta x$$

$$=\lim_{n\to\infty}\sum_{k=1}^{n}\frac{9k^2}{n^2}\cdot\frac{3}{n}=\lim_{n\to\infty}\frac{27}{n^3}\sum_{k=1}^{n}k^2$$

$$=\lim_{n\to\infty}\frac{27}{n^3}\cdot\frac{n(n+1)(2n+1)}{6}$$

$$=9$$

03 $f(x)=x+1$로 놓으면 정적분의 정의에서 $a=1$, $b=3$이므로

$$\Delta x=\frac{3-1}{n}=\frac{2}{n},\ x_k=1+k\Delta x=1+\frac{2k}{n}$$

$$f(x_k)=\left(1+\frac{2k}{n}\right)+1=2+\frac{2k}{n}$$

$$\therefore \int_1^3 (x+1)\,dx=\lim_{n\to\infty}\sum_{k=1}^{n}f(x_k)\Delta x$$

$$=\lim_{n\to\infty}\sum_{k=1}^{n}\left(2+\frac{2k}{n}\right)\cdot\frac{2}{n}$$

$$=\lim_{n\to\infty}\frac{2}{n}\sum_{k=1}^{n}\left(2+\frac{2k}{n}\right)$$

$$=\lim_{n\to\infty}\left\{\frac{4}{n}\cdot n+\frac{4}{n^2}\cdot\frac{n(n+1)}{2}\right\}$$

$$=4+2=6$$

04 $f(x)=x^2+1$로 놓으면 정적분의 정의에서 $a=0$, $b=3$이므로

$$\Delta x=\frac{3-0}{n}=\frac{3}{n},\ x_k=0+k\Delta x=\frac{3k}{n}$$

$$f(x_k)=\frac{9k^2}{n^2}+1$$

$$\therefore \int_0^3 (x^2+1)\,dx=\lim_{n\to\infty}\sum_{k=1}^{n}f(x_k)\Delta x$$

$$=\lim_{n\to\infty}\sum_{k=1}^{n}\left(\frac{9k^2}{n^2}+1\right)\cdot\frac{3}{n}$$

$$=\lim_{n\to\infty}\left\{\frac{27}{n^3}\cdot\frac{n(n+1)(2n+1)}{6}+n\cdot\frac{3}{n}\right\}$$

$$=9+3=12$$

06 치환적분법과 부분적분법을 이용한 정적분 본문 130쪽

01 $$\int_0^4 \sqrt{x}(x-1)\,dx=\int_0^4 x\sqrt{x}\,dx-\int_0^4 \sqrt{x}\,dx$$

$$=\left[\frac{2}{5}x^2\sqrt{x}\right]_0^4-\left[\frac{2}{3}x\sqrt{x}\right]_0^4$$

$$= \frac{64}{5} - \frac{16}{3}$$
$$= \frac{192 - 80}{15}$$
$$= \frac{112}{15}$$

02
$$\int_0^1 \frac{e^{2x}}{e^{x-1}} dx - \int_0^1 \frac{1}{e^{x-1}} dx = \int_0^1 (e^{x+1} - e^{-x+1}) dx$$
$$= \left[e^{x+1} + e^{-x+1} \right]_0^1$$
$$= (e^{1+1} + e^{-1+1}) - (e^{0+1} + e^{-0+1})$$
$$= e^2 - 2e + 1$$

03 $\dfrac{3x+1}{x} = 3 + \dfrac{1}{x}$ 이므로
$$\int_e^{4e} \frac{3x+1}{x} dx = \int_e^{4e} \left(3 + \frac{1}{x} \right) dx$$
$$= \left[3x + \ln|x| \right]_e^{4e}$$
$$= (3 \cdot 4e + \ln 4e) - (3 \cdot e + \ln e)$$
$$= 9e + 2\ln 2$$

04
$$\int_1^e \frac{x+3}{x^2} dx = \int_1^e \left(\frac{1}{x} + \frac{3}{x^2} \right) dx$$
$$= \left[\ln|x| - \frac{3}{x} \right]_1^e$$
$$= \left(1 - \frac{3}{e} \right) - (0 - 3)$$
$$= 4 - \frac{3}{e}$$

05 $\dfrac{3}{x^2+5x+4} = \dfrac{3}{(x+1)(x+4)} = \dfrac{1}{x+1} - \dfrac{1}{x+4}$ 이므로
$$\int_0^2 \frac{3}{x^2+5x+4} dx = \int_0^2 \left(\frac{1}{x+1} - \frac{1}{x+4} \right) dx$$
$$= \left[\ln|x+1| - \ln|x+4| \right]_0^2$$
$$= (\ln 3 - \ln 6) - (\ln 1 - \ln 4)$$
$$= \ln 2$$

06
$$\int_0^3 (2^x + 4^x) dx = \left[\frac{2^x}{\ln 2} + \frac{4^x}{\ln 4} \right]_0^3$$
$$= \left(\frac{2^3}{\ln 2} + \frac{4^3}{2\ln 2} \right) - \left(\frac{2^0}{\ln 2} + \frac{4^0}{2\ln 2} \right)$$
$$= \frac{77}{2\ln 2}$$

07
$$\int_0^1 (3e^x + 2^{x+1}) dx = \left[3e^x + \frac{2^{x+1}}{\ln 2} \right]_0^1$$
$$= \left(3e^1 + \frac{2^{1+1}}{\ln 2} \right) - \left(3e^0 + \frac{2^{0+1}}{\ln 2} \right)$$
$$= 3e + \frac{2}{\ln 2} - 3$$

08 $\cos^2 x = 1 - \sin^2 x$ 이므로
$$\int_0^{\frac{\pi}{2}} \frac{\cos^2 x}{1+\sin x} dx = \int_0^{\frac{\pi}{2}} \frac{1-\sin^2 x}{1+\sin x} dx$$
$$= \int_0^{\frac{\pi}{2}} \frac{(1-\sin x)(1+\sin x)}{1+\sin x} dx$$
$$= \int_0^{\frac{\pi}{2}} (1 - \sin x) dx$$
$$= \left[x + \cos x \right]_0^{\frac{\pi}{2}}$$

$$= \left(\frac{\pi}{2} + \cos \frac{\pi}{2} \right) - (0 + \cos 0)$$
$$= \frac{\pi}{2} - 1$$

09 $\dfrac{1}{1-\sin^2 x} = \dfrac{1}{\cos^2 x} = \sec^2 x$ 이므로
$$\int_0^{\frac{\pi}{3}} \frac{1}{1-\sin^2 x} dx = \int_0^{\frac{\pi}{3}} \sec^2 x \, dx$$
$$= \left[\tan x \right]_0^{\frac{\pi}{3}}$$
$$= \tan \frac{\pi}{3} - \tan 0$$
$$= \sqrt{3}$$

10
$$\int_0^{\ln 3} \frac{e^{3x}}{e^{2x}+e^x+1} dx + \int_{\ln 3}^0 \frac{1}{e^{2x}+e^x+1} dx$$
$$= \int_0^{\ln 3} \frac{e^{3x}}{e^{2x}+e^x+1} dx - \int_0^{\ln 3} \frac{1}{e^{2x}+e^x+1} dx$$
$$= \int_0^{\ln 3} \frac{e^{3x}-1}{e^{2x}+e^x+1} dx$$
$$= \int_0^{\ln 3} \frac{(e^x-1)(e^{2x}+e^x+1)}{(e^{2x}+e^x+1)} dx$$
$$= \int_0^{\ln 3} (e^x-1) dx$$
$$= \left[e^x - x \right]_0^{\ln 3} = (e^{\ln 3} - \ln 3) - (e^0 - 0)$$
$$= 2 - \ln 3$$

11 $\sin^2 x + \cos^2 x = 1$ 이므로
$$\int_{-\pi}^{\pi} (1-\cos x)^2 dx + \int_{-\pi}^{\pi} (2+\sin x)^2 dx$$
$$= \int_{-\pi}^{\pi} (1 - 2\cos x + \cos^2 x) dx$$
$$+ \int_{-\pi}^{\pi} (4 + 4\sin x + \sin^2 x) dx$$
$$= \int_{-\pi}^{\pi} (5 - 2\cos x + 4\sin x + \cos^2 x + \sin^2 x) dx$$
$$= \left[6x - 2\sin x - 4\cos x \right]_{-\pi}^{\pi} = 12\pi$$

12
$$\int_{-1}^3 \frac{6x^3-5}{x} dx = \int_{-1}^3 6x^2 dx - \int_{-1}^3 \frac{5}{x} dx$$
$$= \left[2x^3 \right]_{-1}^3 - \left[5\ln|x| \right]_{-1}^3$$
$$= \{2 \cdot 3^3 - 2 \cdot (-1)^3\} - (5\ln 3 - 0)$$
$$= 56 - 5\ln 3$$
$$= 56 - \ln 3^5$$
$$\therefore \alpha = 56, \ \beta = 3^5 = 243$$
따라서 구하는 값은
$$\alpha + \beta = 56 + 243 = 299$$

13 $\sin x = t$ 로 놓으면 $\cos x = \dfrac{dt}{dx}$
$x=0$ 일 때 $t=0$, $x=\dfrac{\pi}{2}$ 일 때 $t=1$
$$\int_0^{\frac{\pi}{2}} \sin^2 x \cos x \, dx = \int_0^1 t^2 dt$$
$$= \left[\frac{1}{3} t^3 \right]_0^1$$
$$= \frac{1}{3}$$

14 $x^2+5=t$로 놓으면 $2x=\dfrac{dt}{dx}$

$x=2$일 때 $t=9$, $x=5$일 때 $t=30$

$\displaystyle\int_2^5 2x\sqrt{x^2+5}\,dx=\int_9^{30}\sqrt{t}\,dt$

$\qquad\qquad\qquad\quad=\left[\dfrac{2}{3}t\sqrt{t}\right]_9^{30}$

$\qquad\qquad\qquad\quad=20\sqrt{30}-18$

15 $2x-1=t$로 놓으면 $2=\dfrac{dt}{dx}$

$x=1$일 때 $t=1$, $x=3$일 때 $t=5$

$\displaystyle\int_1^3 e^{2x-1}dx=\dfrac{1}{2}\int_1^5 e^t\,dt$

$\qquad\qquad\quad=\dfrac{1}{2}\left[e^t\right]_1^5$

$\qquad\qquad\quad=\dfrac{1}{2}(e^5-e)$

16 $\ln x=t$로 놓으면 $\dfrac{1}{x}=\dfrac{dt}{dx}$

$x=1$일 때 $t=0$, $x=e^2$일 때 $t=2$

$\displaystyle\int_1^{e^2}\dfrac{(\ln x)^2}{2x}dx=\dfrac{1}{2}\int_0^2 t^2dt$

$\qquad\qquad\qquad=\dfrac{1}{2}\left[\dfrac{1}{3}t^3\right]_0^2$

$\qquad\qquad\qquad=\dfrac{4}{3}$

17 $1-x=t$로 놓으면 $-1=\dfrac{dt}{dx}$

$x=0$일 때 $t=1$, $x=1$일 때 $t=0$

$\displaystyle\int_0^1 f(1-x)dx=-\int_1^0 f(t)dt=\int_0^1 f(t)dt$

이므로

$\displaystyle\int_0^1\{f(x)+f(1-x)\}dx=\int_0^1 f(x)dx+\int_0^1 f(1-x)dx$

$\qquad\qquad\qquad\qquad=\displaystyle\int_0^1 f(x)dx+\int_0^1 f(t)dt$

$\qquad\qquad\qquad\qquad=\displaystyle 2\int_0^1 f(x)dx$

$\qquad\qquad\qquad\qquad=\displaystyle 2\int_0^1 e^x dx$

$\qquad\qquad\qquad\qquad=2\left[e^x\right]_0^1$

$\qquad\qquad\qquad\qquad=2(e^1-e^0)$

$\qquad\qquad\qquad\qquad=2(e-1)$

18 $x=3\tan\theta\left(-\dfrac{\pi}{2}<\theta<\dfrac{\pi}{2}\right)$로 놓으면

$\dfrac{dx}{d\theta}=3\sec^2\theta$

$x=0$일 때 $\theta=0$, $x=\sqrt{3}$일 때 $\theta=\dfrac{\pi}{3}$

또, $x^2+9=9(\tan^2\theta+1)=9\sec^2\theta$이므로

$\displaystyle\int_0^{\sqrt{3}}\dfrac{1}{x^2+9}dx=\int_0^{\frac{\pi}{3}}\dfrac{1}{9\sec^2\theta}\cdot 3\sec^2\theta\,d\theta$

$\qquad\qquad\qquad=\displaystyle\int_0^{\frac{\pi}{3}}\dfrac{1}{3}d\theta$

$\qquad\qquad\qquad=\left[\dfrac{1}{3}\theta\right]_0^{\frac{\pi}{3}}$

$\qquad\qquad\qquad=\dfrac{\pi}{9}$

19 $x=\tan\theta\left(-\dfrac{\pi}{2}<\theta<\dfrac{\pi}{2}\right)$로 놓으면

$\dfrac{dx}{d\theta}=\sec^2\theta$

$x=1$일 때 $\theta=\dfrac{\pi}{4}$, $x=\sqrt{3}$일 때 $\theta=\dfrac{\pi}{3}$

또, $x^2+1=\tan^2\theta+1=\sec^2\theta$이므로

$\displaystyle\int_1^{\sqrt{3}}\dfrac{1}{x^2+1}dx=\int_{\frac{\pi}{4}}^{\frac{\pi}{3}}\dfrac{1}{\sec^2\theta}\cdot\sec^2\theta\,d\theta$

$\qquad\qquad\qquad=\displaystyle\int_{\frac{\pi}{4}}^{\frac{\pi}{3}}1d\theta$

$\qquad\qquad\qquad=\left[\theta\right]_{\frac{\pi}{4}}^{\frac{\pi}{3}}$

$\qquad\qquad\qquad=\dfrac{\pi}{12}$

20 $x+1=\tan\theta\left(-\dfrac{\pi}{2}<\theta<\dfrac{\pi}{2}\right)$로 놓으면

$\dfrac{dx}{d\theta}=\sec^2\theta$

$x=-1$일 때 $\theta=-\dfrac{\pi}{4}$, $x=\sqrt{3}$일 때 $\theta=\dfrac{\pi}{3}$

또, $x^2+2x+2=(x+1)^2+1=\tan^2\theta+1=\sec^2\theta$이므로

$\displaystyle\int_{-1}^{\sqrt{3}}\dfrac{1}{x^2+2x+2}dx=\int_{-\frac{\pi}{4}}^{\frac{\pi}{3}}\dfrac{1}{\sec^2\theta}\cdot\sec^2\theta\,d\theta$

$\qquad\qquad\qquad\qquad=\displaystyle\int_{-\frac{\pi}{4}}^{\frac{\pi}{3}}1d\theta$

$\qquad\qquad\qquad\qquad=\left[\theta\right]_{-\frac{\pi}{4}}^{\frac{\pi}{3}}$

$\qquad\qquad\qquad\qquad=\dfrac{7}{12}\pi$

21 $x=a\tan\theta\left(-\dfrac{\pi}{2}<\theta<\dfrac{\pi}{2}\right)$로 놓으면 $\dfrac{dx}{d\theta}=a\sec^2\theta$

$x=-a$일 때 $\theta=-\dfrac{\pi}{4}$, $x=a$일 때 $\theta=\dfrac{\pi}{4}$

$\displaystyle\int_{-a}^{a}\dfrac{1}{a^2+x^2}dx=\int_{-\frac{\pi}{4}}^{\frac{\pi}{4}}\dfrac{1}{a^2+a^2\tan^2\theta}\cdot a\sec^2\theta\,d\theta$

$\qquad\qquad\qquad=\displaystyle\int_{-\frac{\pi}{4}}^{\frac{\pi}{4}}\dfrac{1}{a^2\sec^2\theta}\cdot a\sec^2\theta\,d\theta$

$\qquad\qquad\qquad=\displaystyle\int_{-\frac{\pi}{4}}^{\frac{\pi}{4}}\dfrac{1}{a}d\theta$

$\qquad\qquad\qquad=\dfrac{\pi}{2a}$

$\dfrac{\pi}{2a}=\dfrac{\pi}{6}$이므로 $a=3$

22 $x=a\sin\theta\left(-\dfrac{\pi}{2}\le\theta\le\dfrac{\pi}{2}\right)$로 놓으면 $\dfrac{dx}{d\theta}=a\cos\theta$

$x=0$일 때 $\theta=0$, $x=a$일 때 $\theta=\dfrac{\pi}{2}$

$\displaystyle\int_0^a\sqrt{a^2-x^2}dx=\int_0^{\frac{\pi}{2}}\sqrt{a^2-a^2\sin^2\theta}\,a\cos\theta\,d\theta$

$\qquad\qquad\qquad=\displaystyle a^2\int_0^{\frac{\pi}{2}}\cos^2\theta\,d\theta$

$\qquad\qquad\qquad=\displaystyle a^2\int_0^{\frac{\pi}{2}}\dfrac{1+\cos 2\theta}{2}d\theta$

$\qquad\qquad\qquad=a^2\left[\dfrac{1}{2}\theta+\dfrac{1}{4}\sin 2\theta\right]_0^{\frac{\pi}{2}}$

$\qquad\qquad\qquad=\dfrac{\pi}{4}a^2$

$$\frac{\pi}{4}a^2=\frac{\pi}{2}\text{이므로 } a^2=2$$

23
$$\int_{\sqrt{e}}^{e^2}\frac{1}{x\ln x}dx=\int_{\sqrt{e}}^{e^2}\frac{\frac{1}{x}}{\ln x}dx$$
$$=\int_{\sqrt{e}}^{e^2}\frac{(\ln x)'}{\ln x}dx$$
$$=\Big[\ln|\ln x|\Big]_{\sqrt{e}}^{e^2}$$
$$=\ln|\ln e^2|-\ln|\ln\sqrt{e}|$$
$$=\ln 2-\ln\frac{1}{2}$$
$$=2\ln 2$$

24
$$\int_0^1\frac{e^x+1}{e^x+x}dx=\int_0^1\frac{(e^x+x)'}{e^x+x}dx$$
$$=\Big[\ln|e^x+x|\Big]_0^1$$
$$=\ln|e^1+1|-\ln|e^0+0|$$
$$=\ln(e+1)$$

25
$$\int_1^3\frac{x+1}{x^2+2x-1}dx=\frac{1}{2}\int_1^3\frac{(x^2+2x-1)'}{x^2+2x-1}dx$$
$$=\frac{1}{2}\Big[\ln|x^2+2x-1|\Big]_1^3$$
$$=\frac{1}{2}(\ln 14-\ln 2)$$
$$=\frac{1}{2}\ln 7$$

26
$$\int_0^{\frac{\pi}{4}}\tan x\,dx=\int_0^{\frac{\pi}{4}}\frac{\sin x}{\cos x}dx$$
$$=-\int_0^{\frac{\pi}{4}}\frac{(-\sin x)}{\cos x}dx$$
$$=-\int_0^{\frac{\pi}{4}}\frac{(\cos x)'}{\cos x}dx$$
$$=\Big[-\ln|\cos x|\Big]_0^{\frac{\pi}{4}}$$
$$=-\ln\Big|\cos\frac{\pi}{4}\Big|-(-\ln|\cos 0|)$$
$$=-\ln\frac{\sqrt{2}}{2}=\frac{1}{2}\ln 2$$

27 $f(x)=\ln x,\ g'(x)=x$로 놓으면
$$f'(x)=\frac{1}{x},\ g(x)=\frac{1}{2}x^2$$
$$\int_1^{\sqrt{e}}x\ln x\,dx=\Big[\ln x\cdot\frac{1}{2}x^2\Big]_1^{\sqrt{e}}-\int_1^{\sqrt{e}}\frac{1}{x}\cdot\frac{1}{2}x^2dx$$
$$=\Big[\frac{1}{2}x^2\ln x\Big]_1^{\sqrt{e}}-\int_1^{\sqrt{e}}\frac{1}{2}x\,dx$$
$$=\frac{e}{4}-\Big[\frac{1}{4}x^2\Big]_1^{\sqrt{e}}$$
$$=\frac{e}{4}-\Big(\frac{e}{4}-\frac{1}{4}\Big)$$
$$=\frac{1}{4}$$

28 $f(x)=x,\ g'(x)=e^x$으로 놓으면
$$f'(x)=1,\ g(x)=e^x$$
$$\int_0^{\ln 2}xe^x\,dx=\Big[xe^x\Big]_0^{\ln 2}-\int_0^{\ln 2}e^x\,dx$$
$$=2\ln 2-\Big[e^x\Big]_0^{\ln 2}$$
$$=2\ln 2-1$$

29 $f(x)=e^x,\ g'(x)=\cos x$로 놓으면
$$f'(x)=e^x,\ g(x)=\sin x$$
$$\int_0^{\frac{\pi}{2}}e^x\cos x\,dx$$
$$=\Big[e^x\sin x\Big]_0^{\frac{\pi}{2}}-\int_0^{\frac{\pi}{2}}e^x\sin x\,dx$$
$$=\Big[e^x\sin x\Big]_0^{\frac{\pi}{2}}-\Big\{\Big[-e^x\cos x\Big]_0^{\frac{\pi}{2}}+\int_0^{\frac{\pi}{2}}e^x\cos x\,dx\Big\}$$
에서
$$2\int_0^{\frac{\pi}{2}}e^x\cos x\,dx=\Big[e^x\sin x\Big]_0^{\frac{\pi}{2}}+\Big[e^x\cos x\Big]_0^{\frac{\pi}{2}}=e^{\frac{\pi}{2}}-1$$
$$\therefore\int_0^{\frac{\pi}{2}}e^x\cos x\,dx=\frac{1}{2}\Big(e^{\frac{\pi}{2}}-1\Big)$$

30 $f(x)=2x-1,\ g'(x)=\sin 2x$로 놓으면
$$f'(x)=2,\ g(x)=-\frac{1}{2}\cos 2x$$
$$\int_{\frac{\pi}{4}}^{\frac{\pi}{2}}(2x-1)\sin 2x\,dx$$
$$=\Big[-\frac{1}{2}(2x-1)\cos 2x\Big]_{\frac{\pi}{4}}^{\frac{\pi}{2}}+\int_{\frac{\pi}{4}}^{\frac{\pi}{2}}\cos 2x\,dx$$
$$=-\frac{\pi}{2}+\frac{1}{2}+\Big[\frac{1}{2}\sin 2x\Big]_{\frac{\pi}{4}}^{\frac{\pi}{2}}$$
$$=-\frac{\pi}{2}+\frac{1}{2}-\frac{1}{2}$$
$$=-\frac{\pi}{2}$$

31 $f(t)=\cos t,\ g'(t)=e^t$으로 놓으면
$$f'(t)=-\sin t,\ g(t)=e^t$$
$$\int_{-\frac{\pi}{2}}^{\frac{\pi}{2}}e^t\cos t\,dt=\Big[e^t\cos t\Big]_{-\frac{\pi}{2}}^{\frac{\pi}{2}}-\int_{-\frac{\pi}{2}}^{\frac{\pi}{2}}e^t(-\sin t)dt$$
$$=\int_{-\frac{\pi}{2}}^{\frac{\pi}{2}}e^t\sin t\,dt\quad\cdots\cdots\ \text{㉠}$$

이때, $\int_{-\frac{\pi}{2}}^{\frac{\pi}{2}}e^t\sin t\,dt$에서

$u=\sin t,\ v'=e^t$으로 놓으면

$u'=\cos t,\ v=e^t$
$$\int_{-\frac{\pi}{2}}^{\frac{\pi}{2}}e^t\sin t\,dt=\Big[e^t\sin t\Big]_{-\frac{\pi}{2}}^{\frac{\pi}{2}}-\int_{-\frac{\pi}{2}}^{\frac{\pi}{2}}e^t\cos t\,dt$$
$$=e^{\frac{\pi}{2}}+e^{-\frac{\pi}{2}}-\int_{-\frac{\pi}{2}}^{\frac{\pi}{2}}e^t\cos t\,dt\quad\cdots\cdots\ \text{㉡}$$

㉡을 ㉠에 대입하면
$$\int_{-\frac{\pi}{2}}^{\frac{\pi}{2}}e^t\cos t\,dt=e^{\frac{\pi}{2}}+e^{-\frac{\pi}{2}}-\int_{-\frac{\pi}{2}}^{\frac{\pi}{2}}e^t\cos t\,dt$$

따라서 $2\int_{-\frac{\pi}{2}}^{\frac{\pi}{2}}e^t\cos t\,dt=e^{\frac{\pi}{2}}+e^{-\frac{\pi}{2}}$
$$\therefore\int_{-\frac{\pi}{2}}^{\frac{\pi}{2}}e^t\cos t\,dt=\frac{e^{\frac{\pi}{2}}+e^{-\frac{\pi}{2}}}{2}$$

07 정적분과 급수의 합 사이의 관계 본문 136쪽

01
$$\lim_{n\to\infty}\frac{\sqrt{1}+\sqrt{2}+\cdots+\sqrt{n}}{n\sqrt{n}}$$
$$=\lim_{n\to\infty}\frac{1}{n}\Big(\sqrt{\frac{1}{n}}+\sqrt{\frac{2}{n}}+\cdots+\sqrt{\frac{n}{n}}\Big)$$
$$=\lim_{n\to\infty}\sum_{k=1}^n\sqrt{\frac{k}{n}}\cdot\frac{1}{n}$$

$$=\int_0^1 \sqrt{x}\, dx$$
$$=\left[\frac{2}{3}x^{\frac{3}{2}}\right]_0^1=\frac{2}{3}$$

02 $\displaystyle\lim_{n\to\infty}\frac{1}{n}\left(\sqrt{\frac{n}{1}}+\sqrt{\frac{n}{2}}+\sqrt{\frac{n}{3}}+\cdots+\sqrt{\frac{n}{n}}\right)$
$$=\lim_{n\to\infty}\sum_{k=1}^{n}\frac{1}{n}\sqrt{\frac{n}{k}}$$
$$=\lim_{n\to\infty}\sum_{k=1}^{n}\frac{1}{\sqrt{\frac{k}{n}}}\cdot\frac{1}{n}$$
$$=\int_0^1\frac{1}{\sqrt{x}}\, dx$$
$$=\left[2\sqrt{x}\right]_0^1=2$$

03 $\displaystyle\lim_{n\to\infty}\sum_{k=1}^{n}\frac{4k}{n^2}e^{\frac{k}{n}}=4\lim_{n\to\infty}\sum_{k=1}^{n}\frac{k}{n}e^{\frac{k}{n}}\cdot\frac{1}{n}$
$$=4\int_0^1 xe^x\, dx$$
$$=4\left[xe^x-e^x\right]_0^1=4$$

04 $\displaystyle\lim_{n\to\infty}\frac{2}{n}\left(e^{1+\frac{4}{n}}+e^{1+\frac{8}{n}}+\cdots+e^{1+\frac{4n}{n}}\right)$
$$=\lim_{n\to\infty}\frac{2}{n}\sum_{k=1}^{n}e^{1+\frac{4k}{n}}$$
$$=\frac{1}{2}\lim_{n\to\infty}\sum_{k=1}^{n}e^{1+\frac{4k}{n}}\cdot\frac{4}{n}$$
$$=\frac{1}{2}\int_1^5 e^x\, dx$$
$$=\frac{1}{2}\left[e^x\right]_1^5$$
$$=\frac{1}{2}(e^5-e)$$

05 $\displaystyle\lim_{n\to\infty}\left(\frac{1}{n+1}+\frac{1}{n+2}+\cdots+\frac{1}{2n}\right)$
$$=\lim_{n\to\infty}\sum_{k=1}^{n}\frac{1}{n+k}$$
$$=\lim_{n\to\infty}\sum_{k=1}^{n}\frac{1}{1+\frac{k}{n}}\cdot\frac{1}{n}$$
$$=\int_0^1\frac{1}{1+x}\, dx=\left[\ln|1+x|\right]_0^1$$
$$=\ln 2$$

06 $\displaystyle\lim_{n\to\infty}\sum_{k=1}^{n}\frac{k}{n^2+4k^2}=\lim_{n\to\infty}\sum_{k=1}^{n}\frac{\frac{k}{n}}{1+4\left(\frac{k}{n}\right)^2}\cdot\frac{1}{n}$
$$=\int_0^1\frac{x}{1+4x^2}\, dx$$
이때, $1+4x^2=t$로 놓으면 $8x=\dfrac{dt}{dx}$
$x=0$일 때 $t=1$, $x=1$일 때 $t=5$
$$\int_0^1\frac{x}{1+4x^2}\, dx=\frac{1}{8}\int_1^5\frac{1}{t}dt$$
$$=\frac{1}{8}\left[\ln|t|\right]_1^5$$
$$=\frac{1}{8}\ln 5$$

07 $\displaystyle\lim_{n\to\infty}\left(\frac{1^2}{n^3+1^3}+\frac{2^2}{n^3+2^3}+\frac{3^2}{n^3+3^3}+\cdots+\frac{n^2}{n^3+n^3}\right)$
$$=\lim_{n\to\infty}\sum_{k=1}^{n}\frac{k^2}{n^3+k^3}$$
$$=\lim_{n\to\infty}\sum_{k=1}^{n}\frac{\left(\frac{k}{n}\right)^2}{1+\left(\frac{k}{n}\right)^3}\cdot\frac{1}{n}$$
$$=\int_0^1\frac{x^2}{1+x^3}\, dx$$
이때, $1+x^3=t$로 놓으면 $3x^2=\dfrac{dt}{dx}$
$x=0$일 때 $t=1$, $x=1$일 때 $t=2$
$$\int_0^1\frac{x^2}{1+x^3}\, dx=\frac{1}{3}\int_1^2\frac{1}{t}dt$$
$$=\frac{1}{3}\left[\ln|t|\right]_1^2$$
$$=\frac{1}{3}\ln 2$$

08 $\displaystyle\lim_{n\to\infty}\frac{1}{n}\ln\left(\frac{n+1}{n}\times\frac{n+2}{n}\times\frac{n+3}{n}\times\cdots\times\frac{2n}{n}\right)$
$$=\lim_{n\to\infty}\frac{1}{n}\left(\ln\frac{n+1}{n}+\ln\frac{n+2}{n}+\ln\frac{n+3}{n}+\cdots+\ln\frac{2n}{n}\right)$$
$$=\lim_{n\to\infty}\frac{1}{n}\sum_{k=1}^{n}\ln\frac{n+k}{n}$$
$$=\lim_{n\to\infty}\sum_{k=1}^{n}\ln\left(1+\frac{k}{n}\right)\cdot\frac{1}{n}$$
$$=\int_1^2\ln x\, dx$$
$$=\left[x\ln x-x\right]_1^2=2\ln 2-1$$

09 $\displaystyle\lim_{n\to\infty}\frac{\pi}{n}\left(\sin\frac{\pi}{n}+\sin\frac{2\pi}{n}+\cdots+\sin\frac{n\pi}{n}\right)$
$$=\lim_{n\to\infty}\frac{\pi}{n}\sum_{k=1}^{n}\sin\frac{k\pi}{n}$$
$$=\int_0^\pi\sin x\, dx$$
$$=\left[-\cos x\right]_0^\pi$$
$$=1-(-1)$$
$$=2$$

10 $\displaystyle\lim_{n\to\infty}\frac{1}{n}\lim_{n\to\infty}\sum_{k=1}^{n}\sin^2\frac{k\pi}{n}$
$$=\int_0^1\sin^2\pi x\, dx$$
$$=\int_0^1\left(\frac{1-\cos 2\pi x}{2}\right)dx$$
$$=\frac{1}{2}\left[x-\frac{1}{2\pi}\sin 2\pi x\right]_0^1$$
$$=\frac{1}{2}$$

11 $\displaystyle\lim_{n\to\infty}\frac{1}{n}\left\{f\left(\frac{1}{n}\right)+f\left(\frac{2}{n}\right)+f\left(\frac{3}{n}\right)+\cdots+f\left(\frac{n}{n}\right)\right\}$
$$=\lim_{n\to\infty}\sum_{k=1}^{n}f\left(\frac{k}{n}\right)\cdot\frac{1}{n}$$
$$=\int_0^1 f(x)dx=\int_0^1 e^{2x}dx$$
$$=\left[\frac{1}{2}e^{2x}\right]_0^1=\frac{1}{2}e^2-\frac{1}{2}$$

12
$$\lim_{n\to\infty}\sum_{k=1}^{n}f\left(\frac{k}{n}\right)\frac{1}{n}=\int_{0}^{1}f(x)dx,$$

$$\lim_{n\to\infty}\sum_{k=1}^{2n}f\left(1+\frac{k}{n}\right)\frac{1}{n}=\lim_{n\to\infty}\sum_{k=1}^{2n}f\left(1+\frac{2k}{2n}\right)\frac{2}{2n}$$
$$=\int_{1}^{3}f(x)dx$$

이므로

$$\lim_{n\to\infty}\sum_{k=1}^{n}f\left(\frac{k}{n}\right)\frac{1}{n}+\lim_{n\to\infty}\sum_{k=1}^{2n}f\left(1+\frac{k}{n}\right)\frac{1}{n}$$
$$=\int_{0}^{1}f(x)dx+\int_{1}^{3}f(x)dx$$
$$=\int_{0}^{3}f(x)dx$$
$$=\int_{0}^{3}(e^{x}+2x)dx$$
$$=\left[e^{x}+x^{2}\right]_{0}^{3}=e^{3}+8$$

13
$$\lim_{n\to\infty}\frac{1}{n}\left[\left\{f\left(\frac{\pi}{n}\right)\right\}^{2}+\left\{f\left(\frac{2\pi}{n}\right)\right\}^{2}+\left\{f\left(\frac{3\pi}{n}\right)\right\}^{2}+\cdots+\left\{f\left(\frac{n\pi}{n}\right)\right\}^{2}\right]$$
$$=\lim_{n\to\infty}\frac{1}{n}\sum_{k=1}^{n}\left\{f\left(\frac{k\pi}{n}\right)\right\}^{2}$$
$$=\frac{1}{\pi}\lim_{n\to\infty}\sum_{k=1}^{n}\left\{f\left(\frac{k\pi}{n}\right)\right\}^{2}\cdot\frac{\pi}{n}$$
$$=\frac{1}{\pi}\int_{0}^{\pi}\{f(x)\}^{2}dx=\frac{1}{\pi}\int_{0}^{\pi}\tan^{2}x\,dx$$

이때, $1+\tan^{2}x=\sec^{2}x$에서 $\tan^{2}x=\sec^{2}x-1$이므로

$$\frac{1}{\pi}\int_{0}^{\pi}\tan^{2}x\,dx=\frac{1}{\pi}\int_{0}^{\pi}(\sec^{2}x-1)dx$$
$$=\frac{1}{\pi}\left[\tan x-x\right]_{0}^{\pi}$$
$$=\frac{1}{\pi}\cdot(-\pi)$$
$$=-1$$

14 $f(x)=\dfrac{1}{x^{2}+x}=\dfrac{1}{x(x+1)}=\dfrac{1}{x}-\dfrac{1}{x+1}$이므로

$$\lim_{n\to\infty}\frac{2}{n}\sum_{k=1}^{n}f\left(1+\frac{2k}{n}\right)$$
$$=\int_{1}^{3}f(x)dx$$
$$=\int_{1}^{3}\left(\frac{1}{x}-\frac{1}{x+1}\right)dx$$
$$=\left[\ln|x|-\ln|x+1|\right]_{1}^{3}$$
$$=\ln 3-\ln 2$$

15
$$\lim_{n\to\infty}\frac{1}{n}\left\{f\left(\frac{2}{n}\right)+f\left(\frac{4}{n}\right)+f\left(\frac{6}{n}\right)+\cdots+f\left(\frac{2n}{n}\right)\right\}$$
$$=\lim_{n\to\infty}\sum_{k=1}^{n}f\left(\frac{2k}{n}\right)\frac{1}{n}$$
$$=\frac{1}{2}\lim_{n\to\infty}\sum_{k=1}^{n}f\left(\frac{2k}{n}\right)\frac{2}{n}$$
$$=\frac{1}{2}\int_{0}^{2}f(x)dx$$
$$=\frac{1}{2}\int_{0}^{2}2xe^{x^{2}}dx$$
$$=\frac{1}{2}\left[e^{x^{2}}\right]_{0}^{2}$$
$$=\frac{1}{2}(e^{4}-1)$$

16
$$\lim_{n\to\infty}\frac{\pi}{n}\left(\cos\frac{\pi}{n}+\cos\frac{2\pi}{n}+\cos\frac{3\pi}{n}+\cdots+\sin\frac{n\pi}{n}\right)$$
$$=\lim_{n\to\infty}\frac{\pi}{n}\sum_{k=1}^{n}\cos\frac{k\pi}{n}$$
$$=\lim_{n\to\infty}\sum_{k=1}^{n}\cos\frac{k\pi}{n}\cdot\frac{\pi}{n}$$
$$=\int_{0}^{\pi}\cos x\,dx$$
$$\therefore a=\pi$$

17 $a_{n}=\displaystyle\int_{0}^{n}5^{x}\ln 5\,dx=\left[5^{x}\right]_{0}^{n}=5^{n}-1$이므로

$$\sum_{k=1}^{\infty}\frac{1}{1+a_{n}}=\sum_{k=1}^{\infty}\frac{1}{5^{n}}=\frac{\frac{1}{5}}{1-\frac{1}{5}}=\frac{1}{4}$$

18 구간 $(0,\ 1)$에서
$f'(x)>0,\ f''(x)>0$
이므로 연속함수 $y=f(x)$의
그래프는 구간 $[0,\ 1]$에서 아래로 볼록하고 증가하는 형태이다.

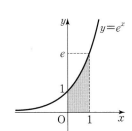

이때, $\displaystyle\int_{0}^{1}\{x-f(x)\}dx$의 값은 그림에서 색칠한 부분의 넓이와 같으므로

$$\int_{0}^{1}\{x-f(x)\}dx$$
$$=\lim_{n\to\infty}\sum_{k=1}^{n}\left\{\frac{k}{n}-f\left(\frac{k}{n}\right)\right\}\frac{1}{n}$$

08 곡선으로 둘러싸인 도형의 넓이 본문 140쪽

02
$$\int_{0}^{1}|e^{x}|dx=\int_{0}^{1}e^{x}dx$$
$$=\left[e^{x}\right]_{0}^{1}=e-1$$

03
$$\int_{2}^{e}|\ln x+1|dx=\int_{2}^{e}(\ln x+1)dx$$
$$=\left[x\ln x\right]_{2}^{e}$$
$$=e\ln e-2\ln 2$$
$$=e-2\ln 2$$

04 $y=\dfrac{x-1}{x+1}=1-\dfrac{2}{x+1}$는 $y=-\dfrac{2}{x}$의 그래프를 x축 방향으로 -1, y축 방향으로 1만큼 평행이동한 것이다.

$2\le x\le 4$에서 $1-\dfrac{2}{x+1}>0$이므로

$$\int_{2}^{4}\left|\frac{x-1}{x+1}\right|dx=\int_{2}^{4}\left|1-\frac{2}{x+1}\right|dx$$
$$=\left[x-2\ln|x+1|\right]_{2}^{4}$$
$$=2-2\ln 5+2\ln 3$$

05 $y=\dfrac{1}{\sqrt{x}}>0$이므로

$$\int_1^4 \left|\frac{1}{\sqrt{x}}\right| dx = \int_1^4 \frac{1}{\sqrt{x}} dx = \left[2\sqrt{x}\right]_1^4 = 2$$

06 $\left[0, \dfrac{\pi}{2}\right]$에서 $\cos x \geq 0$, $\left[\dfrac{\pi}{2}, \pi\right]$에서 $\cos x \leq 0$ 이므로

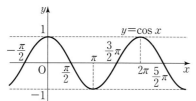

$$\int_0^\pi |\cos x| dx$$
$$= \int_0^{\frac{\pi}{2}} \cos x\, dx + \int_{\frac{\pi}{2}}^\pi (-\cos x) dx$$
$$= \left[\sin x\right]_0^{\frac{\pi}{2}} + \left[-\sin x\right]_{\frac{\pi}{2}}^\pi$$
$$= 1 + 1 = 2$$

07 $e^x > 0,\ e^{-x} > 0$이므로
$$\int_{-1}^1 \left|\frac{e^x + e^{-x}}{2}\right| dx = \int_{-1}^1 \frac{e^x + e^{-x}}{2} dx$$
$$= \frac{1}{2}\left[e^x - e^{-x}\right]_{-1}^1$$
$$= e - \frac{1}{e}$$

09 $y = \dfrac{1}{x}$에서 $x = \dfrac{1}{y}$이므로
$$\int_1^4 \left|\frac{1}{y}\right| dy = \left[\ln y\right]_1^4$$
$$= \ln 4 = 2\ln 2$$

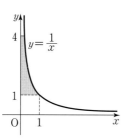

10 $y = e^x$에서 $x = \ln y$이므로
$$\int_1^{e^3} |\ln y| dy = \left[y\ln y - y\right]_1^{e^3}$$
$$= 2e^3 + 1$$

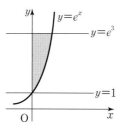

11 $y = \sqrt{x} + 1$에서 $x = (y-1)^2$이므로
$$\int_3^6 |(y-1)^2| dy = \int_3^6 (y^2 - 2y + 1) dy$$
$$= \left[\frac{1}{3}y^3 - y^2 + y\right]_3^6$$
$$= 39$$

12 $y = x^3 - 1$에서 $x = \sqrt[3]{y+1}$이므로
$$\int_{-1}^3 |\sqrt[3]{y+1}| dy = \left[\frac{3}{4}(y+1)^{\frac{4}{3}}\right]_{-1}^3$$
$$= 3\sqrt[3]{4}$$

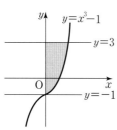

13 $\dfrac{1}{3}x = 4 - y^2$에서 $x = 12 - 3y^2$
$x = 0$에서 $y = \pm 2$
$$\int_{-2}^2 |12 - 3y^2| dy - \int_{-2}^2 (12 - 3y^2) dy$$

$$= 2\int_0^2 (12 - 3y^2) dy$$
$$= 2\left[12y - y^3\right]_0^2$$
$$= 2\{(24 - 8) - 0\}$$
$$= 32$$

15 구간 $[0, \pi]$에서 두 곡선 $y = \sin x$와 $y = \cos x$의 교점의 x좌표는 $\sin x = \cos x$에서 $x = \dfrac{\pi}{4}$ $(0 \leq x \leq \pi)$

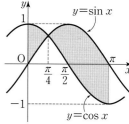

$$\int_0^\pi |\sin x - \cos x| dx$$
$$= \int_0^{\frac{\pi}{4}} (\cos x - \sin x) dx + \int_{\frac{\pi}{4}}^\pi (\sin x - \cos x) dx$$
$$= \left[\sin x + \cos x\right]_0^{\frac{\pi}{4}} + \left[-\cos x - \sin x\right]_{\frac{\pi}{4}}^\pi$$
$$= 2\sqrt{2}$$

16 구간 $\left[\dfrac{\pi}{6}, \dfrac{5}{6}\pi\right]$에서 두 곡선 $y = \sin x$와 $y = \cos 2x$의 교점의 x좌표는
$\sin x = \cos 2x$에서 $\sin x = 1 - 2\sin^2 x$
$(2\sin x - 1)(\sin x + 1) = 0$
주어진 구간에서 $\sin x > 0$이므로 $\sin x = \dfrac{1}{2}$
$\therefore x = \dfrac{\pi}{6}$ 또는 $x = \dfrac{5}{6}\pi$
$$\int_{\frac{\pi}{6}}^{\frac{5}{6}\pi} |\sin x - \cos 2x| dx = \left[-\cos x - \frac{1}{2}\sin 2x\right]_{\frac{\pi}{6}}^{\frac{5}{6}\pi}$$
$$= \frac{3\sqrt{3}}{2}$$

17 두 곡선의 교점의 x좌표는 $2^x = 2^{-x}$에서 $x = 0$
$$\int_0^2 (2^x - 2^{-x}) dx$$
$$= \left[\frac{2^x}{\ln 2} + \frac{2^{-x}}{\ln 2}\right]_0^2$$
$$= \frac{9}{4\ln 2}$$

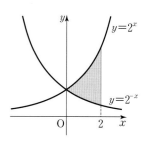

18 두 곡선 $y = \dfrac{1}{27}x^2$, $y = \sqrt{x}$의 교점의 x좌표는
$\dfrac{1}{27}x^2 = \sqrt{x}$에서 $x^4 = 729x$
$x(x^3 - 729) = 0$, $x(x-9)(x^2 + 9x + 81) = 0$
$\therefore x = 0$ 또는 $x = 9$
따라서 구하는 도형의 넓이는
$$\int_0^9 \left(\sqrt{x} - \frac{1}{27}x^2\right) dx = \left[\frac{2}{3}x^{\frac{3}{2}} - \frac{1}{81}x^3\right]_0^9$$
$$= 9$$

19 곡선 $y = \dfrac{2x}{x^2+1}$와 직선 $y = x$의 교점의 x좌표는
$\dfrac{2x}{x^2+1} = x$에서
$2x = x^3 + x$,
$x^3 - x = 0$,
$x(x-1)(x+1) = 0$

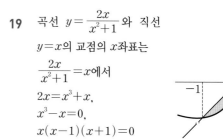

$\therefore x=-1$ 또는 $x=0$ 또는 $x=1$

곡선과 직선은 원점에 대하여 대칭이므로 구하는 도형의 넓이는

$$2\int_0^1\left(\frac{2x}{x^2+1}-x\right)dx=2\left[\ln(x^2+1)-\frac{1}{2}x^2\right]_0^1$$
$$=2\left(\ln 2-\frac{1}{2}\right)$$
$$=2\ln 2-1$$

20 $y=x\ln x$에서 $y'=\ln x+x\cdot\frac{1}{x}=\ln x+1$

따라서 점 $(e,\ e)$에서의 접선의 방정식은
$$y-e=(\ln e+1)(x-e)$$
$$\therefore y=2x-e$$

$$\int_0^e\{x\ln x-(2x-e)\}dx$$
$$=\int_0^e\{x\ln x-2x+e\}dx$$
$$=\left[\frac{1}{2}x^2\ln x-\frac{5}{4}x^2+ex\right]_0^e$$
$$=\frac{1}{2}e^2-\frac{5}{4}e^2+e^2=\frac{1}{4}e^2$$

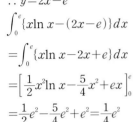

21 $f'(x)=1+\cos x\geq 0$,
$f''(x)=-\sin x<0$에서
$f(x)$는 증가함수이고 그 그
래프는 위로 볼록이다.

함수 $y=f(x)$의 그래프와 함
수 $y=f^{-1}(x)$의 그래프는 직
선 $y=x$에 대하여 대칭이고,
$x+\sin x=x$에서
$\sin x=0$이므로
$x=0$ 또는 $x=\pi\ (0\leq x\leq\pi)$
두 곡선 $y=f(x)$와 $y=f^{-1}(x)\ (0\leq x\leq\pi)$로 둘러싸인 부분
의 넓이는 곡선 $y=f(x)$와 직선 $y=x$로 둘러싸인 부분의 넓
이의 2배와 같다.

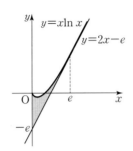

$$\int_0^\pi\{f(x)-f^{-1}(x)\}dx=2\int_0^\pi\{f(x)-x\}dx$$
$$=2\int_0^\pi\sin x\,dx$$
$$=2\left[-\cos x\right]_0^\pi$$
$$=4$$

22 함수 $y=e^x$의 그래프와 x축, y
축 및 직선 $x=1$로 둘러싸인
영역의 넓이를 S라 할 때,
$$S=\int_0^1 e^x dx=\left[e^x\right]_0^1=e-1$$

이 영역의 넓이가 직선 $y=ax$
에 의하여 이등분되므로

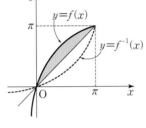

$$\int_0^1 ax\,dx=\frac{1}{2}S$$
$$\left[\frac{1}{2}ax^2\right]_0^1=\frac{1}{2}(e-1)$$
$$\frac{1}{2}a=\frac{1}{2}(e-1)$$
$$\therefore a=e-1$$

23
$$S_A=\int_0^k x\sin x\,dx=\left[-x\cos x\right]_0^k-\int_0^k(-\cos x)dx$$
$$=-k\cos k+\int_0^k\cos x\,dx$$
$$=-k\cos k\left[\sin x\right]_0^k$$
$$=-k\cos k+\sin k$$

$$S_B=\int_k^{\frac{\pi}{2}}\left(\frac{\pi}{2}-x\sin x\right)dx$$
$$=\left[\frac{\pi}{2}x\right]_k^{\frac{\pi}{2}}-\int_k^{\frac{\pi}{2}}x\sin x\,dx$$
$$=\frac{\pi^2}{4}-\frac{\pi}{2}k-\left[-x\cos x\right]_k^{\frac{\pi}{2}}+\int_k^{\frac{\pi}{2}}(-\cos x)dx$$
$$=\frac{\pi^2}{4}-\frac{\pi}{2}k-k\cos k-\left[\sin x\right]_k^{\frac{\pi}{2}}$$
$$=\frac{\pi^2}{4}-\frac{\pi}{2}k-k\cos k-1+\sin k$$

이때, $S_A=S_B$이므로
$$-k\cos k+\sin k=\frac{\pi^2}{4}-\frac{\pi}{2}k-k\cos k-1+\sin k,$$
$$\frac{\pi}{2}k=\frac{\pi^2}{4}-1 \qquad \therefore k=\frac{\pi}{2}-\frac{2}{\pi}$$

09 입체도형의 부피 본문 145쪽

02 y축에 수직인 평면으로 자른 단면은 한 변의 길이가 $\sqrt{25-x^2}$
인 정사각형이므로 단면의 넓이 $S(x)$는
$$S(x)=25-x^2$$
따라서 입체도형의 부피 V는
$$V=\int_0^5 S(x)dx=\int_0^5(25-x^2)dx$$
$$=\left[25x-\frac{1}{3}x^3\right]_0^5$$
$$=\frac{250}{3}$$

03 깊이가 $x\left(0\leq x\leq\frac{\pi}{3}\right)$일 때, 수면의 넓이 $S(x)$는
$$S(x)=\pi\sec^2 x$$
따라서 입체도형의 부피 V는
$$V=\int_0^{\frac{\pi}{3}}\pi\sec^2 x\,dx=\left[\pi\tan x\right]_0^{\frac{\pi}{3}}=\sqrt{3}\pi$$

04 단면의 넓이를 $S(x)$라고 하면 $S(x)=\cos^2 x$이므로 구하는
입체도형의 부피 V는
$$V=\int_0^{\frac{\pi}{2}}\cos^2 x\,dx=\int_0^{\frac{\pi}{2}}\left(\frac{1+\cos 2x}{2}\right)dx$$
$$=\frac{1}{2}\left[x+\frac{1}{2}\sin 2x\right]_0^{\frac{\pi}{2}}$$
$$=\frac{\pi}{4}$$

05

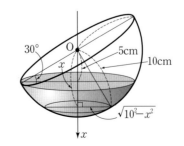

그림과 같이 구의 중심을 원점 O로 하고, 수면에 수직인 직선을 x축으로 정할 때, x의 좌표가 $x(5 \leq x \leq 10)$인 점을 지나 x축에 수직인 평면으로 자른 단면의 반지름의 길이는 $\sqrt{10^2 - x^2}$이므로 단면의 넓이 $S(x)$는 $S(x) = (100 - x^2)\pi$이고, 입체도형의 부피 V는

$$V = \int_5^{10} S(x)dx = \int_5^{10}(100 - x^2)\pi dx$$

$$= \pi \left[100x - \frac{1}{3}x^3 \right]_5^{10}$$

$$= \frac{625}{3}\pi$$

06

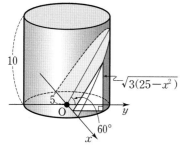

그림과 같이 밑면의 중심을 원점 O로 하고, 밑면의 지름을 x축으로 정할 때, x좌표가 $x(-5 \leq x \leq 5)$인 점을 지나 x축에 수직인 평면으로 자른 단면의 넓이 $S(x)$는

$$S(x) = \frac{1}{2} \cdot \sqrt{25 - x^2} \cdot \sqrt{3(25 - x^2)} = \frac{\sqrt{3}}{2}(25 - x^2)$$

이때, 입체도형의 부피 V는 y축에 대하여 대칭이므로

$$V = \int_{-5}^{5} S(x)dx = 2\int_0^5 S(x)dx$$

$$= \sqrt{3}\int_0^5 (25 - x^2)dx$$

$$= \sqrt{3}\left[25x - \frac{1}{3}x^3 \right]_0^5$$

$$= \frac{250\sqrt{3}}{3}$$

07

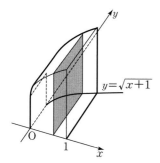

$x = t \ (0 \leq t \leq 1)$에서 축에 수직인 평면으로 자른 단면의 넓이를 $S(t)$라고 하면
$$S(t) = (\sqrt{t+1})^2 = t + 1$$
따라서 구하는 입체도형의 부피 V는

$$V = \int_0^1 S(t)dt = \int_0^1 (t+1)dt$$

$$= \left[\frac{1}{2}t^2 + t \right]_0^1 = \frac{3}{2}$$

08

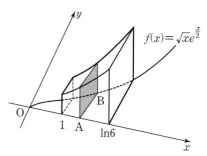

선분 AB를 한 변으로 하는 정사각형의 넓이를 $S(x)$라고 하면
$$S(x) = \left(\sqrt{x}e^{\frac{x}{2}} \right)^2 = xe^x$$
따라서 구하는 입체도형의 부피 V는

$$V = \int_1^{\ln 6} S(x)dx = \int_1^{\ln 6} xe^x dx$$

$$= \left[xe^x - e^x \right]_1^{\ln 6}$$

$$= (\ln 6 \cdot e^{\ln 6} - e^{\ln 6}) - (e - e)$$

$$= -6 + 6\ln 6$$

09

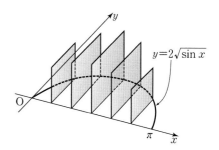

정사각형의 넓이를 $S(x)$라고 하면
$$S(x) = (2\sqrt{\sin x})^2 = 4\sin x$$
따라서 구하는 입체도형의 부피는

$$V = \int_0^{\pi} S(x)dx = \int_0^{\pi} 4\sin x \, dx$$

$$= 4\left[-\cos x \right]_0^{\pi}$$

$$= 4 \cdot 2 = 8$$

10

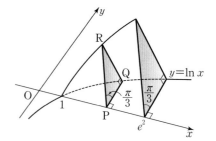

x축에 수직인 단면 $\triangle$PQR에서
$$\overline{PQ} = \ln x, \quad \overline{QR} = \overline{PQ} \tan \frac{\pi}{3} = \sqrt{3}\ln x$$
이므로 단면의 넓이 $S(x)$는
$$S(x) = \frac{1}{2} \cdot \ln x \cdot (\sqrt{3}\ln x) = \frac{\sqrt{3}}{2}(\ln x)^2$$
이다. 따라서 구하는 입체도형의 부피 V는

$$V = \int_1^{e^2} S(x)dx = \int_1^{e^2} \frac{\sqrt{3}}{2}(\ln x)^2 dx$$

$$= \frac{\sqrt{3}}{2}\int_1^{e^2} (\ln x)^2 dx$$

$\int_1^{e^2} (\ln x)^2 dx$에서 $u = (\ln x)^2$, $v' = 1$로 놓으면

$$u' = \frac{2\ln x}{x}, \ v = x$$

$$\int_1^{e^2} (\ln x)^2 dx = \left[x(\ln x)^2 \right]_1^{e^2} - \int_1^{e^2} 2\ln x \, dx$$

$$= 4e^2 - 2\left[x\ln x - x \right]_1^{e^2}$$

$$= 4e^2 - 2(e^2 + 1)$$

$$= 2(e^2 - 1)$$

$$\therefore V = \frac{\sqrt{3}}{2} \int_1^{e^2} (\ln x)^2 dx = \frac{\sqrt{3}}{2} \cdot 2(e^2 - 1)$$

$$= \sqrt{3}(e^2 - 1)$$

11

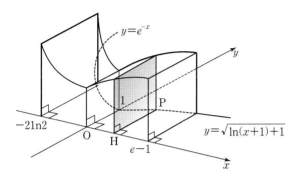

x축에 수직인 단면의 넓이는

$x < 0$일 때 $\overline{\text{PH}} = e^{-x}$이므로 e^{-2x},

$x \geq 0$일 때 $\overline{\text{PH}} = \sqrt{\ln(x+1)+1}$이므로 $\ln(x+1)+1$

이다. 따라서 구하는 입체도형의 부피는

$$\int_{-2\ln 2}^{0} e^{-2x} dx + \int_0^{e-1} \{\ln(x+1)+1\} dx$$

$$= \left[-\frac{1}{2} e^{-2x} \right]_{-2\ln 2}^{0} + \left[(x+1)\ln(x+1) \right]_0^{e-1}$$

$$= \left\{ -\frac{1}{2} \cdot e^0 - \left(-\frac{1}{2} \right) \cdot e^{4\ln 2} \right\} + (e \cdot 1 - 1 \cdot 0)$$

$$= \left(-\frac{1}{2} + 8 \right) + e$$

$$= \frac{15}{2} + e$$

12

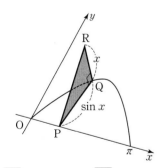

$\overline{\text{PQ}} = \sin x$이므로 $\overline{\text{PQ}}$를 한변으로 하는 직각삼각형의 넓이 $S(x)$는

$$S(x) = \frac{1}{2} \overline{\text{PQ}} \cdot \overline{\text{QR}}$$

$$= \frac{1}{2} \sin x \cdot x$$

따라서 구하는 입체도형의 부피는

$$\int_0^{\pi} S(x) dx$$

$$= \int_0^{\pi} \frac{1}{2} x\sin x \, dx$$

$$= \frac{1}{2} \int_0^{\pi} x\sin x \, dx$$

$$= \frac{1}{2} \left[-x\cos x + \sin x \right]_0^{\pi}$$

$$= \frac{1}{2} \{ (\pi) - 0 \} = \frac{\pi}{2}$$

10 속도와 거리 본문 148쪽

02 $\dfrac{dx}{dt} = 2\sqrt{2}t$, $\dfrac{dy}{dt} = t^2 - 2$이므로

$$s = \int_1^2 \sqrt{(2\sqrt{2}t)^2 + (t^2 - 2)^2} \, dt$$

$$= \int_1^2 \sqrt{(t^2 + 2)^2} \, dt$$

$$= \int_1^2 (t^2 + 2) \, dt$$

$$= \left[\frac{1}{3} t^3 + 2t \right]_1^2 = \frac{13}{3}$$

03 $\dfrac{dx}{dt} = \cos t$, $\dfrac{dy}{dt} = -\sin t$이므로

$$s = \int_1^5 \sqrt{(\cos t)^2 + (-\sin t)^2} \, dt$$

$$= \int_1^5 \sqrt{\cos^2 t + \sin^2 t} \, dt$$

$$= \int_1^5 1 \, dt = \left[t \right]_1^5 = 4$$

04 $\dfrac{dx}{dt} = 3\cos t - 4\sin t$, $\dfrac{dy}{dt} = 4\cos t + 3\sin t$이므로

$$s = \int_0^{\pi} \sqrt{(3\cos t - 4\sin t)^2 + (4\cos t + 3\sin t)^2} \, dt$$

$$= \int_0^{\pi} \sqrt{25(\cos^2 t + \sin^2 t)} \, dt$$

$$= \int_0^{\pi} 5 \, dt = \left[5t \right]_0^{\pi} = 5\pi$$

06 $\dfrac{dy}{dx} = \dfrac{e^x - e^{-x}}{2}$이므로

$$l = \int_{-1}^{1} \sqrt{1 + \left(\frac{e^x - e^{-x}}{2} \right)^2} \, dx$$

$$= \int_{-1}^{1} \sqrt{\left(\frac{e^x + e^{-x}}{2} \right)^2} \, dx$$

$$= \int_{-1}^{1} \frac{e^x + e^{-x}}{2} \, dx$$

$$= \left[\frac{e^x - e^{-x}}{2} \right]_{-1}^{1} = e - \frac{1}{e}$$

07 $\dfrac{dx}{dt} = -3\cos^2 t \sin t$, $\dfrac{dy}{dt} = 3\sin^2 t \cos t$이므로

$$l = \int_0^{\pi} \sqrt{(-3\cos^2 t \sin t)^2 + (3\sin^2 t \cos t)^2} \, dt$$

$$= \int_0^{\pi} \sqrt{9\sin^2 t \cos^2 t (\cos^2 t + \sin^2 t)} \, dt$$

$$= \int_0^{\pi} \sqrt{9\sin^2 t \cos^2 t} \, dt$$

$$= \int_0^{\pi} \sqrt{\frac{9}{4}(2\sin t \cos t)^2} \, dt$$

$$= \frac{3}{2} \int_0^{\pi} \sqrt{\sin^2 2t} \, dt$$

$$= \frac{3}{2} \int_0^{\pi} |\sin 2t| \, dt$$

$$= \frac{3}{2}\left(\int_0^{\frac{\pi}{2}} \sin 2t \, dt - \int_{\frac{\pi}{2}}^{\pi} \sin 2t \, dt \right)$$

$$= \frac{3}{2}\left(\left[-\frac{1}{2}\cos 2t \right]_0^{\frac{\pi}{2}} - \left[-\frac{1}{2}\cos 2t \right]_{\frac{\pi}{2}}^{\pi} \right)$$

$$= \frac{3}{2}\left\{ \left(\frac{1}{2}+\frac{1}{2} \right) - \left(-\frac{1}{2}-\frac{1}{2} \right) \right\} = \frac{3}{2}\times 2 = 3$$

08 $\dfrac{dx}{dt} = \dfrac{3}{2\sqrt{t}}$, $\dfrac{dy}{dt} = \dfrac{3}{2}\sqrt{t+2}$이므로

$0 \leq t \leq 4$일 때 주어진 곡선의 길이 l은

$$l = \int_0^4 \sqrt{\left(\frac{3}{2\sqrt{t}} \right)^2 + \left(\frac{3}{2}\sqrt{t+2} \right)^2} \, dt$$

$$= \int_0^4 \frac{3}{2}\sqrt{\frac{t^2+2t+1}{t}} \, dt$$

$$= \frac{3}{2}\int_0^4 \left(\sqrt{t} + \frac{1}{\sqrt{t}} \right) dt$$

$$= \frac{3}{2}\left[\frac{2}{3}t^{\frac{3}{2}} + 2\sqrt{t} \right]_0^4 = 14$$

MEMO

MEMO